City Style

Джулия Ортолон

Просто совершенство

Роман

ХРАНИТЕЛЬ
МОСКВА

УДК 821.111(73)
ББК 84 (7Сое)
О-63

Серия «City Style» основана в 2004 году

Julie Ortolon
JUST PERFECT

Перевод с английского В.М. Феоклистовой

Серийное оформление А.А. Кудрявцева

Компьютерный дизайн Н.А. Хафизовой

В оформлении книги использованы фотоматериалы Романа Горелова

Печатается с разрешения издательства NAL Signet, a division of Penguin Putnam Inc. и литературного агентства Andrew Nurnberg.

Подписано в печать 28.03.07. Формат 84x108 1/32.
Усл. печ. л. 16,8. Тираж 3500 экз. Заказ № 6224.

Ортолон, Дж.

О-63 Просто совершенство : роман / Джулия Ортолон; пер. с англ. В.М. Феоклистовой. — М.: АСТ: АСТ МОСКВА: ХРАНИТЕЛЬ, 2007. — 317, [3] с. — (City Style).

ISBN 978-5-17-040564-0 (ООО «Издательство АСТ»)
ISBN 978-5-9713-5176-4 (ООО Издательство «АСТ МОСКВА»)
ISBN 978-5-9762-2553-4 (ООО «ХРАНИТЕЛЬ»)

«Злейшая подруга» в своей ехидной книге обозвала Кристин Эштон трусихой. Доказать обратное — дело чести для Кристин.

И вот, собрав все свое мужество, она отправляется в горы. Разумеется, ей удастся устоять перед обаянием инструктора Алека Хантера, на вид типичного «охотника за женщинами».

Плейбою не светит ничего!

Но Алек... он сумеет доказать Кристин, что внешность обманчива и даже красавец мужчина порой бывает способен на настоящую любовь...

УДК 821.111(73)
ББК 84 (7Сое)

Глава 1

Страх — любопытное чувство: без него нельзя почувствовать себя по-настоящему храбрым.

«Как сделать свою жизнь идеальной»

Кристин просто не могла поверить, что позволила своим подругам уговорить себя и согласилась на эту авантюру. Сейчас она стояла на площади у лыжной базы Силвер-Маунтин, чувствуя, как сильно бьется ее сердце при одном только взгляде на кресла подъемника для лыжников, который нес ровный поток отдыхающих на высоченную гору; люди спокойно сидели в своих узеньких креслах, раскачивающихся на огромной высоте. Лыжники непринужденно, словно и не было никакой опасности, болтали, совершенно не задумываясь над тем, что с этого узенького сиденья можно запросто соскользнуть и свалиться на далекий заснеженный склон. Когда Кристин была еще маленькой девочкой, она вместе со своей семьей проводила ежегодные рождественские каникулы в штате Колорадо, тогда поездки на таком подъемнике доставляли ей немало неприятных, даже тяжелых минут. А уж после того как она окончила резидентуру* в отделе-

* Резидентура — последипломная подготовка врачей в США, предусматривающая годичную специализацию интерном и 3—5-летнюю резидентом. — *Здесь и далее примеч. пер.*

нии «Скорой помощи» городской больницы, в ее памяти намертво отпечатались яркие образы — теперь она слишком хорошо представляла результаты подобных падений.

Как она могла позволить Мэдди и Эйми впутать себя во все это? Конечно, когда прошлой весной они с подругами сидели в кофейне при книжном магазине, мысль о том, чтобы попробовать преодолеть свою боязнь высоты, не казалась ей такой уж трудной задачей. И только сейчас она поняла, насколько трудной она была.

Но назад пути нет. Троица заключила соглашение. Мэдди уже выполнила свою часть договора и, мужественно преодолев неверие в собственные силы, отнесла свои картины в галерею, а вот Эйми еще предстояло побороть паническую боязнь потеряться во время какого-нибудь путешествия. Если Кристин сейчас отступит, то и Эйми откажется выполнять свое обязательство.

Нет, она должна это сделать. Если не ради себя, то ради Эйми. И лучше всего сделать это как можно быстрее, тем более что она решилась. Сейчас единственным препятствием на пути к выполнению данного подругам и самой себе обещания было то, что ее инструктора нигде не было видно. На лыжной базе Кристин сказали, что инструктор — высокий блондин в зеленой куртке — будет ждать ее у схемы лыжных трасс. Следовало учесть, что Кристин пришла поздно, но ведь не слишком поздно — опоздала всего на несколько минут.

«Пожалуйста, прошу, пусть окажется, что он тоже опаздывает, что он не ушел, не дождавшись меня!»

Перчатки не спасали от холода, и, растирая озябшие руки, Кристин отвернулась от страшного подъемника и лыжников, скользящих по заснеженному склону, и стала внимательно изучать переполненную площадь. Люди неспешно прогуливались, заходили в празднично украшенные магазинчики и рестораны. Кругом на фонарных столбах висели бесчисленные яркие гирлянды, большие красные банты и праздничные баннеры. Накануне вечером шел снег, припорошивший коттеджи гостиниц и островерхие крыши лыжных баз.

Блондина в зеленой куртке нигде не было видно.

Кристин уже начало охватывать отчаяние. Покинув свой наблюдательный пункт и неуклюже ступая в огромных лыжных ботинках, она направилась к билетной кассе подъемника, надеясь, что там кто-нибудь сможет помочь ей.

— Извините, — обратилась она к молоденькой девушке в окошке. — Я ищу Алека Хантера. Возможно, вы знаете его...

— Безумного Алека? — Улыбка осветила лицо девушки. — Конечно же, знаю!

Безумный Алек? Кристин озадаченно нахмурилась, а девушка, вытянув шею, оглядела площадь. Что она хотела этим сказать — безумный? Ну уж нет, Кристин не нужен никакой безумный Алек. Ей нужен очень благоразумный Алек. Управляющий лыжной школой сказал, что сейчас все штатные инструкторы заняты, и договорился со своим «другом», что тот в течение пяти дней будет давать Кристин частные уроки. Он не упомянул ни о каком «безумии» своего друга, наоборот, его слова прозвучали так, что, мол, ей очень повезло, что сам Алек Хантер соизволил согласиться поработать с ней.

— Вон он, — указала девушка. — Во-он там, видите?

Кристин повернулась, но не увидела никого, кто бы подходил под данное ей описание.

— Нет, не вижу.

— Ну, вон там, возле паба, — вновь показала девушка. — Разговаривает с Лэйси.

Кристин снова посмотрела и наконец увидела своего инструктора. Все это время она высматривала темно-зеленую парку и никак не ожидала увидеть куртку совершенно потрясающего флуоресцентно-зеленого цвета. Парень стоял рядом с вынесенными на морозный воздух столиками паба «Сен-Бернар» и разговаривал с очень привлекательной брюнеткой, державшей большой пластиковый поднос. Официантка покачала головой и рассмеялась, очевидно, в ответ на его слова.

— Спасибо. — Кристин поблагодарила билетершу и, стараясь успокоить предательски трепыхавшееся сердце, направилась к своему инструктору. Возможно, ей удастся отменить сегодняшний урок и найти другого инструктора. Ну нет. Она уже здесь. Он уже здесь. Ей очень хотелось, чтобы первый подъем на гору был уже позади. Наверняка после этого станет легче. «Боже, прошу, пусть потом станет полегче».

Инструктор Кристин — высокий и худощавый парень стоял к ней в профиль, короткие золотистые волосы под лучами уже довольно высокого солнца казались еще более светлыми. Официантка собралась уходить, но он одной рукой схватил девушку за кисть, а вторую прижал к своему сердцу. Девушка, хотя и продолжала качать головой, улыбалась, глядя ему прямо в глаза. Парень опустился на одно колено и молитвенным движением уже двумя руками обхватил ее ладонь.

— Ох, ну ладно! — сдалась официантка. Кристин подошла уже достаточно близко, чтобы слышать их разговор. — Но это в последний раз.

— Лэйси, ты сама доброта, — произнес молодой человек. — Я расплачусь с тобой завтра. Клянусь.

— Алек, тебе потребуется как минимум неделя, чтобы об этом вспомнить, да ты и сам это прекрасно знаешь.

Девушка рассмеялась и, высвободив руку, направилась в паб.

— Алек Хантер? — Чтобы взглянуть ему в лицо, Кристин пришлось слегка наклонить голову.

Все еще стоя на одном колене, молодой человек повернулся к ней, и она увидела мальчишески радостное красивое лицо с самыми-самыми голубыми из всех, какие ей когда-либо приходилось видеть, глазами — они были более голубыми, чем небо, к тому же их красиво оттеняли длинные ресницы цвета переспелой ржи. Он был похож на мальчика из церковного хора. Проказливого мальчика из хора, поправилась про себя Кристин, видя, как поблескивают его глаза.

— Да, это я.

— Хорошо. А я Кристин Эштон.

— Привет, значит, вы все-таки приехали. — Он встал, его лицо осветила широкая улыбка, продемонстрировавшая безупречно белые, идеально ровные зубы. Боже, этот парень мог бы прекрасно зарабатывать, рекламируя зубную пасту. — А я уже потерял всякую надежду.

— Извините, у меня был срочный телефонный звонок.

Она удивленно моргнула, увидев, какой он высокий. Кристин и сама была не маленькой, не ниже большинства мужчин, но этот парень был на несколько дюймов выше ее.

— Понятно.

Судя по интонации, слово «срочный» не произвело на него должного впечатления.

Это абсолютно его не касалось, но звонок был из Остинской больницы, где Кристин только что закончила резидентуру, звонили по поводу одной из пациенток. Не могла же она попросить, чтобы миссис Хендерсон подождала со своим инфарктом, пока у нее не закончатся лыжные занятия.

Кристин отбросила мысли о звонке и внимательно посмотрела на стоявшего перед ней молодого человека. На вид ему было меньше тридцати трех — столько исполнилось ей. Привлекательный, но молодой, слишком молодой.

— Надеюсь, мой вопрос не покажется вам обидным: вы достаточно компетентный инструктор?

Алек сверкнул еще одной сногсшибательной улыбкой.

— Если вам нужен человек, который научит вас кататься на лыжах, кататься по-настоящему, я именно тот, кто вам нужен.

Именно это ей и было нужно, и Кристин воздержалась от дальнейших расспросов.

— Ну вот. — Из паба вернулась Лэйси. — Можешь отправляться, приятель.

Алек взял большой пакет с едой, который вручила ему Лэйси. Судя по весу пакета, он застал ее в хорошем расположении духа. Повезло, поскольку в кармане была только какая-то мелочь, а бумажник он оставил дома. Опять.

— Спасибо, дорогая, я твой должник.

— Вот именно. Чек внутри. Я надеюсь на хорошие чаевые.

— Разве я когда-нибудь тебя обижал? — Алек попытался принять вид обиженного щенка, но девушка презрительно фыркнула, проигнорировав шутку, и быстро ушла. Это ничуть не обескуражило парня, и он, улыбнувшись, повернулся к своей ученице:

— Вы готовы?

Кристин встревоженно взглянула на подъемник, но тут же расправила плечи и упрямо вздернула подбородок.

— Вполне.

— Отлично. Где ваши лыжи?

— Я оставила их у подъемника.

— Мои тоже там.

Он направился через площадь, Кристин, стараясь шагать в ногу, пошла рядом, стуча жесткими ботинками по мощеному тротуару.

Когда они подошли к лыжным стойкам, чтобы забрать свою амуницию, у Алека от удивления округлились глаза. Кем бы ни была эта Кристин Эштон, но денежки у нее водились, в этом можно было не сомневаться. Поначалу, когда Алек увидел ее голубой с белым лыжный костюм фирмы «Спайдер», он как-то не подумал об этом, но едва только взглянул на лыжное снаряжение, скрытое стало явным. Все, начиная от шлема и кончая лыжами, было совершенно новым, «с иголочки», а уж стоило, похоже, больше трехмесячной аренды его квартиры. Брюс клялся и божился, что она не новичок в этом деле и хочет лишь немного повысить свой класс, но поблескивающие свежим лаком лыжи, элегантно изогнутые, без единой царапины слаломные палки и сверкающие новенькие крепления заставляли усомниться в этом. У бывалых лыжников редко все снаряжение бывает абсолютно новым.

«Проклятие!» — подумал Алек, застегивая крепления на своих лыжах фирмы «Соломон Хотс». Еще час назад он с нетерпением предвкушал, как будет играть роль лыжного инструктора. Он рассчитывал, что неделя частных уроков с приличным учеником позволит ему спокойно покататься на лыжах и таким образом убить хоть какую-то часть отпуска, который его просто вынудили взять. Рассчитал-то он все здорово, но будет ли это на самом деле здорово? Если нет, старина Брюс будет перед ним в неоплатном долгу.

Его сомнения еще больше увеличились, когда он увидел, как она возится с лыжными креплениями. Следует принять закон, который запрещал бы покупать первоклассное снаряжение людям, понятия не имеющим, как им пользоваться, и покупающим его только потому, что они могут себе это позволить. С другой стороны, даже если Кристин и на лыжне окажется никчемным «чайником», ее вид вполне может компенсировать эти издержки. У Алека даже брови поднялись, когда она, застегивая крепления, нагнулась и тонкие белые брюки лыжного костюма плотно обтянули ее бедра и длинные стройные ноги. Ноги всегда были слабостью Алека. Остальное тоже было в порядке — пусть даже, на его вкус, в ней было слишком много от эдакой Снежной принцессы — но, Господи, эти ножки обещали, что его либидо уже очень скоро даст о себе знать. Его первое, пусть жалобное поскуливание Алек услышал, нет, скорее почувствовал, когда девушка наклонилась еще ниже и ее прямые светлые волосы плавно скользнули по плечу медленным завораживающим потоком.

— Могу я вам помочь... с этим?

— Нет, я сама, — ответила девушка, наконец справившись с последней застежкой.

— Прекрасно. — Алек прокашлялся. — Пойдемте встанем в очередь.

До очереди к подъемнику она проехала достаточно свободно, и Алек с облегчением понял, что на лыжи она встала по крайней мере не впервые. Очередь была сравнительно длинной, поэтому Алек снял перчатки и открыл пакет, чтобы посмотреть, что положила ему Лэйси: сандвич с ветчиной и сыром, картофельные чипсы с луком и сметаной, банку колы, чтобы утолить его пагубное пристрастие к сахару и кофеину, и... Он перевернул пакет, чтобы добраться до самого дна. Есть! Огромная шоколадная булочка.

— Ну что за прелесть эта женщина!

— Это ваша подружка?

— Кто? Лэйси? — Алек даже слегка нахмурился. — Нет, черт возьми. Она обручена с одним из наших ребят. Вы не подержите?

Алек протянул Кристин свои лыжные палки, потом достал сандвич и впился в него зубами, компенсируя свой сверхактивный обмен веществ. Он давно уже оставил надежду, что однажды эта активность ослабеет. Что ж, неудивительно, с его-то огромными ежедневными нагрузками.

К тому времени когда подошла их очередь, Алек уничтожил все содержимое пакета с ленчем. Он положил в карман чек, чтобы не забыть рассчитаться с Лэйси, и бросил пустой пакет и банку из-под содовой в урну.

— Спасибо, — поблагодарил он Кристин, забирая у нее свои лыжные палки, и только тогда заметил, что дыхание его ученицы стало каким-то тяжелым и она прямо на его глазах превращается из изнеженной Снежной принцессы в обычную бледную девушку, которая, кажется, вот-вот шлепнется в обморок.

— Послушайте, вы ведь не сегодня приехали?

— Вчера. — Кристин сделала вдох и выдох. — А почему вы спрашиваете?

— Мне кажется, что у вас небольшие проблемы из-за высоты.

— Нет, я прекрасно себя чувствую.

— Понимаете, здесь из года в год встречаются люди, совершающие одну из самых глупых ошибок: очередной суперлыжник выходит из самолета и сразу же бросается к подъемнику, а потом на вершине горы благополучно теряет сознание. Так что, если хотите, мы можем отложить первый урок.

— Я же сказала, что со мной все в порядке. — В ее тоне звучала нотка высокомерия. — Я знаю, как вести себя на высоте.

«Да, конечно, любой житель равнины абсолютно уверен в том, что знает, как вести себя на высоте», — с сарказмом подумал Алек. Но прежде чем он успел задать Кристин еще пару вопросов, они оказались у турникета подъемника, и операторы, не мешкая, подтолкнули их к крохотным и, казалось, таким ненадежным сиденьям. Ну ладно, по крайней мере, если она упадет в обморок, он знает, что делать в подобных случаях.

Подъехавшее кресло подхватило парочку и понесло вверх. Устраиваясь поудобнее, Алек откинулся назад, предвкушая приятную поездку к вершине горы, как вдруг заметил, что Кристин вцепилась в подлокотник кресла и, тяжело дыша, монотонно шепчет:

— О Боже, о Боже, о Боже!

— Эй, — обеспокоенно обратился он к ней, — с вами все в порядке?

— Вообще-то нет. — Кристин повернулась и посмотрела на Алека обезумевшим взглядом. — Я передумала. На самом деле я не хочу этого делать. Снимите меня с этой штуки.

— Я не могу, придется подождать до вершины.

— Немедленно освободите меня! Быстрее!

— Хорошо, хорошо. Пожалуйста, успокойтесь.

Он наклонился к девушке и нарочито медленно начал расстегивать страховочный пояс — по сути, совершенно бесполезное действие, — но, чтобы успокоить эту ненормальную, Алек был готов смириться с любым ее капризом. Он посмотрел на мертвенно-бледное лицо Кристин и предупредил:

— Только не вздумайте отключиться здесь, на такой высоте.

— Вам обязательно нужно было говорить «на такой высоте»? — Она вцепилась в подлокотник, посмотрела вниз и тут же подняла глаза к небу: — И зачем я только это делаю?

— Хороший вопрос. Вы вроде бы сказали, что раньше катались на лыжах.

— Каталась, но я бросила это занятие, потому что ненавижу ездить на этих дурацких приспособлениях. Как такое можно вынести? Клянусь Богом, я убью Мэдди и Эйми за то, что они меня в это втянули.

— О ком вы говорите?

— Это мои подруги. Бывшие подруги, как мне кажется в данную минуту.

— Послушайте, все в порядке. — Алек протянул руку и похлопал Кристин по плечу. — Вы не упадете.

— Я не боюсь упасть. — Она зажмурила глаза. — Я боюсь спрыгнуть.

Он нахмурился:

— Откуда такие мысли? Мы на высоте почти пятьдесят футов. После такого не выживают.

— Уж я-то это знаю.

— Значит, этого нельзя делать.

— Я пытаюсь удержаться.

— Как такая мысль могла прийти вам в голову?

Алек даже сам немного запаниковал, представив возможный результат.

— Подобное вынужденное желание является следствием страха, — ответила Кристин. — Именно он заставляет людей бросаться с моста или под колеса тяжелого грузовика.

«Святой Иисус! Неужели она все это всерьез?»

— Пожалуй, с вами не стоит садиться в машину.

— На шоссе такого со мной не бывает, только на лыжных подъемниках.

— А в чем причина?

— Не знаю!

— Ну хорошо, хорошо. — Алек еще раз, но уже сильнее хлопнул Кристин по плечу. — Постарайтесь не думать об этом.

Подъемник остановился, кресло дернулось и закачалось. Кристин вскрикнула и снова зажмурилась.

— Пожалуйста, Алек, не дайте мне спрыгнуть! Пожалуйста, не дайте мне спрыгнуть!

— Эй, эй, давай сделаем вот что... — Он крепко сжал ее запястье, и сердце у него заколотилось. — Вы сейчас отпустите этот поручень...

— Ни за что на свете! — Кристин взглянула на Алека с такой ненавистью, словно собиралась убить.

— Ну же, доверьтесь мне. Отпустите поручень и отведите руку назад. — Он осторожно начал отводить назад ее руку. — Вот так, теперь смотрите только на меня. — Алек развернулся к Кристин, чтобы видеть ее лицо и стараясь двигаться так, чтобы их лыжи не столкнулись. — Смотрите на меня, только на меня. Вот сюда. — Он показал на свои глаза. — Не отводите взгляда и дышите. Вдох... выдох... вдох... выдох...

Дыхание Кристин становилось ровнее, но она по-прежнему крепко цеплялась за спинку кресла и страховочный пояс.

— Ну что, полегче?

Кристин кивнула, продолжая глубоко дышать. Порывом ветра с верхушек ближних сосен снесло шапки снега, и это напомнило Алеку о том, как высоко над землей они находятся.

— Итак, расскажите мне о своих подругах. Мэнди и?..

— Мэдди и Эйми. — Кристин снова глубоко вздохнула. — Мы должны пройти... испытание. У каждой из нас есть год на то, чтобы побороть личные страхи и осуществить давние мечты.

— А ваша задача — преодолеть страх перед подъемником и кататься в свое удовольствие?

— Не просто кататься — кататься так, чтобы я смогла обогнать на «черной лыжне» своего брата. Вот поэтому мне нужен инструктор.

Алек удивленно поднял брови:

— Как давно вы в последний раз стояли на лыжах?

— Четырнадцать лет назад.

— Ваш брат хороший лыжник?

— Лучше не спрашивайте.

— Неужели настолько хорош?

— Да, черт возьми! И это меня бесит. — Румянец вновь возвращался на ее щеки. — Он во всем лучше меня. Лыжи — это единственное, в чем, как мне кажется, я могла бы его побить. Я понимаю, все это звучит по-детски, но для меня это очень важно. А до приезда моей семьи на рождественские каникулы осталась всего неделя.

— Вашей семьи? — Алек старательно поддерживал разговор, не давая Кристин замолчать.

— Мои родители, брат, его жена и двое их сыновей. Каждое Рождество они проводят в Сентрал-Виллидж, здесь у моих родителей есть квартира. А поскольку я не хочу, чтобы они знали о моей боязни подъемников, я уже очень давно не провожу Рождество с семьей.

— Правда? — Алек поднял брови. — Я тоже. Хотя совершенно по другой причине. Понимаете, мне всегда казалось, что этим семейным собраниям придают слишком большое значение. Особенно во время праздников, когда все и так немного не в себе.

— Да, но вы представляете, как бы посмеялся надо мной мой братец Робби, если бы узнал, почему я никогда не приезжаю на Рождество!

Лязгнули далекие шестерни, подъемник дернулся и вновь поехал. Кристин закрыла глаза.

— Не надо этого делать. Смотрите на меня. — Алек подождал, пока она откроет глаза. — Хорошо. Просто дышите и смотрите мне в глаза.

Какие великолепные у нее глаза! Чистое серебро с нежным оттенком голубого. А при взгляде на ее лицо на ум приходило только одно — утонченность. Другого слова просто нельзя было найти. Да, ее красоту можно назвать и классической, но в ней есть еще что-то такое... Красота этой девушки была классической во всех отношениях: изящный тонкий нос, высокие скулы, ровная линия подбородка. И наконец, эти длинные, ниспадающие почти до талии, светлые волосы, которые словно были созданы для того, чтобы мужчина запустил в них свои сильные пальцы.

При этой мысли Алек ощутил волнение во всем теле.

— Гм... ну хорошо. — Он откашлялся. — Расскажите мне о вашем уговоре. Как у вас возникла эта идея?

— Что? — Кристин, похоже, потеряла нить разговора.

— Расскажите о вашем уговоре. — Алек аккуратно приподнял манжету ее куртки, чтобы проверить пульс.

Сердце девушки трепыхалось, как у испуганного кролика. Сможет ли он удержать ее, если бедняжка все-таки потеряет сознание? — Итак, как вы пришли к этому?

— Хорошо. — Кристин слегка расслабилась, пока Алек массировал ей запястье. — Мы трое были соседками по квартире, когда учились в Техасском университете. Точнее, квартиру мы снимали вчетвером. Но Мэдди, Эйми и я до сих пор сохранили тесные отношения. Четвертой была Джейн Реддинг.

— Это та, которая ведет утреннее шоу? — Алек удивленно поднял бровь.

— Да. Джейн переехала в Нью-Йорк и стала очень популярной ведущей теленовостей, потом начала вести ток-шоу.

— Она, кажется, написала какую-то книгу?

— Да, книгу для женщин, которая называлась «Как сделать свою жизнь идеальной».

— Точно. — Алек кивнул. — Она попалась мне на глаза в книжном магазине в Ист-Виллидж, и я даже посмеялся. Кристин, не хочу обидеть вашу подругу, но разве жизнь может быть идеальной?

— Абсолютно с вами согласна, но именно с этой книги все и началось. Мы были в Остине на встрече Джейн с читателями и, чтобы поддержать нашу старую подругу, приобрели по экземпляру. Но потом мы обнаружили, что в книге она описывает нас, своих подруг, в качестве отрицательного примера, как женщин, которые позволяют собственным страхам мешать осуществлению мечты. Представляете? — Пульс Кристин вновь участился. — Вот сучка!

— Простите? — Алек постарался сдержать смешок: странно было услышать ругательство из уст такой утонченной девушки.

— Как она только посмела использовать наши тайны в качестве примеров в своей книжонке?!

— И что же она сказала о вас? Что страх высоты мешает осуществлению вашей мечты стать олимпийской чемпионкой?

— Нет. — Кристин презрительно фыркнула, словно собиралась повторить какую-то явную глупость. — Она сказала, что я так боюсь родительского порицания, что для меня одобрение отца важнее собственного счастья.

— А это действительно так?

— Нет, это неправда. — В ее глазах сверкнуло возмущение. — А если бы даже и так? Что плохого в том, что я хочу заслужить одобрение отца? Он блестящий кардиолог. Я уважаю его мнение и, конечно, хочу, чтобы он мной гордился. Но это не имеет никакого отношения к страху и совершенно не означает, что ради отца я забываю о своем счастье.

— А какое отношение все это имеет к лыжам?

— Ой! — Кристин опять вспомнила, где они находятся. — Нелегко об этом говорить, когда мы болтаемся на такой высоте.

— Не думайте об этом. Расскажите об уговоре.

— Если коротко, то мы пришли к выводу, что Джейн не права и наши страхи не могут помешать нам осуществить то, что нам хочется. И тогда мы решили поставить перед собой определенные задачи. Если одна из нас не справится со своим заданием до конца этого года, она должна будет пригласить остальных на шикарный ужин и до конца жизни терпеть насмешки. Поскольку мне все равно надо было становиться на лыжи, я подумала, что раз уж я собираюсь это сделать, то заодно могла бы утереть нос своему братцу, и желательно, чтобы и отец это видел. Мне хочется, чтобы хоть раз в жизни он признал, что Робби не во всем является совершенством. И есть по крайней мере одно дело, которое я делаю лучше. — Взгляд Кристин стал умоляющим. — Вы можете мне помочь?

— Думаю, сейчас мы это поймем, тем более что мы... уже приехали.

— Уже? — Она развернулась и, посмотрев вперед, увидела прямо перед собой плоскую площадку и лыжников, спрыгивающих с кресел подъемника. Прежде чем девушка успела возразить, Алек отстегнул страховочный пояс.

Все ее тело пело от облегчения, когда они спрыгнули на плотно укатанный снег и легко заскользили по плавному склону к началу лыжни. Кристин с удовольствием окинула взглядом залитый солнцем пейзаж.

На фоне голубого неба возвышались Скалистые горы, запорошенные снегом высокие сосны четко очерчивали склоны. Множество лыжников и сноубордистов неслись вниз по сверкающему снегу под бесконечной линией кресел подъемника. Как здорово! Подняв голову, Кристин взглянула на висящие высоко в воздухе кресла подъемника, и чувство торжества охватило ее.

— Я это сделала! — Она так была благодарна Алеку, что ей захотелось обнять его. Однако она сдержала это импульсивное желание и только улыбнулась: — Если я вас поцелую, это будет очень неприлично?

Он ухмыльнулся:

— Не буду возражать.

Кристин звонко и заразительно рассмеялась:

— Научите меня всему, что я должна знать, и тогда посмотрим.

Глава 2

«Уж лучше бы она не шутила насчет поцелуя», — думал Алек, когда они выбирали позицию для начала спуска. Стараясь выбросить из головы эту мысль, Алек с трудом мог сосредоточиться на предстоящем спуске. Это было что-то новенькое, поскольку лыжи были для него всем — с ними он ел, пил и спал.

Он механически произнес небольшую лекцию, посвятив ее правилам безопасности и самым простым наставлениям, потом обратился к снаряжению Кристин.

— Вы должны помнить о том, что ваши новые лыжи очень сильно отличаются от тех, на которых вы катались четырнадцать лет назад.

— Да, продавец упомянул об этом. — Кристин выглядела очень сосредоточенной. — Он что-то говорил о том, что они короче и шире и это позволяет затрачивать меньше усилий на поворотах.

— Совершенно верно. На таких лыжах не требуется совершать столько телодвижений, как на старых моделях, сейчас движение скорее сводится к переносу тяжести тела, вот так.

Алек, не отрывая глаз от девушки, медленно показал основные движения. Кристин старательно повторила их и, даже несмотря на то что была упакована в довольно объемный лыжный костюм, он легко мог представить, какая фигура скрывается под ним: высокая, стройная и нагая. Воображение повело Алека еще дальше — он представил, как Кристин прижимается к нему и он целует ее в губы. Медленный, обжигающий душу поцелуй... Поцелуй, который начался, когда они еще стояли одетые, и который закончится только тогда, когда они будут лежать рядом, обнаженные, потные, тяжело дышащие и насытившиеся...

Все нормально, обычная реакция парня на привлекательную девушку, убеждал себя Алек, но все эти мысли требовалось немедленно выбросить из головы.

— Хорошо. — Он кивнул. — Только поактивней губами.

Кристин остановилась и недоуменно посмотрела на него:

— Поактивней чем?

В ответ Алек в приятном оцепенении смотрел на нее, на ее ясные голубые глаза... пока до него не дошел смысл его фрейдистской оговорки.

— Я имею в виду бедрами. Активней работайте бедрами.

Кристин бросила на него недоверчивый взгляд, который заставил Алека мысленно посмеяться над самим собой. Ладно, теперь она поняла, о чем он думает, и это чертовски забавно, хотя и неловко.

— Я вот что подумал, — сказал он, опершись на лыжные палки и встав спиной к спускающейся со склона лыжне, — давайте-ка, чтобы вы немного привыкли к своим лыжам, пройдем часть спуска свободно, не думая и не напрягаясь, а уж потом перейдем к упражнениям.

— Вы что, поедете спиной вперед?

— Конечно. Так я лучше смогу следить за вами. Или за «тобой»? Давай на ты?

— Ладно.

Кристин посмотрела на него округлившимися от удивления глазами, словно он был не в своем уме, и опустила на глаза защитные очки.

Алек следил, как она неровно, судорожно дергаясь, прошла несколько первых поворотов.

— У тебя слишком низкая посадка, чуть привстань и выровняй голени по носкам ботинок.

— Знаю, знаю, — резко бросила Кристин, сердившаяся скорее на саму себя, чем на него.

— Плечи вперед, — сказал Алек и одобрительно кивнул, когда она быстро исправила ошибку. Затем движения ее стали ритмичными и плавными настолько, что он удивленно поднял брови.

Хорошо, эта девушка действительно умеет кататься на лыжах, и, похоже, четырнадцатилетний перерыв не особенно сказался на ее навыках.

— Давай немного прибавим темп. — Он подпрыгнул, развернулся и, пропустив Кристин немного вперед, покатился за ученицей. Она прибавила скорость и несколько следующих поворотов одолела уже более уверенно. — Сейчас начнется более крутой участок, — предупредил Алек. — Постарайся сконцентрироваться на том, чтобы держать вес впереди. Не отклоняйся назад.

Кристин кивнула и так серьезно, даже сердито, посмотрела на склон, что Алеку захотелось рассмеяться. Ну неужели никто не объяснял ей, что катание на лыжах должно приносить удовольствие?! Он уже было собирался сказать ей это, но Кристин, чуть притормозив перед крутым участком, ринулась вниз с удивившим его бесстрашием. Инстинкт самосохранения заставлял многих лыжников осторожничать, но по иронии судьбы именно эта осторожность приводила к потере самообладания. После того представления, которое она устроила на подъемнике, Алек ожидал, что на склонах Кристин будет очень осторожна. Но ничего подобного! Она взялась за дело очень энергично; слегка пригнувшись, Кристин довольно уверенно катилась вперед, пружиня на неровностях снежной трассы.

Алек понесся за ней, потом несколько снизил скорость, подстраиваясь под движение ученицы. Они спускались рядом, почти синхронно, и Алек с удовольствием наблюдал за девушкой. Здорово! Чертовски здорово! Если она может так кататься уже в первый день, то очень скоро она у него будет кататься как профессионал.

Кристин оглянулась, сердитая гримаска исчезла с ее лица, она улыбалась.

Что-то внутри Алека щелкнуло и встало на место: в ее глазах он видел отражение собственного радостного возбуждения. Он понял, что Кристин испытывает такой же восторг, который он испытывал каждый раз, когда со свистом несся по крутому склону горы, и от которого хотелось кричать.

Он наслаждался каждым мгновением полета по горному склону: блеск снега в ярком солнце, красота пролетающих мимо размытых деревьев, бодрящий воздух, бьющий в лицо. Алек улыбнулся в ответ Кристин...

И она грохнулась. Жестко. Кувырком покатившись по склону.

Сердце у него упало, он резко затормозил и все же проехал чуть ниже. Обернувшись, Алек увидел, что Кристин лежит, уткнувшись лицом в снег, руки неуклюже раскинуты в стороны, слетевшие лыжи разбросаны неподалеку. Она не двигалась, и Алека охватил страх.

— Кристин! С тобой все в порядке?

К его удивлению, она подняла голову и расхохоталась как безумная. Очки и шлем слетели, щеки и волосы были в снегу.

— Просто великолепно!

Алек уставился на нее, изумленный тем, как меняется ее лицо, когда она смеется так безудержно. Он в который раз отметил красоту этой девушки, но еще десять минут назад ее красота казалась ему несколько отстраненной, а теперь, когда Кристин лежала, распластавшись, словно тряпичная кукла, она выглядела... счастливой. И по мнению Алека, это было даже лучше, чем выглядеть красивой. Единственная вещь, которая ему нравилась больше, чем великолепные ноги, — это по-настоящему великолепный смех.

Кристин перевернулась на живот и, все еще смеясь, встала на четвереньки.

— Не могу поверить, что я делала это так давно.

— Делала что? Кувыркалась?

— Нет, каталась на лыжах. — Она наконец уселась на пятки и встряхнулась, точно как его пес Бадди после купания. — Как это здорово!

— А меня называют безумным, — пробормотал Алек себе под нос, переводя взгляд на разбросанное в беспорядке снаряжение. — Похоже на домашнюю распродажу.

Кристин поискала взглядом разлетевшиеся в разные стороны палки и опять расхохоталась.

— Что-нибудь потеряла?

— Палки.

— Подожди. — Легко подпрыгнув, Алек развернулся и «лесенкой» спустился вниз по склону. Кристин неуклюже ползала по снегу, собирая свою амуницию.

Алек смотрел на нее, и ему вдруг подумалось, что он вполне мог бы пригласить ее на свидание. Он даже удивился, что эта мысль не возникла у него, как только он впервые увидел Кристин. Возможно, Брюс с неодобрением относится к тому, что его инструкторы ухаживают за своими ученицами, но ведь Алек не штатный инструктор.

Обычная ситуация: привлекательная женщина, приятный парень. И после того как урок закончится, ничто не может помешать ему пригласить девушку присоединиться к их компании в пабе «Сен-Бернар».

Воодушевленный этой мыслью, Алек стал подниматься к Кристин и вдруг заметил, что на холме появилась группа подростков на сноубордах, они летели прямо на Кристин.

— Берегись!

Девушка крепко выругалась и рухнула в снег, прикрывая голову руками, Алек закричал и бросился к ней. Сноубордисты наконец-то заметили препятствие и в последний момент свернули в сторону, промчавшись мимо раз в десять быстрее, чем разрешил бы лыжный патруль. Алек махнул им вслед кулаком и повернулся к Кристин, которая, второй раз выбравшись из сугроба, сосредоточенно стряхивала снег с волос.

— Ты что-то сейчас сказала?

— Ничего, — ответила она с преувеличенно невинным видом.

— Мне показалось, ты что-то крикнула.

— Ах да. — Она подтянула к себе лыжи. — Я пыталась предупредить тебя.

— Да? А мне показалось, кто-то крикнул «гребаное дерьмо».

Воткнув лыжи в снег, Кристин наконец встала. Стоя на склоне выше Алека, она в буквальном смысле свысока посмотрела на своего инструктора.

— Разве я похожа на девушку, в лексиконе которой есть столь непристойные слова?

— Нет. — Он улыбнулся. — Ты похожа на принцессу... в лексиконе которой есть столь непристойные слова.

— Ха! — Кристин отбросила за спину длинные волосы и, встав на лыжи, застегнула крепления.

После недолгих поисков она нашла-таки свои палки и, чтобы вытащить их из снега, нагнулась, продемонстрировав великолепный вид сзади.

«Да, — решил Алек, — нет никакой причины, которая могла бы помешать мне пригласить ее на свидание».

Приведя свое снаряжение и одежду в порядок, Кристин подъехала к нему. Щеки ее раскраснелись, а в глазах сверкали озорные искорки, только частое и поверхностное дыхание выдавало некоторую усталость.

— Все! Я готова продолжать.

— У меня есть идея получше. Почему бы нам не сделать небольшой перерыв? Тебе нужно отдышаться.

— Нет... Я в полном порядке, — ответила Кристин, стараясь сдержать дыхание.

Алек улыбнулся, видя ее желание казаться сильной.

— А может, это мне необходимо отдышаться?

— Может быть.

Кристин усмехнулась, и Алека вновь охватило сильное желание поцеловать ее. Вообще-то, как правило, он вполне мог справиться с желанием поцеловать какую-нибудь роскошную девицу, но не такую, которая хохочет, падая в снег, и ругается как матрос.

— Давай прервемся, — настаивал он, — всего лишь небольшой отдых.

— Ну хорошо. — Кристин кивнула.

— Откуда ты? — спросил Алек, когда они медленно скользили к ближайшим деревьям.

— Из Остина.

— Правда? — Он остановился на кромке лыжни. — Мы практически соседи. Я вырос в Элджине.

— Да ты что! — В глазах Кристин зажегся интерес, и он воспринял это как «зеленый свет». — Очень люблю элджинские сосиски.

— Лучшие в Техасе, — похвастался он. — А где ты живешь в Остине?

— Ну, — Кристин отвела глаза, — район Виндзор, Мо-Пак.

— Понятно. — Это подвинуло Алека чуть ближе. Она не лгала, она лишь слегка отретушировала правду. Деликатный способ дать понять бедному провинциалу, что она выросла в Тэрритауне, в одном из самых дорогих и престижных районов Остина. А судя по тому, как она это сказала, Алек понял, что Кристин Эштон была не просто богата. Она была «серьезно богата». Женщины из такого социального слоя не ходят на свидание к «белым отбросам»*. Ему даже не пришлось говорить, что, по существу, он вырос в трейлере, — женщины чувствуют такие вещи инстинктивно.

На миг в голове мелькнула трусливая мысль отказаться от попытки пригласить эту девушку на свидание, но Алек лишь пожал плечами — кто не рискует, тот не выигрывает.

— Значит, Остин? Шикарная ночная жизнь.

— Да, так все думают. — Кристин вздохнула и с явным облегчением улыбнулась ему в ответ. Определенно «зеленый свет».

— И как же ты развлекалась?

— Я не развлекалась. — Кристин хмыкнула и подумала о том, что единственная ночная жизнь, с которой она была знакома, — это жизнь в отделении «Скорой по-

---

* «Белые отбросы» (trailer trash) — презрительное прозвище белых американцев, не получивших образования, безработных или получающих низкую зарплату.

мощи» в больнице Брекенридж. Но меньше всего ей хотелось говорить о своей резидентуре сейчас, во время отпуска.

— Ну, это просто стыд, — сказал Алек. Нужно максимально использовать все, что имеется в твоем распоряжении. Он посмотрел на нее таким взглядом, что она позабыла, о чем они говорят. Хотя кого волнуют слова, когда его глаза буквально кричали: «Ты великолепна! Ты мне нравишься. Как насчет того, чтобы раздеться?»

Ее щеки залила волна румянца, и она улыбнулась в ответ. «Возможно», — отвечал ее взгляд, хотя рассудок занудно твердил об осторожности. Каждый раз, когда мужчина нравился ей с первого взгляда, он оказывался неудачником. После своего злополучного последнего романа Кристин пообещала Мэдди и Эйми, что не будет больше встречаться ни с кем, пока они сами не одобрят ее выбора. Фактически она заставила подруг пообещать, что они ей этого больше просто не позволят.

Но иногда, как, например, сейчас, когда гормоны вдруг начинали свою счастливую пляску, Кристин легко забывала об этом обещании.

Алек отвел взгляд и вздохнул, словно пытаясь успокоиться.

— Если ты отдышалась, мы можем продолжить.

— Я готова, если ты готов, — ответила Кристин с игривым намеком.

— Я всегда готов. — Алек хулигански ухмыльнулся.

Кристин засмеялась. Черт, а ведь он просто прелесть. И очень забавный. И высокий. Надо надеяться, что подруги дадут свое благословение, когда она расскажет им об этом парне.

— Какие у нас планы?

— Полагаю, нам следует найти более пологий участок и поработать над твоей балансировкой.

— Ты мой инструктор, и я полностью полагаюсь на тебя.

Следующие полтора часа превратились в самый сексуальный лыжный урок в истории, в этом Кристин была уверена. После каждого упражнения Алек находил предлог, чтобы подойти к ней сзади, широко расставив свои лыжи, он клал ей руки на бедра или на плечи, стараясь не то обнять ее, не то поправить стойку лыжницы. С каждым прикосновением его хрипловатый голос звучал все тише, и вот уже все тело Кристин покалывало от понимания. Она еще два раза поднималась на гору на подъемнике, и во время этих поездок Алек массировал ей запястья. Это было приятно и даже возбуждающе.

После третьего спуска он остановился у подножия. Кристин, взметнув фонтанчик снега, затормозила рядом.

— На этом, — сказал Алек, снимая защитные очки, — мы закончим наш первый урок.

— Уже? — Кристин стянула перчатку, чтобы посмотреть на часы. — Ух ты, как летит время, когда катаешься на лыжах!

— Конечно, так всегда. — Он опять посмотрел на нее своим озорным взглядом, от которого приятно щекотало под ложечкой. — Какие у тебя планы?

Ага, похоже, он собирается пригласить ее на свидание, но она не может согласиться, пока Алек не пройдет контроль подруг.

Либидо уговаривало Кристин сказать «да» сейчас же и уж потом получить одобрение подруг, которые оказались такими чертовски «стойкими», что она уже несколько месяцев ни с кем не встречалась. Но этот парень понравился бы им, в этом Кристин была уверена.

«Нет, Кристин. Оставайся твердой. Оставайся непоколебимой».

— Я... гм... — Она откашлялась. — Я собиралась вернуться в квартиру родителей, отогреться под горячим душем и рухнуть на мягкий диван.

Этот план был чудесным. Особенно если учесть, что она привезла с собой горы книг, чтобы подготовиться к грядущему аттестационному экзамену, который будет принимать больничный совет.

— Чтобы отогреться, я могу предложить кое-что получше. — Алек наклонился к ней, опершись на лыжные палки. — Я собираюсь встретиться со своими приятелями в пабе. Как леди посмотрит на то, чтобы выпить стаканчик теплого бренди у потрескивающего камина?

— Звучит заманчиво. — Очень заманчиво. — Но нет, я не могу.

— Пойдем, это не займет много времени. — Алек нагнулся, чтобы снять лыжи. — Мои друзья — опытные лыжники, они наверняка дадут парочку советов по поводу твоего будущего забега.

Это нечестно! Как можно удержаться и не согласиться, не говоря уж о том, что физическое влечение к этому парню буквально пронизывало все ее тело? Пытаясь отвлечься, Кристин наклонилась и стала снимать лыжи.

— Я бы с удовольствием, правда, но только не сегодня. Надеюсь, твое приглашение останется в силе?

— Несомненно. — Алек выпрямился и, слава Богу, совершенно не выглядел расстроенным. — Принимай свой горячий душ, и, кстати, твоим мышцам не помешает таблетка ибупрофена. Потом необходимо хорошенько выспаться, и пей побольше воды.

— Ты говоришь как врач.

— Я просто забочусь о своей ученице. — Он положил на плечо лыжи и палки. — Увидимся завтра. В том же месте в то же время.

— Договорились.

Кристин смотрела вслед Алеку, борясь с желанием броситься за ним и крикнуть «да». Несомненно, период «воздержания» подходит к концу.

Кристин быстро приняла душ, натянула старые джинсы и выцветшую оранжевую толстовку с логотипом ее колледжа на груди — белой лонгхорнской коровы. Она торопливо спускалась по лестнице, ведущей из мансарды, мимо гостевых спален в главную гостиную и лихорадочно пыталась сочинить такое электронное послание своим подругам, которое помогло бы ей получить их одобрение.

Как и в большинстве зданий, расположенных на Силвер-Маунтин, в их доме первый этаж занимали магазины и рестораны, а квартиры располагались над ними. Огромное окно во всю стену выходило на широкий балкон, на котором был устроен солярий, и оттуда открывался великолепный вид на горы.

Ноутбук Кристин стоял на кофейном столике, рядом с коробкой из-под вчерашней пиццы. «Сначала кофе», — подумала она и направилась в кухню. Пока Кристин принимала душ, в кофеварке приготовился ароматный кофе, и девушка поискала кружку подходящего размера. К сожалению, в шкафчиках не нашлось ничего, кроме причудливых фарфоровых чашечек с хрупкими ручками. Смирившись, Кристин налила кофе в одну из чашек и взяла ее с собой в гостиную.

Эта квартира, разумеется, не была такой официальной, как апартаменты Эштонов в Остине, и все же, на взгляд Кристин, дизайн интерьера больше подходил английской чайной комнате, чем комнатам в доме, расположенном на лыжном курорте, но таков был стиль ее матери.

Перешагнув через сброшенные накануне вечером туфли, Кристин щелкнула кнопкой, включая газовый камин. Мгновенно за тщательно подогнанным стеклом на искусственных поленьях заплясали языки пламени. Кристин подумала об Алеке Хантере, который наверняка сейчас с друзьями сидит в переполненном пабе перед настоящим камином, вокруг слышится смех, пахнет дымком и готовящейся едой. Если сейчас все пройдет удачно, завтра она присоединится к нему.

Кристин собралась с духом, села на диван и открыла свой ноутбук. Итак, что же написать?

Часы на мониторе показывали, что в Остине сейчас четыре пятнадцать, значит, по местному времени — три пятнадцать. Отлично. С тех пор как Мэдди переехала в Санта-Фе, у них установилась традиция выходить на онлайновую связь как раз в это время. Эйми сейчас все еще сидит за столом в офисе своего агентства «Няня в дорогу»; ее фирма предоставляла нянь для богатых людей, отправляющихся в путешествие, и услугами компании пользовались даже некоторые знаменитости. В этот час Мэдди обычно с радостью пользовалась возможностью сделать перерыв в работе, а Кристин как раз просыпалась, отоспавшись после очередного ночного дежурства.

Электронная почта не могла компенсировать дружеские ленчи и походы в кино, которые в течение десяти лет, то есть со времени окончания университета, стали традиционными, но это было лучше, чем ничего. Немного подумав, Кристин решила начать с хорошей новости, которая настроит подруг на положительный лад. На строчке «заголовок» она напечатала: Я это сделала!

Сообщение: Я проехала на подъемнике! Три раза!

Первой откликнулась Мэдди: Вот это да! Теперь давай подробно.

Эйми тоже не замедлила с ответом: Я знала, что ты сможешь. Горжусь тобой.

Кристин начала набирать ответ, надеясь найти нужные слова, прежде чем нажать кнопку «Отправить». Она начала так: На самом деле все оказалось не так страшно уже после первой поездки. И это в основном заслуга моего инструктора.

Да, это хорошее начало. Что еще добавить? Она напечатала: Он такой привлекательный! Потом, застонав, нажала клавишу «Стереть» и убрала последнюю фразу. Как только она переходила к описанию внешности, ее шансы получить одобрение немедленно начинали таять.

Кристин некоторое время размышляла, глядя на экран, потом попыталась написать по-другому: На самом деле мне нравится этот парень, думаю, вам он тоже понравится. Его зовут Алек Хантер, он настоящий профессионал, но совсем не зануда. Я даже не помню, когда в последний раз я столько смеялась. Самое главное, отвлекая и успокаивая меня, он помог мне справиться с подъемником. Он тактичный, тонко чувствующий и в то же время очень забавный. Мне бы хотелось пойти к нему на свидание, если вы не будете против, а я уверена, что не будете, потому что этот парень действительно замечательный.

Кристин несколько раз перечитала сообщение, пытаясь определить, не перестаралась ли она. Но ведь все, что она написала, соответствует действительности. Кристин собралась с духом и нажала кнопку «Оправить».

И стала ждать.

Проходили секунды, Кристин, сжав ладони, прижала кончики пальцев к губам.

Наконец пришел ответ от Мэдди: Когда ты говоришь «профессионал», я надеюсь, что это означает, что у него есть работа. Потому что вчера ты упоминала о том, что для тебя нашли инструктора, который на самом деле не работает в этой лыжной школе. А он делает это в качестве одолжения своему другу. Так чем же он занимается?

Проклятие! Кристин непроизвольно сжалась, печатая ответ: Вообще-то я не знаю точно. Я забыла спросить.

Мэдди: Кристин! Может быть, нам стоит выработать перечень минимальных критериев?

Злясь на саму себя и думая, что она все испортила, Кристин ответила резко: Может быть, вам следует составить заявление, которое должны заполнять мои потенциальные кавалеры.

Мэдди: Это неплохая идея!

Кристин: Полная ерунда! Все это вообще становится смешным. Последние два года я встречалась только с полными придурками, от которых меня тянуло в сон еще до того, как заканчивался ужин.

Мэдди: Это оттого, что ты бросаешься в крайности. Ты либо выбираешь напыщенного зануду, и тогда чувствуешь, что не можешь быть с ним естественной, либо подбираешь каких-то бродяг, которых тебе хочется пожалеть. Конечно, представители второй группы гораздо забавнее, но они едят твою еду, занимают у тебя деньги, и в конечном итоге ты остаешься одна с пониманием того, что тебя просто использовали. Я знаю, что у тебя доброе сердце, что ты хочешь помочь всем, но, Кристин, мужчина — это не щенок. Их не берут к себе только потому, что они очаровательны и бездомны, а тебе кажется, что ты можешь решить все их проблемы. Нельзя ли найти золотую середину между этими двумя крайностями? Кого-нибудь, кто был бы забавным и в то же время ответственным?

— Очевидно, нет, — проворчала Кристин себе под нос, и тут ее осенило. Она напечатала: А разве нельзя предположить, что Алек именно такой человек? А? Ведь я просто забыла спросить, есть ли у него работа, и это совсем не означает, что ее у него нет. И кроме того, я ведь не собираюсь выходить за него замуж, черт побери! Я приехала сюда всего лишь на три недели. Ну же, Мэд, у меня ведь отпуск, и я была такой умницей. Разве я не могу развлечься во время отпуска? Это как отступить от диеты и устроить себе пирушку с шоколадом. Даже книги по диете разрешают такое.

Мэдди: В этих книгах говорится: «можете себя изредка побаловать», а не устраивать пирушку! Иначе у тебя живот разболится и на следующий день ты сама себе будешь противна.

Кристин: Я не буду. Я обещаю. А если и буду, то не стану винить в этом вас. Я же говорю, что этот парень действительно очаровательный и забавный и, Бог мой, он очень сексуален!

Мэдди: Эйми! Может, ты поговоришь с этой женщиной?

Прошло несколько секунд, и пришел ответ от Эйми, спокойный и здравый: Вообще-то я согласна с Кристин. Мы не можем утверждать, что он «неподходящий», пока не получим больше информации. Предлагаю воздержаться от каких-либо оценок до завтрашнего урока, пусть узнает о нем побольше.

Кристин показала язык сообщениям Мэдди: Вот видишь, матушка Эйми согласна со мной.

Эйми: Однако Мэдди также права. Я большой специалист по диетам и знаю, что пирушка может принести только вред. В следующий раз противостоять соблазну будет еще сложнее. Пообещай, что если этот человек окажется никчемным бездельником, ты не будешь с ним встречаться, хорошо? И не имеет значения, насколько он сексуально привлекателен.

Кристин: Ну ладно, ладно! Бог мой, как вы строги!

Эйми: Это только потому, что мы тебя любим. Когда тебе больно, нам больно тоже.

Кристин почувствовала укол совести: Я знаю. Вы правы. Тогда посоветуйте, как лучше противостоять соблазну, если возникнет такая необходимость.

Мэдди: Могу дать один такой совет. На самом деле это разновидность совета, который ты дала мне, когда я после переезда в Санта-Фе тут же хотела, поджав хвост, бежать домой. Старайся сосредоточиться на том, зачем ты находишься именно в этом месте: в твоем случае — для того, чтобы побороть страх перед подъемниками и обогнать брата на «черной лыжне». Во-вторых, перечитай часть книги Джейн, но не ту главу, которую ты советовала перечитать мне, а главу, в которой говорится об умных женщинах, делающих глупый выбор.

Эйми: Присоединяюсь, хороший совет.

Кристин: Спасибо вам обеим. Я вас люблю. Хотя иногда вы бываете жуткими занудами.

Кристин вздохнула и выключила ноутбук, потом посмотрела на стопку книг по медицине, которые она привезла с собой. Наверное, ей не мешало бы позаниматься, но, следуя совету Мэдди, она отодвинула их в сторону и взяла в руки книгу Джейн «Как сделать свою жизнь идеальной». Она, конечно, здорово злилась на Джейн за то, что та использовала своих подруг в качестве отрицательных примеров, но книга все же необъяснимым образом притягивала ее. Кристин вновь и вновь возвращалась к ней, выискивая жемчужины мудрости, время от времени попадавшиеся среди множества шаблонных фраз и аксиом.

Дойдя до середины главы, которую предложила перечитать Мэдди, Кристин уставилась в книгу, словно впервые взяла ее в руки. Джейн приводила в качестве примера не только страхи Кристин, она описывала свою подругу почти в каждой главе, может быть, не столь очевидно, но это было черным по белому. А уж в главе «Умные женщины, глупый выбор» Джейн Реддинг говорила о ней почти в каждом абзаце.

Захлопнув книгу, Кристин отшвырнула ее в сторону. Абсолютно верно! Мэдди и Эйми были правы. Она должна прекратить встречаться с мужчинами, которые на поверку оказывались или надутыми индюками, или безответственными проходимцами. Ведь наверняка есть где-то мужчина, который подходит именно ей. И оставалось надеяться, что он будет таким же интересным, как Алек Хантер.

Глава 3

Дисциплина — основа самоуважения.

«Как сделать свою жизнь идеальной»

На следующий день Алек стоял в очереди у закусочной на открытом воздухе, рассчитывая быстренько перекусить перед вторым занятием с Кристин.

— Ну и как дела у новоиспеченного инструктора Силвер-Маунтин? — раздался чей-то голос позади него.

— Заткнись, — шутливо огрызнулся Алек, когда, обернувшись, увидел широко улыбающегося Трента, своего приятеля. Очевидно, его дружок Брюс разболтал половине курорта о том, что Алек Хантер докатился до того, что дает уроки катания на лыжах, и теперь парням не терпелось подначить его, но Алек не обижался. Жизнь в горах имела совершенно определенный и давно устоявшийся порядок: на вершине находился он в качестве координатора поисково-спасательной службы округа, затем шли лесные рейнджеры и аварийный персонал, за ними парни из лыжного патруля, подобные Тренту, и наконец — лыжные инструкторы, стоявшие немногим выше операторов подъемников.

Ухмылка на лице Трента стала еще шире.

— Невеста Уилла сказала мне, что твоя ученица — шикарная штучка.

Алек лишь усмехнулся в ответ на эту шитую белыми нитками уловку, призванную выудить из него побольше информации, давать которую он был совершенно не намерен. Ему не нужны были ни дополнительные поддразнивания, ни тем более конкуренция. Особенно если учесть, что Трент, походивший на итальянца, имел довольно привлекательную внешность и женщины моментально западали на него. Правда, и Алеку, который, казалось, родился с эпитетом «обаятельный», никогда не составляло труда познакомиться с какой-нибудь заезжей красоткой.

Трент изогнул бровь:

— Ну так что, Лэйси сказала правду или просто пошутила?

— Лэйси... Черт, хорошо, что ты напомнил. — Алек бросил взгляд в сторону паба «Сен-Бернар», расположенного на другой стороне площади. — Ты не одолжишь мне двадцать баксов?

— Зачем тебе? — поинтересовался Трент, потянувшись за бумажником.

— У меня с собой только двадцатка. Если я расплачусь с Лэйси за вчерашний ленч, то на сегодняшний денег уже не останется.

— Так, попробую угадать. Ты опять потерял свою кредитку.

— Куда-то засунул, — поправил его Алек.

— Могу поклясться, у тебя в голове есть «черная дыра», куда проваливаются все мысли, касающиеся денег.

— А может, моя голова занята более важными мыслями. Может, я думаю о том, как спасти людей от их собственной глупости, так зачем мне тратить свои мозговые клетки на переживания по поводу всякой ерунды.

— Знаешь, я тебя не понимаю. Ты ведешь учет огромному количеству спасательного оборудования, но не можешь запомнить, где ты оставил свой бумажник или ключи. Просто фантастика! — Трент держал двадцатку двумя пальцами, словно взятку. — Так ты мне расскажешь о своей лыжной куколке?

— Рассказывать нечего. — Алек выхватил банкноту из руки Трента.

— Она действительно такая милашка, как утверждает Лэйси?

— Очень даже ничего.

Алек мысленно улыбнулся своей скромной оценке. Вчера события развивались стремительно, и теперь он не мог дождаться начала сегодняшнего урока. При воспоминании о том, как на каждый его намекающий взгляд

Кристин отвечала собственным страстным взглядом, вызывал у него желание большего.

— Вот везунчик. — Трент снял солнечные очки, внимательно всматриваясь в лицо Алека. — Ты, очевидно, собираешься обучить ее кое-каким движениям не только на склонах, я угадал?

Алек ответил ему своим самым устрашающим взглядом, который, как он подозревал, был не таким уж и устрашающим, поскольку никогда не срабатывал.

— Между прочим, я просто помогаю Брюсу, а если будешь меня подначивать, то я не дам тебе прокатиться на новом вездеходном байке, который собираюсь купить на деньги от этих уроков.

— Я думал, что ты наконец перестал тратить собственные средства на покупку оборудования для округа.

— Я собирался, но... ты видел эти новые медицинские мотоциклы?

— О да. — Трент выразительно щелкнул пальцами. — Когда я читал статью в журнале «Скорая помощь», то чуть не захлебнулся слюной.

Когда подошла его очередь, Алек заказал двойной чизбургер с мясом, огромную порцию картофеля фри, большую банку колы и молочно-шоколадный коктейль; он подождал Трента, и они, взяв подносы, пошли к свободному столику. С площадки перед закусочной открывался прекрасный вид на горные склоны. Курортный сезон набирал силу, и им пришлось усесться за еще не убранный столик.

Алек отодвинул грязную посуду в сторону и тут же принялся за картофель фри. От удовольствия он даже закатил глаза. Слава тебе Господи, похоже, голодная смерть на сей раз ему не грозит, думал он, набивая рот картофелем.

— Я сегодня не видел отчета о движении снегоходов, когда заезжал в пожарное депо утром. Ничего нового не поступало?

Трент бросил на Алека сердитый взгляд:

— Я думал, ты ушел на неделю в отпуск.

— Так и есть.

— Знаешь, Хантер. — Трент опустил гамбургер. — Я не уверен, что у тебя правильное представление об отпуске. Понимаешь, большинство людей отправляются куда-нибудь, чтобы расслабиться и получить удовольствие.

— Да, они приезжают на Силвер-Маунтин. — Алек обвел рукой курорт, от празднично украшенных магазинов и ресторанов до покрытых снегом вершин. — Мне повезло, я уже здесь.

— Ну хорошо, но хотя бы не заходи каждый день в офис.

— Не могу. Мне нужно привозить Бадди, — ответил Алек, говоря о своем золотистом ретривере, одной из лучших поисковых собак округа. — Без работы он начинает хандрить. Парни из пожарного депо предложили, чтобы он болтался с ними, пока я даю уроки. А поскольку мой кабинет находится в том же здании, трудно удержаться и не зайти.

— Правильно. — Трент кивнул со скептическим видом. — Ты забросил Бадди и остался там, придумав себе работу.

— Только одну маленькую работку. — В ответ на раздраженный взгляд своего друга Алек сдался. — Ну хорошо, я просто просмотрел сводки Службы охраны лесов.

— Так-так.

— Похоже, на Паркс-Пик накопилось довольно много снега.

— Да. — Трент спокойно жевал картофель.

— Ты не собираешься его взорвать?

— Если сегодня вечером опять пойдет снег, то завтра утром мы взорвем склон.

— Собираешься использовать новый «Аваланчер»?

— Да.

— Помощь нужна?

— Нет.

— Если вдруг понадобится...

— Алек. — Трент нахмурился. — Ты в отпуске.

— Понимаешь, приятель, — проворчал Алек, — с этим отпуском сплошные проблемы. Я не получаю от него никакого удовольствия.

Трент засмеялся:

— Ты точно ненормальный, ты это знаешь?

— Мне нравится то, чем я занимаюсь. Можешь ругать меня за это.

— Ты помнишь, что в пятницу мы устраиваем Уиллу мальчишник? — спросил Трент, меняя тему разговора. — Надеюсь, все будет в порядке?

— Послушай, я же не первый раз выступаю шафером. Я знаю, что нужно делать.

— Если помнишь, в последний раз в баре возникла накладка со счетом. Если нужно, чтобы дружки внесли побольше, дай мне знать. Я отменю их пропуска на подъемники, пока они не раскошелятся.

— Единственное, что мне нужно... — Алек оборвал фразу на полуслове, так как в нескольких футах от них остановилась высокая блондинка в сине-белой куртке фирмы «Спайдер», в руках она держала поднос с едой. — Кристин!

Девушка обернулась и, увидев его, улыбнулась. Она выглядела отдохнувшей, оживленной и даже еще более красивой, чем вчера, и это говорило о многом.

— Привет, — сказала она, — решила перекусить перед уроком, но не могу найти свободный столик.

— Присоединяйся к нам. — Алек проворно очистил место, и Кристин поставила поднос.

— Спасибо, отлично. — Она села рядом.

Трент с видимым трудом оторвал взгляд от девушки и перевел взгляд на приятеля, с удивленным возмущением подняв бровь.

— «Очень даже ничего»? Приятель, да тебе, похоже, нужны очки?!

— О чем это вы? — недоуменно спросила Кристин.

— Да так. — Алек пнул Трента под столом. — Крис, познакомься с Трентом. Трент, это Крис.

— Кристин, — поправила она, пожимая Тренту руку.

Алек вздернул подбородок.

— А почему не Крис?

— Не знаю. — Она пожала плечами, словно никогда не задумывалась над этим. — Меня всегда называли Кристин.

— А как насчет Кристи? — предложил Алек с игривой улыбкой.

— Ну уж нет. — Она засмеялась низким, горловым смехом. Их взгляды встретились, и мгновенно, так же как и вчера, по ее телу прошла горячая волна. Кристин быстро отвела глаза и сделала вид, что полностью сосредоточилась на своем сандвиче с индюшатиной. Между ее бровей залегла еле заметная складка, словно Кристин пыталась решить какую-то задачу. — Значит, — обратилась она к Тренту, — как я понимаю, вы работаете в лыжном патруле. Мне всегда казалось, что это очень интересная работа.

— Очень интересная, — заважничал Трент, польщенный ее вниманием, и Алек подумал, не пнуть ли его еще разок. — Пусть даже и не такая, как у Алека.

— Вот как? — Кристин повернулась к нему, и в ее взгляде странным образом проявилась надежда. — А чем ты занимаешься?

— О, Алек не работает, — моментально отреагировал Трент. — Он просто развлекается целыми днями. Разве не так, парень?

— Когда мне не мешают, — проворчал Алек.

— Понятно. — Кристин постаралась сохранить невозмутимость, в то время как ее переполняло разочарование. Очевидно, ее черная полоса не хотела заканчиваться, и она выбрала очередного очаровательного «потребителя», мужчину из разряда тех, что живут за счет семьи и друзей, пока «ищут работу». Этого и следовало ожидать, ведь она же видела вчера, как Алек убалтывал официантку, выпрашивая ленч. Как она умудряется оставлять без внимания такие важные подсказки в самом начале, когда позднее именно такие вещи припирают ее к стене?

Алек и его друг разговаривали, пока она ела, потом Трент поднялся, собираясь уходить.

— Кристин, — Трент протянул ей руку, — рад был с вами познакомиться. Вы долго будете на Силвер-Маунтин?

— Три недели.

— Здорово. Надеюсь, мы еще встретимся.

— Возможно. — Она посмотрела на него более внимательно. Ростом он был пониже Алека, но казался не менее привлекательным, и по крайней мере он работал. Возможно, его подруги одобрят. Жаль только, что эта мысль не вызывает в ней такой же жар, как мысль о поцелуях Алека.

— Прошу меня извинить. — Алек тронул приятеля за плечо. — Тебе разве не пора на работу? До меня дошли слухи о браконьере недалеко отсюда.

— Это работа егерей.

— В непосредственной близости, — подчеркнул Алек.

— О! — Трент принял скромный вид и отпустил руку Кристин. — Простите, ухожу. Да, Алек, я вполне серьезно говорил об этом счете в баре. Если нужно помочь, дай мне знать.

— Считай своим взносом двадцатку, которую ты мне только что одолжил.

— Отлично. Тогда встретимся на вечеринке в пятницу вечером.

Когда Трент ушел, Кристин повернулась к Алеку. Ему нужна помощь в оплате счета в баре? Какое несчастье! Она действительно является «магнитом для потребителей», как всегда говорила Мэдди. По крайней мере пока он не выпрашивает у нее деньги и не напрашивается к ней, чтобы перекантоваться, и не просит помочь найти ему работу или о чем-то еще, в чем ей уже не раз приходилось отказывать. И у него не будет возможности это сделать, поскольку она не собиралась вступать с ним в отношения. Ни за что.

— Ты закончила? — Алек кивком головы указал на остатки сандвича на ее подносе.

— Да. — Кристин вытерла руки салфеткой.

— Прекрасно. — Алек сверкнул улыбкой, и, несмотря на все суровые предупреждения рассудка, ее сердце затрепетало. — Я думал о сегодняшнем уроке. Поскольку вчера дела у тебя шли замечательно, почему бы нам не отправиться на склоны покруче?

— Ты не шутишь? — Настроение Кристин моментально улучшилось. Алек Хантер мог не быть подходящей кандидатурой на роль бойфренда, но в качестве лыжного инструктора он определенно был на высоте. — Это было бы здорово!

— Тогда отправляемся.

В течение урока Кристин приходилось постоянно напоминать себе, что Алек — «запретный плод». Он был слишком забавным, и с ним было весело. И, Боже, как же он катался! Отрабатывая прыжки, они провели целый день на самых крутых участках лыжни. К концу занятий ее бедра ныли от боли, но уверенность Кристин росла с каждым спуском.

Наконец они покинули высокогорную долину и остановились в самом начале трассы, по которой им предстояло спуститься вниз.

— Ты уверена, что прошло четырнадцать лет с тех пор, как ты последний раз стояла на лыжах? — спросил Алек Кристин, когда они отдышались.

— Клянусь, как перед Богом, — ответила она смеясь. Алек постоянно заставлял ее смеяться, по любому, самому незначительному поводу.

Он быстрым движением смазал губы бальзамом и окинул взглядом лежащий перед ними склон.

— Похоже, здесь, кроме нас, никого нет. — Он посмотрел на Кристин, и в его глазах зажегся проказливый огонек. — Предлагаю устроить гонки к подножию.

— Насколько я знаю, лыжный патруль не одобряет таких состязаний?

— Конечно, если гонщики слишком безрассудны. — Алек поправил солнцезащитные очки. — И кроме того, у меня есть связи.

Внимательно глядя на него, Кристин покачала головой: Боже, как ей хотелось, чтобы он был хоть чуть менее привлекательным! Хотя если она не может ходить к нему на свидания, то просто наслаждаться его обществом ей никто не запрещал.

— Хорошо. — Она встала на изготовку. — Вызов принят.

— Раз, два, три, вперед! — крикнул Алек и без предупреждения стартовал, сразу же вырвавшись вперед.

— Обманщик! Жулик! — вскрикнула Кристин, изо всех сил отталкиваясь палками.

Алек, почти летевший по склону, заложил несколько виражей с такой мощной грацией, что Кристин не могла не восхититься своим инструктором. Однако она не привыкла сдаваться без борьбы и постаралась увеличить скорость, не обращая внимания на жгучую боль в мышцах. Холодный воздух бил ей в лицо, а деревья мелькали, как при ускоренном просмотре. Но как бы она ни старалась, шанса у нее не было. Тяжело дыша, Кристин остановилась у подножия горы через несколько секунд после Алека.

— Недурно, Крис. — Он одобрительно кивнул и снял очки. — Мне почти что пришлось постараться.

— Хвастун, — шутливо отругала она его, снимая лыжи. Вокруг них мельтешили люди, кто-то направлялся к подъемникам, кто-то возвращался с катания, как и они. — Я бы тебя догнала, если бы ты не сжульничал на старте.

— Все честно... — Алек усмехнулся, не желая признать, что ему действительно пришлось потрудиться.

Ему нужна была эта физическая разрядка, чтобы снять возбуждение, которое нарастало в течение всего дня. Он не мог понять, чего ему хочется больше: раздеть эту девушку или просто посидеть и поговорить с ней, чтобы познакомиться поближе. Вообще-то он предпочел бы сначала раздеть ее, а уж потом познакомиться поближе, но женщины, как правило, предпочитали обратный порядок.

Алек снял крепления и выпрямился.

— Ну, так как насчет моего приглашения?

— Приглашения? — Кристин замерла.

— Да. Вчера ты была слишком усталой, но теперь ты, должно быть, уже почти привыкла к высоте. Может, пойдем выпьем, посидим перед камином, помнишь, я рассказывал тебе вчера о пабе «Сен-Бернар»?

— А. Да. Гм.

Алек видел, что Кристин не может решиться, но чувствовал, что согласиться ей хочется.

— Пойдем. Сядешь перед камином, вытянешь ноги поближе к огню и будешь потягивать горячий ароматный грог.

— Для грога еще рановато, в это время я предпочитаю кофе.

— Правда? Это меня тоже устраивает. Если сегодня в баре работает Харви, то можно гарантировать, что кофе будет замечательный.

— Я не могу. Правда. У меня дела.

— Всего одну чашечку. Просто чтобы отогреться. — В ее глазах он видел, как искушение пытается побороть скованность. — Чтобы расслабиться, успокоиться.

На лбу Кристин появилась морщинка.

— Мне не следует... Я не должна.

Ага! «Не могу» превратилось в «не должна». Алек улыбнулся:

— Я сделаю тебе массаж ног.

— В баре? — Ее глаза округлились.

— Мы могли бы пойти ко мне, если тебя это устроит больше. — Его брови изогнулись.

— Боюсь, что вынуждена отказаться.

— От кофе или от массажа?

— От того и от другого. — В голосе Кристин слышалось сожаление. — У меня действительно есть дела.

Но ведь ей хотелось сказать «да». Это читалось в каждой черточке красивого лица, а глаза буквально умоляли его не соблазнять ее больше. Но разве он может оставить эту затею, если совершенно очевидно, что она хочет его так же сильно, как и он ее? Поощряемый этим, Алек наклонился к ней и голосом Терминатора произнес:

— Сопротивляться бесполезно. Я преодолею ваше сопротивление своим обаянием.

Кристин с улыбкой пожала плечами и положила руку ему на грудь, словно боялась, что он попытается поцеловать ее.

— Видишь ли, у меня аллергия на обаятельных мужчин. Поэтому мне сделали прививку от них.

— С использованием новой вакцины против обаяния? — Алек положил свою руку поверх ее руки. — Мне очень неприятно говорить тебе, но эта сыворотка неэффективна. Когда она перестает действовать, ты становишься вдвойне восприимчива. Лучше просто уступить и насладиться аллергической реакцией.

— Не могу. — Кристин сделала шаг назад и покачала головой. — Мне очень жаль. У меня дела, и я решительно настроена вести себя хорошо.

— Но гораздо интереснее вести себя плохо.

— Я знаю!

— Тогда пойдем в паб.

На ее лице мелькнула тень раздражения, и Алек понял, что проиграл. Пока проиграл.

— Увидимся завтра, — сказала она, ловко закидывая лыжи на плечо.

— Если передумаешь, я буду в пабе «Сен-Бернар»! — крикнул Алек, когда она направлялась к раздевалке. На ее лице появилась улыбка. Да, он ей нравится, в этом не могло быть никаких сомнений. Он просто должен добиться, чтобы она признала это.

Алек тоже подхватил лыжи и, насвистывая на ходу, направился в противоположную сторону.

Глава 4

Лучше целиться слишком высоко, чем приземлиться слишком низко.

«Как сделать свою жизнь идеальной»

Кристин не знала, сиять ли ей от гордости, раз она сумела устоять перед искушением, или расстраиваться из-за того, что второй вечер подряд она проводит в одиночестве, вместо того чтобы в компании с человеком, который знает, как рассмешить ее, сидеть в местном пабе, уютно устроившись перед камином и потягивать «замечательный кофе».

Остановившись на «расстроенных чувствах», Кристин открыла свой портативный компьютер.

Тема: Надеюсь, что у вас все хорошо.

Сообщение: Вы оказались правы. Я выбрала еще одного потребителя. Я, честное слово, не знаю, как это получается. У меня что, на лбу написано: «Я люблю неудачников»? Проблема в том, что мне действительно нравится этот парень, несмотря на то что, похоже, большую часть своего времени он проводит в баре. Ну что же со мной не так?!

Эйми: Мне очень жаль, Кристин. А я так надеялась на хорошие новости.

Мэдди: И я тоже. Но не падай духом. Я твердо верю, что у нас у каждого есть идеальная половинка, но, как говорит Джейн, ты должна знать, чего ты хочешь, и не соглашаться на компромисс.

На секунду задумавшись, Кристин напечатала: Я просто хочу, чтобы меня кто-нибудь любил, но тут же остановилась. От этой фразы за милю несло плохим сериалом. Она нажала клавишу «Стереть» и попыталась снова: Спасибо, девочки. Не знаю, что бы я без вас делала.

На следующий день Кристин вела себя безупречно — в зародыше подавила прилив радости, собиравшийся захлестнуть ее, когда она увидела Алека, стоявшего у схемы лыжных трасс. Не менее твердо оставляла без внимания и сбои своего дыхания, которое подводило ее каждый раз, когда он улыбался. Не поддавалась соблазну ответить на его заигрывания и совершенно игнорировала сладкое томление, разливавшееся по всему телу при каждом его прикосновении.

Время пролетело так же быстро, как и накануне, и в конце урока, когда Кристин уже снимала лыжи, она мысленно погладила себя по голове.

— Ну что ж, — она выпрямилась и вежливо улыбнулась, — спасибо за еще одно замечательное занятие.

— Пожалуйста. — Алек поднял лыжи на плечо. — Ты делаешь успехи.

— Надеюсь. Осталось всего несколько дней до приезда моего старшего брата. Значит, увидимся завтра?

— Вообще-то, если ты пойдешь сейчас к себе на квартиру, я собираюсь пойти с тобой, нам по пути, я тоже направляюсь в Сентрал-Виллидж.

— О! — Алек застал ее врасплох. — А разве тебе не нужно переобуться?

— Я оставил свои вещи в раздевалке.

Раньше он этого не делал, очевидно, все это было спланировано заранее.

Когда они шли через площадь, Кристин лихорадочно пыталась найти предлог, чтобы не идти вместе с ним через весь городок. Во время занятий ей приходилось максимально концентрироваться на трассе и своих движениях, и возможности просто поболтать у них не было. И только теперь, когда они медленно шли рядом, ничто не мешало разговору.

Но пока они ставили лыжи, переобувались и приводили себя в порядок в раздевалке, Алек говорил на совершенно нейтральные темы или вспоминал, какие элементы отрабатывала сегодня его ученица. Скамьи были заполнены разноцветной одеждой и различным снаряжением, лыжники одевались и переодевались. Поскольку у всех под лыжными костюмами было что-нибудь надето, не было смысла идти в раздельные, мужские и женские, кабинки. К тому же большинство людей, как и Кристин с Алеком, только переобувались, а это занимало не больше минуты.

Кристин закрепила свои запорошенные снегом ботинки на специальной переноске, а Алек оставил свое снаряжение в арендованном шкафчике. Когда они вышли на улицу, Кристин подумала, что надо бы отказаться от этой прогулки, придумав какой-нибудь предлог, например, что ей срочно нужно в Ист-Виллидж по делу.

— Давай я понесу, — сказал Алек, забирая у Кристин лыжи.

— А твои?

— Я их потом заберу. Готова?

Пристроив на плече лыжи, Алек вопросительно поднял бровь, словно прочитав ее мысли. Ну что же ей теперь, отбирать лыжи силой? Да и вообще все это глупости. Какой вред будет от того, что она просто погуляет с ним несколько минут? Она ведь не собирается, когда они подойдут к дому, приглашать его, чтобы пообниматься на родительском диване. При мысли об этом где-то в животе радостно подпрыгнуло притихшее было желание. Но, незаметно стиснув зубы, Кристин безжалостно задвинула его подальше.

— Хорошо, — кивнула она, указывая на лыжи. — Спасибо.

— Показывай дорогу. — Алек улыбнулся, и внутри у нее разлилось тепло; они поднялись на пешеходную аллею.

«Что ты делаешь? — заворчал разум. — Тебе следовало сказать ему “нет”».

«Ох, заткнись, — отвечал ему кто-то третий. — Мы просто идем рядом».

Неожиданно в голове у Кристин возник образ: она прогуливается по пешеходной аллее, а на каждом плече у нее сидят ее собственные миниатюрные копии, одна в облачении ангела, а вторая — дьяволица с вилами и шутовскими рожками. Тот факт, что «дьявольская копия» выглядит точно так же, как татуировка на ее ягодице, возможно, свидетельствовал о том, к кому она прислушивалась чаще.

«Но только не сегодня, — заверила она ангела. — Сегодня я буду умницей».

Чтобы отвлечься, Кристин разглядывала магазинчики, теснившиеся по обеим сторонам дорожки. В витринах были выставлены Санта-Клаусы и эльфы.

— Уже вовсю готовятся к празднику.

Алек посмотрел вокруг.

— Здесь всегда праздник. Это одна из причин, по которой мне нравится жить в Силвер-Маунтин.

— Разве через некоторое время не перестаешь воспринимать все это?

— Никогда.

Они проходили мимо отдыхающих, которые покупали сувениры и подарки к Рождеству. Из соседней кондитерской донесся запах пирожных. Тепловые занавеси позволяли держать двери кондитерской открытыми, и когда Кристин и Алек поравнялись со входом, их обдало потоком теплого воздуха.

— Привет, Алек! — окликнула его привлекательная рыжеволосая девушка, стоявшая за прилавком.

— Привет, Бри, — отозвался он, дружески махнув рукой, потом посмотрел на Кристин: — Хочешь пирожное? Угощаю.

В животе заурчало, но Кристин покачала головой.

Если остановиться, чтобы съесть пирожное, их прогулка затянется.

— Нет, спасибо.

— Я зайду попозже, Бри! — крикнул Алек.

— Буду ждать, — понесся им вдогонку игривый голосок рыжеволосой девушки.

Кристин постаралась заглушить укол ревности. За эти пару дней ей уже следовало привыкнуть к тому, что Алека постоянно окликают по имени и приветливо машут руками. Похоже, его знает половина обитателей Силвер-Маунтин. Впрочем, это и неудивительно: чтобы сводить концы с концами, нахлебники должны быть обаятельными.

Они сделали несколько шагов, и Алек слегка подтолкнул Кристин плечом.

— А вот здесь ты должна бы сказать: «Итак, Алек, расскажи мне о себе. Какими судьбами парень из Элджина оказался на Силвер-Маунтин?»

— Ну, не знаю, ведь многие техасцы переезжают в Колорадо.

— Верно. И на то имеется хорошая причина. — Он указал на пешеходную аллею, заполненную праздничной толпой.

Вдоль аллеи стояли скамьи, промежутки между которыми украшали огромные вазоны с пуансеттиями. Над одноэтажными коттеджами тянулись зигзагообразные линии белых огоньков, на крышах лежал чистейший снег, похожий на глазурь имбирного пряника. Вечером огни создавали в городке атмосферу сказки, но и днем Силвер-Маунтин являл собой очаровательное зрелище.

— Ты можешь назвать лучшее место для жизни? — спросил Алек.

Нет, она не могла. Кристин нахмурилась и, отогнав эту мысль, с некоторым вызовом заявила:

— А мне нравится Остин. Живая музыка, множество парков, пешие прогулки. Место просто чудесное.

— Да, но там нет гор.

— Кроме катания на лыжах, в жизни есть и другие вещи.

— Ты права. — Алек кивнул с серьезным видом. — Абсолютно права. Есть еще катание на сноуборде.

Кристин засмеялась:

— Ты безнадежен.

— Я знаю. — Его притворная серьезность исчезла.

Кристин вскинула голову и внимательно посмотрела на Алека. Что-то такое было в этом парне, что очень сильно притягивало к нему, хотя Кристин и пыталась бороться с этой притягательностью. И дело было не в потрясающей внешности и отличном росте. Скорее всего дело было в его глазах. Они всегда были так полны... жизни.

— И какими же судьбами тебя занесло в Колорадо?

— Когда я учился в старших классах средней школы, то приехал в Брекенридж на каникулы. И еще до того, как я встал на свою первую пару взятых напрокат лыж и скатился со склона, я, похоже, навсегда «подсел» на горы. В Элджине меня ничего не держало. На следующий день после окончания школы я побросал вещи в рюкзак, автостопом добрался до этих мест и остался здесь, надеюсь, что навсегда.

— А твоя семья по-прежнему в Элджине?

Алек хмыкнул:

— У меня нет семьи.

— Что ты хочешь этим сказать? — Кристин посмотрела на него с недоумением.

— В соответствии с моей теорией, аист случайно уронил меня, когда пролетал над трейлером, полным душевнобольных. Конечно, эта теория выглядела бы более правдоподобной, если бы между мной и моими родными не было внешнего сходства. Помимо этого, ни с кем в моей семье у меня нет ничего общего. Каждый раз, когда я звоню домой, я понимаю, что, как бы ни старался, я не могу к ним приспособиться.

— Я тебя очень хорошо понимаю, — ответила Кристин не раздумывая и тут же рассердилась на себя за эти слова. Что заставило ее сказать это? Ведь у нее много общего и с отцом, и с братом, они все, хоть и в разное время, стали врачами.

— Эй, — произнес он заинтересованно, — может быть, нас нес один и тот же аист, который и тебя уронил не над тем домом?

— Может быть. — Кристин засмеялась.

— Вот видишь. А ведь я могу поспорить, что ты была уверена, что у нас нет ничего общего, поскольку ты, по всей видимости, из богатой семьи, а я нет.

— Ну, это просто оскорбительно. — Она остановилась и посмотрела на него. — Неужели ты и в самом деле думаешь, что я не хочу с тобой встречаться из-за этого?

— Я не знаю. — Теперь Алек выглядел абсолютно серьезным. — Это ты мне скажи.

— Чтобы тебе было понятно, деньги для меня не имеют значения и совсем не являются мерой оценки чьих-либо достоинств. Для меня важно, что у человека внутри, его нравственные принципы и убеждения.

Алек не отрывал от нее теплеющего взгляда, а его губы медленно изогнулись в ласковой и немного лукавой улыбке.

— Тогда я могу сказать, что у нас есть еще одна общая черта. Я придерживаюсь тех же принципов.

Сердце Кристин начало таять, как было каждый раз, когда он так смотрел на нее. Но, проклятие, она забыла упомянуть о чувстве ответственности как об одной из самых важных черт. Самая длительная связь у нее была с человеком, который специализировался в области английской литературы и превратил написание докторской диссертации в задачу всей своей жизни. Не так давно Кристин узнала, что он все еще не закончил магистратуру и до сих пор не написал роман, о котором постоянно говорил. Эта неудача показала, что даже при самых высоких целях люди могут быть слишком ленивы и инертны, чтобы добиваться их осуществления.

При воспоминании об этом настроение Кристин испортилось. Они с Алеком покинули аллею и вышли на главную площадь, в центре которой был залит каток. Из динамиков доносилась веселая рождественская музыка, и стайки ярко одетых детей с удовольствием катались под песенку «Звените, колокольчики», являя собой настолько живописную картину, что раздражение Кристин тут же улетучилось. Она смотрела, как двое мальчишек носятся между неторопливо катающимися отдыхающими и дразнят друг друга, как это умеют делать только мальчишки. Девочка постарше в спортивном трико и короткой юбочке, как видно, тренировалась. Уверенно разогнавшись, она подпрыгнула, сделала полный оборот и, красиво приземлившись на одну ногу, плавно заскользила по льду.

— Эй, Алек, — окликнула спутника Кристин молодая женщина, стоявшая у бортика и державшая на бедре маленькую девочку.

— Привет, Линда. — Алек помахал в ответ. — Ты уже в этом году собираешься учить Колин кататься на коньках?

Женщина рассмеялась, а малышка с серьезным видом следила за катающимися.

— Пока только присматриваемся.

— Твоя знакомая? — спросила Кристин, когда они перешли на другую пешеходную дорожку.

— Линда замужем за одним из наших ребят, — ответил Алек, очевидно, имея в виду тех парней, которые ошиваются в пабе в ожидании «счастливого часа»*.

* «Счастливый час» (happy hour) — время, когда алкогольные напитки в баре продаются со скидкой.

Кристин еще раз взглянула на миловидную молодую женщину с маленькой девочкой на руках. Линда была не похожа на тех женщин, которые будут терпеть мужа-бездельника. Еще одна умная женщина, сделавшая глупый выбор?

— Если говорить о вещах, которые можно делать здесь и нельзя делать в Техасе, — сказал Алек, заметив, что Кристин оглянулась на каток, — когда ты последний раз каталась на коньках?

— У нас в Техасе есть катки.

— Я и не говорю, что их там нет. Ты катаешься?

— Можно сказать и так. — Она хмыкнула. — По крайней мере раньше каталась. Теперь я, наверное, грохнусь, если попытаюсь встать на коньки.

— Хочешь проверить? Мы можем забросить твои вещи, потом вернуться и покататься. Конечно, если ты не против того, чтобы кататься с малышней, что на самом деле еще забавнее, если тебя интересует мое мнение.

Кристин мысленно вздохнула и оглянулась на каток — ей хотелось покататься. Кататься на коньках с детьми — это было заманчивое предложение еще и потому, что дети были ее тайной слабостью. Они не будили в ней материнские инстинкты, как у Эйми, они заставляли ее желать вновь стать ребенком. Только на этот раз стать настоящим ребенком, который мог бегать по лужам и не получать за это нагоняй, включать на полную громкость музыку и, обложившись шоколадом, всю ночь болтать с подружками, устроившись на мягком ковре гостиной.

Черт, откуда Алек знает, чем ее можно соблазнить?

— Я... — Кристин с трудом удержалась, чтобы не ответить «да», — не могу.

— Соглашайся. Если ты разучилась, я тебя научу.

Она представила, как, держась за руки, они едут вместе по кругу, прижимаясь друг к другу, а когда она падает, оба дурашливо смеются. Сердце Кристин заколотилось сильнее.

— Нет, я правда не могу.

— Ну ладно, оставим коньки, пойдем перекусим. После сегодняшней тренировки тебе точно нужна дозаправка.

— Я думала, у тебя есть какое-то дело.

Алек посмотрел на нее так, словно хотел сказать: «Открой наконец глаза».

— Да, есть. Проводить тебя домой. Так как насчет того, чтобы попробовать начо*?

— Я бы с удовольствием, но мне нужно кое-что сделать.

— Попробую угадать. — Алек сухо усмехнулся. — Ты хочешь помыть голову?

Кристин нахмурилась — в его голосе слышались слабые нотки раздражения.

— На самом деле в это время я всегда отправляю письма по электронной почте своим подругам.

— Это весьма оригинально! — И на этот раз его смеху явно не хватало естественности.

— А в чем проблема?

Они подошли к зданию, в котором находилась квартира ее родителей. Вход, расположенный на уровне улицы, вклинился между магазином подарков и рестораном. В небольшом холле Кристин и Алек остановились, чтобы стряхнуть снег со своих ботинок.

---

* Начо (nacho) — блюдо мексиканской кухни. Чипсы, запеченные с сыром и перечным соусом.

— Понимаешь, возможно, мне не следует этого говорить, но неужели женщины не знают о существовании слова «нет»? — сказал Алек, в то время как Кристин нажала кнопку вызова лифта. — Это работает стопроцентно. Вот я говорю: «Приглашаю тебя на свидание». А ты отвечаешь: «Нет». И все, вопрос исчерпан, потому что такой ответ не оставляет мне возможности нового приглашения. — Открылись двери, и они вошли в кабину лифта. Кристин нажала кнопку второго этажа, и Алек продолжил свой монолог: — Но если женщина отвечает: «Я не могу, потому что мне нужно написать открытку троюродной бабушке», — то мужчина будет настаивать на своем приглашении, и иногда это превращается в своего рода игру, затеянную лишь для того, чтобы узнать, сколько предлогов ей придется выдумать, прежде чем она наконец напрямую скажет, что совершенно не заинтересована в этом, а в данном случае это совсем не так.

Они стояли совсем рядом, и Алек, чуть протянув руку, приподнял рукой в перчатке ее подбородок.

Это неожиданное прикосновение моментально вызвало в Кристин одновременный прилив паники и волну возбуждения. Неужели он попытается поцеловать ее прямо здесь? Станет ли она противиться его поцелую? Кристин задержала дыхание, глядя ему прямо в глаза.

Взгляд Алека потеплел.

— Тебе просто следует сказать: «Да, Алек, я с удовольствием проведу этот вечер с тобой».

Когда он придвинулся ближе, сердце Кристин подпрыгнуло и замерло где-то в горле. Она опустила глаза и совсем рядом увидела губы Алека. «Только один разок, только чтобы ощутить их вкус, — нашептывала ее греховная половинка. — Разве от этого кому-нибудь станет хуже?»

Кристин вновь подняла глаза и, подчиняясь этому внутреннему голосу, уже начала наклоняться вперед.

Двери лифта распахнулись, и девушка моментально пришла в себя. Что она делает? Мысленно обругав себя, Кристин выскочила в коридор. «Похоже, я едва спаслась», — подумала она, лихорадочно ощупывая карманы в поисках ключей.

— А тебе не приходило в голову, что, возможно, женщины пытаются проявлять тактичность и находят для отказа различные предлоги только потому, что щадят чувства мужчин? И что мужчине следует понять намек и оставить женщину в покое?

— Нет.

Он следовал за ней по коридору.

— Алек... — Кристин вздохнула, надеясь, что он не заметил, что внутри у нее все трясется. Дойдя до дверей квартиры, она повернулась к нему, надеясь, что внешне выглядит совершенно спокойной. — Я тебе скажу вот что. Я думаю, что ты очень симпатичный и привлекательный в некоторых отношениях, но ты просто не в моем вкусе.

— И все же это еще не отказ. — Он поставил лыжи на ковровую дорожку и посмотрел ей в глаза. — Потому что ты тоже не в моем вкусе.

— Что? — изумилась Кристин.

— Да, понимаешь, мне нравятся простые женщины. Они могут быть неинтересными, даже скучными, но они должны быть понятны. А эффектные женщины слишком сложны. — Он покачал головой. — Нет, это не для меня. Однако я готов дать тебе попытку посмотреть, что из этого получится.

Кристин нахмурилась:

— Ты опять пытаешься меня очаровать?

— Это как посмотреть.

Склонившись над ней, он уперся рукой в стену. Когда между их губами оставалась всего пара дюймов, Кристин вжалась в дверной косяк. Алек смотрел ей прямо в глаза.

— Это действует?

— Абсолютно не действует. — Бесстрастный голос скрыл трепет ее сердца.

Алек скользнул взглядом по ее лицу, и на губах у него заиграла понимающая улыбка.

— Это только потому, что вакцина против обаяния еще не перестала действовать. — Он отстранился, и Кристин облегченно и... разочарованно расслабилась. — Надо только подождать. Когда ее действие закончится, ты не сможешь устоять передо мной.

«Именно этого я и боюсь!» Кристин повернулась, и ей удалось вставить ключ в замок и наконец проскользнуть за спасительную дверь. Обернувшись, она одарила Алека самым надменным взглядом, на который была способна.

— Посмотрим. — Кристин попыталась закрыть дверь перед носом Алека.

— Эй, Крис, — сказал он.

— Что? — Она нахмурилась при виде его широкой улыбки.

— Ты кое-что забыла. — Он протянул ей лыжи.

— О! — Она покраснела, взяла лыжи и втянула их внутрь. — Спасибо.

— Не за что. — Улыбка Алека стала обольстительной.

Кристин закрыла дверь и обессиленно уткнулась лбом в прохладное дерево. Она едва смогла удержаться. Позади три занятия. Осталось еще два. Без сомнения, в течение этих двух дней она найдет в себе силы, чтобы устоять перед ним.

Глава 5

> Поняв, чего ты хочешь, ни за что не сдавайся.
>
> «Как сделать свою жизнь идеальной»

— В какой момент ситуация вышла из-под контроля, — говорил Алек Тренту, — вот что я пытаюсь понять.

— Извини, ты о чем? — переспросил Трент. Разговору мешала живая музыка, доносившаяся с небольшой эстрадной площадки.

Для мальчишника они заказали большой стол в углу паба «Сен-Бернар» — излюбленного места отдыха волонтеров поисково-спасательного отряда, парней из лыжного патруля и ребят из чрезвычайной службы. Если нужно было узнать, что происходит в горах, небольшой пятачок перед камином в центре паба был самым подходящим для этого местом. Можно было расслабиться в кресле у открытого огня, просушить подошву своих ботинок и обсудить последние события.

В пятницу вечером атмосфера всеобщей расслабленности достигла высшей степени. Отдыхающие и местные жители заполнили заведение, и официанты беспрерывно сновали между столиками, разнося еду и напитки.

Оркестр закончил играть очередную мелодию в стиле кантри, и раздались аплодисменты парочек, толпившихся на танцевальной площадке. Когда стало потише, Алек наклонился к Тренту, чтобы о его любовных страданиях не узнал весь стол.

— Говорю тебе, я этого просто не понимаю.

— Не понимаешь чего? — Трент нахмурился. — Мы вообще о чем говорим?

— О Кристин, — с раздражением ответил Алек.

— А-а. — Трент заметно смутился. — Я думал, мы обсуждаем переезд Уилла и Лэйси в Огайо после свадьбы.

— Нет, об этом мы говорили раньше. Хотя это у меня до сих пор не укладывается в голове.

Алек посмотрел на противоположный конец стола, где один из ребят произносил тост в честь Уилла, который уже целый час молчал и лишь глупо улыбался. Жених или был безумно счастлив, что завтра женится на Лэйси, или уже крепко набрался. Первый вариант был бы предпочтительнее, потому что Алек пообещал Лэйси, что завтра Уилл не будет страдать от похмелья.

— Как может человек в здравом уме переехать из Сил-вер-Маунтин в Огайо?

— Именно так поступают люди после женитьбы, — начал медленно объяснять Трент, словно разговаривал с умственно отсталым. — Они обустраиваются, остепеняются, покупают дома и растят детей.

— Но почему этим нужно заниматься обязательно в каком-то скучном месте? Почему нельзя осесть и обустроиться там, где повеселее?

— Потому что в отличие от Джеффа и Линды большинство людей не может себе позволить купить дом и растить детей на лыжном курорте.

— Ладно-ладно, оставим это. — Алек отмахнулся. — Давай вернемся к нашей теме.

— К какой теме?

— К Кристин! Черт возьми, ты меня совсем не слушаешь! — Очевидно, Уилл был не единственным, кто уже выпил слишком много пива. — Я был совершенно уверен, что она согласится встречаться со мной. Но я испробовал все, что мог придумать, за последние пять дней, и каждый раз она под каким-нибудь предлогом отказывала мне. Так когда же ситуация вышла из-под контроля?

— Подожди, подожди. — Трент потряс головой, пытаясь привести мысли в порядок. — Мы говорим о том, как понять женщин, и ты хочешь разобраться, когда ты утратил контроль? Парень, позволь мне тебе кое-что разъяснить. Невозможно потерять то, чего ты никогда не имел.

— Брось, старик, мне нужен совет. Сегодня у нас было последнее занятие. Где же я теперь могу ее увидеть, чтобы пригласить на свидание? Околачиваться у ее дома?

— Может сработать. Эй, Стив! — крикнул Трент шерифу, который сидел напротив, между Эроном и Джеффом, самыми квалифицированными волонтерами Алека. — Если Алек начнет выслеживать одну даму, обещаешь его не арестовывать?

Восемь заинтересованных лиц повернулись к ним.

— Черт возьми, Трент. — Алек опустил голову. — Заткнись.

— Как знать! — отозвался Стив. — Какая она из себя, может, я тоже буду не прочь пригласить эту девушку на свидание?

Трент ухмыльнулся:

— Высокая, блондинка, ноги от ушей, сексапильная, очаровательная улыбка, потрясающие глаза.

— Арестую в ту же секунду, — заверил Стив.

— Кто она? — в один голос воскликнули молодые волонтеры Брайан и Эрик.

— Никто. — Алек сердито посмотрел на парней, потом исподлобья взглянул на Трента. — Я с тобой серьезно...

— Ты и серьезно? — громко захохотал Трент и открыл очередную бутылку пива.

— Мне действительно нравится эта девушка. Она умная. Она веселая. Выглядит такой утонченной, но в то же время она совершенно земная. И я ей тоже нравлюсь. На самом деле нравлюсь.

— Хантер, ты нравишься всем девушкам. Именно поэтому мы регулярно собираемся и говорим о тебе как о «пропавшем для общества». Разве не так, Брюс?

— А? Вы о чем? — Брюс, сидевший наискосок от Трента, повернулся к ним.

— Ни о чем. — Алек отмахнулся от него. Меньше всего ему хотелось, чтобы Брюс узнал о том, что Алек пытается ухаживать за своей ученицей. Когда Брюс переключил внимание на что-то другое, Алек повернулся к Тренту: — Если я пользуюсь таким успехом, почему же она не хочет со мной встречаться?

— Ты не нашел правильный подход, — сказал Трент.

— Правильный подход?

— Как она представляет себе идеальное свидание? — начал Трент. — Ты должен предложить что-то, перед чем она не сможет устоять, не сможет сказать «нет», даже если предпочитает кого-то другого.

Музыканты заиграли более спокойную мелодию, и Алек заговорил тише:

— Я не хочу, чтобы она встречалась со мной только потому, что я могу достать билеты на какой-нибудь сверхпопулярный концерт. Я хочу, чтобы она встречалась со мной как с человеком, как с личностью, наконец.

— Начни с ней встречаться, произведи неизгладимое впечатление.

Обычно для Алека это не представляло особого труда. Да, поначалу большинство девушек воспринимали его как «веселого, обаятельного парня», но он научился использовать это в своих интересах. К тому же ему нравилось строить отношения на дружбе и веселье, а не только на великолепном сексе.

— Нет, я этого просто не могу понять, — повторил он. — Почему она продолжает упорно отказывать мне.

— Может, тебе следует спросить об этом у нее? — Трент кивком указал на дверь.

— Что? — Алек обернулся, и сердце у него подпрыгнуло — на пороге бара стояла Кристин. Она стряхнула снег и откинула капюшон куртки.

Неужели Кристин ищет его? Она ведь знает, что это его излюбленное местечко.

Эта мысль пронзила Алека, словно электрический ток. Он никогда раньше не испытывал такого возбуждения при виде женщины. Влечение — да. Желание — определенно. Но не это чувство, которое сейчас бурлило внутри.

Девушка сняла куртку и осталась в мягком сером свитере, который четко обрисовывал ее красивый бюст и тонкую талию, и странное чувство, бушевавшее в груди Алека, переместилось ниже. Хорошо, возможно, в некоторой степени переполнявшее его чувство основывалось на физическом влечении, и это вполне понятно, поскольку фигура Кристин, которую он часто рисовал в своем воображении, не могла даже сравниться с тем, что он увидел наяву.

Кристин повесила куртку и окинула взглядом слабо освещенный паб, отметив старинное лыжное снаряжение, которое украшало стены, кресла перед камином и бар, оформленный в стиле викторианской эпохи. У нее был вид ребенка, вошедшего в парк развлечений.

Потом она увидела Алека и оцепенела.

Он остро ощутил разочарование, потому что это была совсем не та реакция, на которую он рассчитывал. Но что было еще хуже — она заколебалась, когда к ней подошла официантка. Ну ведь не собирается же она уйти из паба только потому, что он здесь. Неужели он настолько все испортил? Но как? Что он такого сделал?

Кристин все-таки ответила официантке, отказалась от предложенного ей меню и жестом показала на бар. Алек следил за ней, пока она шла между столиками, и лихорадочно придумывал предлог, чтобы подойти.

Она нашла свободный табурет — большая редкость в «Сен-Бернаре» в пятницу вечером — и сделала заказ бармену.

— Ух ты! Кто это? — спросил Эрик.

Алек повернулся к парнишке и увидел, что тот с такой заинтересованностью следил за вошедшей, что наполовину съехал со своего стула. Завертела головами и вся компания, жаждущая увидеть, кто привлек такое внимание Эрика. Даже Бадди, дремавший под столом, поднял голову и вопросительно проскулил.

Просто замечательно, мысленно простонал Алек, только этого не хватало. Зная своих друзей, он мог представить, что за этим последует.

Стив, которому было далеко за тридцать, разведенный мужчина недурной наружности, поднял брови:

— Полагаю, это та самая женщина, которую выслеживает Алек. Черт побери, Трент, ты не шутил.

Наискосок от него лейтенант Крейгер, отставной пилот ВМС, теперь летавший на спасательном вертолете, поднял кружку, выражая одобрение.

— Это, мои друзья, то, что я называю долгим глотком прохладной воды.

Брюс с укором посмотрел на Алека:

— Ты встречаешься с той самой девушкой, которой я тебя рекомендовал?

— На самом деле он с ней не встречается. — Трент поспешил сообщить об этом всем сидящим за столом. — Вот почему он ее преследует.

— Я ее не преследую, — попытался вставить Алек, но его перебил Брайан:

— Ничего себе! Просто не могу этому поверить! Брюс ведь сначала мне предлагал, а я отказался.

— Вот видишь. — Брюс повернулся к рыжеволосому парнишке. — Вот что получается, когда ты отказываешься помочь другу.

— Мог бы сказать мне, что она такая красотка, — проскулил Брайан.

— А я этого и не знал, когда предлагал тебе с ней позаниматься, — парировал Брюс. — Ты что думаешь, она позвонила и сказала: «Мне нужны частные уроки, и, кстати, я высокая роскошная блондинка», — так?

Алек перестал обращать внимание на своих друзей и вновь стал наблюдать за Кристин, которая в этот момент принимала от бармена кружку пенистого пива. Он сидел и думал, сначала о «потрясном» свидании, потом о том, как ему подойти к ней и пригласить ее куда-нибудь. Пока он ломал голову, какой-то парень уселся на табурет рядом с Кристин и попытался завязать разговор. Вместо того чтобы отшить нахала, Кристин улыбнулась незнакомцу. Алек занервничал. Проклятие! Теперь, чтобы пригласить ее куда-нибудь, ему сначала придется подойти к ним и вправить мозги этому парню — а шерифу это наверняка не понравится.

Незнакомец сказал что-то, и Кристин рассмеялась.

Алек одним большим глотком допил свое пиво и вскочил со стула.

— Эй, похоже, нам нужен еще один кувшин. Подождите, я быстро.

Кристин нутром почувствовала приближение Алека. Ее кожу начало покалывать еще до того, как она увидела его отражение в богато украшенном зеркале, висевшем над баром. Она мысленно отругала себя за то, что осталась. Ей следовало уйти в тот же момент, как только она заметила его. Неужели она и в самом деле рассчитывала, что он не подойдет к ней?

Нет, если уж быть честной, то надо признаться — надеялась, что подойдет. Когда сегодня после последнего занятия они расстались, она так гордилась собой, поняв, что в течение целых пяти дней смогла успешно противостоять искушению. Игра закончилась. Она выиграла.

Но какая тоска!

Курс тренировок завершен, и им больше не надо встречаться каждый день.

И вот сейчас, когда Алек направлялся к ней, все ее тело встрепенулось. Словно впервые увидев его, Кристин внимательно смотрела на его отражение. К ней шел высокий, симпатичный, худощавый парень, но даже толстый пуловер не мог скрыть хорошо развитой мускулатуры, которая позволяла ему лавировать между столиками с той же ловкостью, с какой он проходил лыжные трассы.

— Так откуда вы приехали? — повторил свой вопрос биржевой маклер из Канзаса.

Кристин не успела ответить, так как Алек, протиснувшись между ними, облокотился о стойку бара и тут же обернулся к ней. Он так широко улыбался, что она не смогла удержаться от ответной улыбки.

— Привет, как здорово, что ты пришла! — сказал он, словно только что увидел ее. — Я думал, что ты не любишь бары.

— Я этого не говорила. На самом деле, — Кристин обвела взглядом зал, — это место просто замечательное.

— Ты выбрала удачный вечер, потому что сегодня играет Майкл Херн. — Алек указал на четверку музыкантов на площадке — гитарист, скрипач, контрабас и ударник. — Он племянник Билла Херна.

— Чей? — Сдвинув брови, Кристин вслушивалась в слова песни, которую никогда не слышала раньше.

— Билла Херна, — сказал Алек. — Разве ты не знаешь Билла и Бонни Херн?

— А я должна их знать?

Алек изумленно посмотрел на нее:

— Ты ведь сказала, что ты из Остина.

— Я также сказала, что не часто ходила слушать музыку и развлекаться.

— Вообще-то они там больше не выступают, но, черт возьми, Крис, они ведь настоящая легенда!

— Извини. — Она пожала плечами.

Алек грустно покачал головой.

— Тебе надо задержаться здесь, и ты услышишь все хорошие группы, которые выступают в барах.

— Эй, простите. — Маклер постучал по плечу Алека. — Мы только разговорились.

Алек повернулся к нему и доброжелательно улыбнулся:

— Привет, спасибо, что не позволили Крис заскучать, пока она дожидалась меня. Могу я предложить вам выпить? Харви! — окликнул он бармена. — Дай мне еще один кувшин и налей этому приятелю выпить за мой счет.

Его дерзкая находчивость вызвала улыбку, которую Кристин постаралась спрятать.

Мистер Привет-я-Боб-из-Канзаса переводил взгляд с Алека на Кристин и снова на Алека, который теперь выпрямился в полный рост. Она не вполне уловила смысл взглядов, которыми обменялись мужчины, но Боб, похоже, просек ситуацию. Он протянул Алеку руку.

— Нет проблем. Я не знал, что она ждет своего парня.

— Он не мой парень, — попыталась объяснить Кристин, но мужчина уже отвернулся, рассматривая посетителей бара, в поисках нового объекта.

— Дорогая, ты меня ранишь. — Алек прижал руку к груди, его взгляд был таким искренним, что Кристин почти простила его за то, что он отшил Боба, который, несомненно, вызвал бы одобрение Мэдди и Эйми. — Ведь ты пришла сюда, чтобы встретиться со мной?

Ее хорошее настроение слегка омрачилось.

— Я пришла сюда, рассчитывая, что тебя здесь уже не будет, поскольку ты обычно приходишь в «счастливые часы», а сейчас уже девять. Ты что, живешь здесь?

— На самом деле — да. Нет, конечно, не здесь. — Алек обвел рукой бар. — Я живу наверху.

— И весь вечер проводишь здесь?

— Обычно нет. Но сегодня не обычный вечер. Сегодня я организую вечеринку.

— Попробую угадать. Для «ребят»? — Кристин посмотрела туда, где за столом сидела их пресловутая компания, и обнаружила, что парни уставились на нее открыто оценивающими взглядами. Она узнала Трента и Брюса, но в целом компания представляла собой странную разновозрастную смесь, от двух совсем молодых ребят до сурового вида немолодого мужчины с военной стрижкой.

— К сожалению, это мальчишник, — сказал Алек. — Иначе я пригласил бы тебя присоединиться к нам.

— Который устраивает жених официантки? — Кристин посмотрела повнимательнее. — И кто же этот счастливчик?

— Парень во главе стола, во-он тот, с глупой улыбкой на лице.

— Гм... — Кристин посмотрела на мужчину со светлыми волосами и приятным лицом. — Весьма привлекательный.

— Уже занят.

— Я так и поняла.

«Все сто́ящие всегда оказываются занятыми», — добавила она про себя.

— Свадьба завтра, между прочим, я буду у него шафером. Только не понимаю, почему Уилл и Лэйси выбрали именно те выходные, когда будут проходить соревнования по сноубордингу, наверное, решили устроить своего рода проверку на дружбу.

— Какие соревнования? — заинтересовалась Кристин.

— По сноубордингу. На Джибберс-Ран. Ты пойдешь?

— Я ничего не слышала об этом.

— Ты шутишь! — Алек широко открыл глаза. — Так ты, оказывается, не только в Остине пребываешь «в спячке», ты и здесь ничего не замечаешь.

— К сожалению, — призналась Кристин.

— Какое упущение! Если у тебя на эти выходные нет никаких планов, обязательно надо пойти на соревнования, и ты увидишь, что некоторые из этих парней настоящие асы. — Глаза Алека загорелись. — Послушай, а почему бы нам не пойти туда вместе? Я смогу устроить тебе самое лучшее место.

Он всегда знает, чем ее можно соблазнить!

— Вообще-то завтра прилетает моя семья, и мои планы на воскресенье зависят от них.

— Приводи их с собой. И у меня будет возможность познакомиться с твоим необыкновенным братом.

Кристин не успела придумать подходящую причину, по которой можно было бы отклонить его приглашение, как к ним подошел золотистый ретривер.

— Боже мой! — воскликнула Кристин, когда собака уселась у ног Алека и громко гавкнула. Кристин знала, что в Колорадо любят домашних животных, но никак не ожидала увидеть собаку в баре. — Кто это?

— Кто эта шелудивая собачонка? Это Бадди. — Алек почесал пса за ухом, и тот, словно улыбаясь, оскалил зубы. — Они послали тебя за мной, парень?

Бадди снова гавкнул, потом схватил Алека за штанину и начал тянуть.

— Иду-иду. — Алек попытался высвободить штанину, но Бадди потянул сильнее, едва не свалив Алека с ног. — Ну же, Бадди, будь другом. Разве не видишь, я пытаюсь произвести впечатление на эту красивую девушку? Псина, ты только все портишь.

Кристин рассмеялась, наблюдая эту сцену. Ей всегда хотелось иметь собаку, а что может быть лучше крупного дружелюбного ретривера золотистого окраса?

— Господи, ну ладно! — Алек поднял кувшин и едва не расплескал пиво, поскольку Бадди продолжал тянуть его. — Ничего не поделаешь, придется идти. Но ты никуда не уходи. Я постараюсь вырваться и побыстрее вернуться.

Он ушел, и настроение у Кристин упало, сегодня днем было точно так же. Она понимала, что такую игру — флиртовать, кокетничать и в последний момент говорить «нет» — продолжать небезопасно: ну разве она уже не доказала, что при необходимости может быть стойкой? В конце концов, она же может просто общаться с ним, конечно, до тех пор, пока не совершит какую-нибудь глупость, например не влюбится в него.

Кристин видела, как Алек сел на свое место, и мужчины разом склонились к столу, очевидно, требуя подробностей. Жалко, что это мальчишник и она не может присоединиться к их компании. Но ее здравомыслящая половинка убеждала, что это как раз и хорошо, что она не может присоединиться к ним. Одно дело — несколько минут пококетничать с Алеком, и другое — сидеть с ним за одним столом, среди его друзей, это уже будет нечто большее и бог знает к чему может привести.

Неожиданно Трент поднялся и, сложив рупором руки, позвал ее, перекрывая зычным голосом музыку:

— Кристин! — Он замахал руками, приглашая ее за их стол.

И что же ей теперь делать?

Присоединиться к ним не самая лучшая идея. Но если она откажется, она поставит Алека в неловкое положение: ему будет неудобно перед друзьями, а для большинства мужчин это страшнее смерти. Она ведь не может с ним так поступить, не так ли? С этим вынуждены были бы согласиться даже Мэдди и Эйми. «У меня нет выбора, — убеждала себя Кристин, спускаясь с высокого табурета, — абсолютно никакого».

Глава 6

Чтобы выиграть, прежде нужно начать играть.

«Как сделать свою жизнь идеальной»

«Да! — Алек едва не закричал вслух, когда Кристин направилась к их столику. — Спасибо тебе, Трент».

Когда девушка подошла к ним, он встал, пожалуй, слишком поспешно.

— Прости, — сказал Алек, не испытывая ни малейшего сожаления. — Это их идея. Правда. Я тут ни при чем.

— Я думала, у вас мальчишник. — Кристин улыбнулась всем сидящим за столом. — Терпеть не могу мешать.

— Ты не помешала, — заверил ее Уилл, язык у него слегка заплетался. — Если только ты не стриптизерша, из-за которой у меня будут неприятности с Лэйси, а так никаких проблем. — Он с недоверием посмотрел на нее: — Ты ведь не стриптизерша?

— Заткнись, Уилл. — Алек сердито посмотрел на него. — Она что, похожа на девушку, танцующую у шеста? — Естественно, после этого замечания вся компания, не сговариваясь, с пристрастием оглядела фигуру Кристин. — Не обращай внимания. Позволь тебя познакомить.

Алек по очереди указывал на приятелей и называл их имена. В ответ мужчины приветственно махали рукой, за исключением Брайана, который, когда до него дошла очередь, поинтересовался, не нужны ли ей дополнительные уроки.

Алек схватил свободный стул, стоявший у соседнего столика, поставил рядом со своим и наконец предложил Кристин сесть. Сев рядом, он по-прежнему не отрывал от нее взгляда, его нога будто невзначай касалась ее бедра.

— Не обращай на них внимания, — сказал он. — Они все идиоты. Понятия не имею, почему я с ними болтаюсь.

— Брось, мы все знаем, что ты нас любишь, — сказал Эрик, нарочито эмоционально, так что Брайан тихонько засмеялся. — Эй! — Эрик вскочил. — Кто меня пнул?

— О, так это твоя нога? — сердито посмотрел на него лейтенант Крейгер, который пытался обучать «молодых щенков» хорошим манерам.

Алек поставил локти на стол и демонстративно отгородился от своих друзей, чтобы разговаривать только с Кристин.

— Знакомство с этими типами вряд ли повысит мои шансы?

— Вероятно, нет. — Она улыбнулась при этих словах и посмотрела ему прямо в глаза. — Но шансы и так уже равны нулю.

— Не согласен. — Он подавил в себе желание провести кончиками пальцев по ее щеке. — Мой девиз — «Никогда не сдавайся». И кроме того, твое сопротивление ослабевает, я это чувствую.

— Возможно. — Кристин покраснела и начала потягивать пиво. Глаза Алека блеснули, а на губах появилась довольная улыбка.

— Итак, Уилл, — обратился к нему Стив, — скажи честно, ты не жалеешь, что надеваешь на себя эти оковы?

— Абсолютно не жалею, — ответил Уилл, широко улыбаясь.

— Ну и отлично, только в одном я, пожалуй, соглашусь с Алеком, — сказал Брайан. — Поверить не могу, что ты собираешься переехать в Огайо и работать в страховой компании своего отца. Я бы не стал этого делать ради женщины.

— В том-то все и дело. — Уилл подался вперед и теперь говорил вполне серьезно. — Когда делаешь это ради любимой женщины, это перестает быть жертвой. А Лэйси для меня именно такая женщина.

— Да, я так тоже думал о Джуди, — проворчал Стив. — Пока эта сучка окончательно не свихнулась во время развода. — Ругательство сорвалось с его губ, и он, извиняясь, взглянул на Кристин. — Прошу прощения, мэм.

— Ничего страшного, — ответила она с таким видом, словно находила все это очень забавным.

Учитывая, что с ее уст часто слетали и не такие словечки, Алек также посчитал смущение Стива забавным.

— Не слушайте его, — скрипучим голосом произнес Крейгер. — Я прожил с Май Тьен тридцать шесть лет, пока она не умерла от рака. Когда брак удачен, для мужчины ничего лучше и быть не может.

— Вот видите! — Уилл поднял кружку с пивом, обращаясь к Крейгеру. — Ты абсолютно прав. Когда Лэйси рядом, у меня на душе спокойно. Я ни с кем не чувствовал себя так хорошо, так уютно, как с ней. Даже с вами, парни. Я даже могу себе представить, как старею рядом с ней. И я хочу этого — встречать старость рядом с ней. Иметь детей и внуков и закладную на дом. Я безумно люблю ее и не могу дождаться, когда она станет моей женой.

— О Боже, приятель! — Эрик закрыл лицо руками. Он был похож на пугало с его торчащими во все стороны соломенными волосами. — Кто-нибудь, закройте ему рот. Он слишком много выпил.

— Для этого и устраиваются мальчишники. — Брайан взял кувшин, чтобы налить пива.

— Тогда плесни и мне. — Эрик протянул свою кружку. — Иначе я просто не смогу сидеть здесь и слушать все эти сентиментальные разговоры.

— Подожди. — Уилл кивнул с глубокомысленным видом. — И с тобой такое случится.

— Только не со мной! — продолжал гнуть свое Эрик.

— А ты что об этом думаешь, Алек? — обратился к нему с другого конца стола Брайан. — Ты сам-то когда-нибудь женишься?

Алек уставился на него, не веря, что приятель мог задать ему такой провальный вопрос при женщине.

— Чтобы Питер Пэн женился? — Эрик громко захохотал. — Да никогда. Для этого ему понадобится повзрослеть.

Кристин удивленно подняла брови:

— Питер Пэн?

— Дурацкое прозвище. — Алек почувствовал, что лицо у него горит.

— О! — Кристин казалась заинтригованной.

— Да, гм... — Алек кашлянул и подумал, что он поторопился с благодарностью Тренту. — Лэйси однажды обозвала меня так, когда разозлилась на Уилла: «Питер Пэн и его потерянные мальчишки». — Он жестом указал на своих друзей. — «Потерянным мальчишкам» это так понравилось, что прозвище приклеилось намертво.

— Вообще-то, — улыбнулся Стив, — Питеру не обязательно взрослеть, чтобы жениться. Ему просто нужно будет найти такую же Венди, которая не будет возражать, что он тратит все свои деньги на дорогие игрушки. Кстати, мне очень нравится эта привычка.

— Еще бы! — Алек бросил сердитый взгляд на шерифа, в бюджете которого имелась статья на поисково-спасательные расходы. — Поскольку ты на этом здорово экономишь.

— Точно, — ухмыльнулся Стив.

Алек увидел, что Кристин еще выше подняла брови, и понял, что ситуация совсем вышла из-под контроля и он фактически идет ко дну. К счастью, оркестр заиграл приятную мелодию, и у него возникла идея.

— Полагаю, ты умеешь танцевать, хотя и нечасто выбираешься развлекаться.

— Тустеп? — Она посмотрела на танцпол, где толпа завсегдатаев крутилась, быстро двигаясь против часовой стрелки. — Наверное, я уже все забыла.

— Я освежу твою память. — Алек встал и протянул Кристин руку. — Парни, прошу нас извинить.

Кристин подала ему руку. Он помог ей встать, потом шепнул на ухо Тренту:

— Сделай одолжение, не позволяй Уиллу больше пить. Принеси ему что-нибудь безалкогольное.

— Понял. — Трент кивнул.

Алек повел Кристин к танцевальной площадке.

— Значит, это и есть твои «ребята», да? — спросила она.

— Да, они самые. — Он привлек ее к себе, одной рукой обхватив талию, другой поддерживая ее ладонь. — Лучшие в мире. По крайней мере так я считал еще несколько минут назад.

Она засмеялась:

— Брось, это вполне в вашем духе — подставлять приятеля, когда он пытается произвести впечатление на свою подружку.

— А ты моя подружка? — Алек прижал Кристин к себе, их лица теперь находились на расстоянии всего лишь нескольких дюймов.

— Нет. — Ее оживление исчезло, но глаз она не отвела.

Его взгляд скользнул по ее губам, потом он снова посмотрел ей в глаза.

— «Нет» становится твоим любимым словом.

— Ты меня этому научил.

— А может, я научу тебя чему-нибудь другому? — Алек сделал резкий поворот, теперь она оказалась почти прижатой к нему, а ее нога оказалась между его бедер. — Очень хорошо, — сказал он. — Ты и на танцевальной площадке будешь такой же сообразительной ученицей, как в горах?

С шутливой надменностью Кристин тряхнула волосами, откидывая их назад.

— Это зависит от того, насколько хорошо ты будешь вести. В противном случае вести придется мне.

— Правда?

— Это у меня такая досадная привычка. По крайней мере мне так говорили. Но я всегда считала, что если танцуешь — танцуй, а не шаркай ногами по полу.

— Абсолютно с тобой согласен. — Алек сверкнул улыбкой, потом крутанул Кристин на расстоянии вытянутой руки и снова притянул к себе, так что они оказались лицом к лицу. — Только обрати внимание, здесь танцуют немного по-другому. — Алек показал нужное па, и Кристин, внимательно следя за его ногами, быстро освоила движение. — Очень хорошо, — сказал он. Еще после нескольких па он вновь закружил ее, так что она оказалась у него за спиной, потом вновь притянул к себе. — Ты схватываешь на лету.

— А ты хорошо ведешь. — Кристин улыбнулась, ее лицо сияло.

— Вот видишь, еще одна причина встречаться со мной.

— Танцуй.

— Слушаюсь, мэм.

Время летело очень быстро, и, как это бывало почти всегда, когда она находилась рядом с Алеком, Кристин забыла, что он «неподходящая кандидатура». Они, смеясь, протанцевали несколько танцев, периодически подходя к столику, чтобы отдышаться и напомнить друзьям Алека, что о них не забыли. Потом они вновь возвращались на танцевальную площадку. Ближе к полуночи оркестр заиграл медленный вальс.

— Наконец-то, — вздохнул Алек, они стояли совсем рядом, их тела почти соприкасались. — Я уж думал, они никогда не перейдут к медленным танцам.

Кристин на мгновение напряглась, вспомнив данную себе клятву устоять перед этим мужчиной. Но ведь это всего лишь танец. Что опасного может быть в танце? Она расслабилась и положила голову ему на плечо.

Они плавно покачивались под романтическую мелодию, и Кристин вспомнила: «Да, вот какую опасность таит в себе танец».

Слова популярной песенки говорили о сильном желании и бесконечной тоске. Бедра Кристин и Алека соприкасались, и она точно знала, о чем говорит автор песни. Нужно слегка отстраниться, подумала она. Но не сейчас... Через минуту...

— Мне всегда нравилась эта песня. — Рука Алека скользнула по спине Кристин, и он еще плотнее прижал девушку. Через секунду его осмелевшая рука нырнула под свитер. Ладонь была мягкой и очень теплой, по спине Кристин разлилось тепло.

Нет, ей действительно необходимо отодвинуться.

Через секунду.

Пальцы Алека описывали провоцирующие круги, вызывающие у Кристин дрожь и желание изогнуться, подобно кошке.

— Ты был прав насчет оркестра. Он... м-м-м... действительно очень хорош.

— Очень. — Убаюкивающая неровность его голоса будила в ней дрожь желания. — Ты не жалеешь, что пришла сюда?

— Не жалею.

— Вот и хорошо. — В повороте он немного отклонился назад, и его бедро оказалось между ее бедрами. Чувственный контакт вызвал вспышку удовольствия, у Кристин возникло безрассудное желание сладострастно потереться об Алека всем телом.

Так, это уже никуда не годится. Ей абсолютно необходимо отодвинуться.

Через одну секунду.

Алек потерся щекой о ее волосы и прошептал на ухо:

— Давай вместе.

— М-м? — Плохо соображая от возбуждения, Кристин подумала, что он говорит об оргазме. Он хочет, чтобы они кончили вместе? Прямо здесь? Она отстранилась и посмотрела ему в лицо, но их бедра по-прежнему были прижаты. — Что?!

— В воскресенье. — Алек нахмурился, заметив ошарашенное выражение ее лица. — Соревнования по сноубордингу. Давай пойдем вместе.

— О! — Кристин засмеялась. — Я подумала... Не важно.

— Что?

— Ничего. Нет. Я не могу. Я же сказала, что приедет моя семья.

— В любом случае давай встретимся там, перед VIP-трибуной. Я оставлю пропуск на всех вас у входа.

— Алек, я правда не могу.

— Почему нет? Подожди секунду. — Он посмотрел на нее и широко раскрыл глаза. — Ты ведь не замужем?

— Нет. Я не замужем.

— Ты с кем-то встречаешься?

— Нет.

— Умираешь от редкой болезни?

— Нет.

— Тебе неловко признаться, что ты бисексуалка, что раньше ты была мужчиной, что у тебя венерическое заболевание?

— Нет! — Кристин засмеялась.

— Тогда давай встретимся в воскресенье.

— Нет.

Ее оживление уступило место раздражению.

— Ну почему «нет»? Я спрашиваю серьезно. Должна же быть какая-то причина.

Кристин прищурила глаза:

— Кажется, ты говорил, что слово «нет» действует.

— Я лгал. Нет, на самом деле я забыл добавить, что оно действует только тогда, когда ты именно это и имеешь в виду. А в данном случае это не так.

— Нет так!

— Кристин... — В голосе Алека слышалось недоверие. — Я не слепой. Я не дурак. Я знаю, что нравлюсь тебе. Так назови мне хотя бы одну серьезную причину, по которой ты не можешь со мной встречаться.

— Может быть, ты нравишься мне по-другому, не так, как ты это понимаешь.

— Ладно.

Он окинул взглядом площадку, потом сделал три быстрых поворота, и они оказались за пределами танцпола. Здесь было темно, но Кристин сообразила, что они стоят в самом низу лестницы, ведущей на эстраду. От людей, сидящих в зале, их закрывал импровизированный занавес. В следующее мгновение Кристин оказалась прижатой к стене. Губы Алека приближались к ее губам.

— Подожди! — Кристин испуганно уперлась ладонями ему в грудь и пропищала: — Что ты делаешь?

— Целую тебя. Вернее, собираюсь поцеловать.

Кристин открыла рот, готовая произнести «нет», но слово почему-то застряло у нее в горле. Сквозь полумрак она видела его мерцающие сумеречным светом глаза, которые, не отрываясь, пристально смотрели на нее. Она посмотрела на его губы. Как часто ей хотелось ощутить на своих губах прикосновение этих красиво, по-мужски очерченных губ!

Кристин подняла на него глаза:

— Один поцелуй.

Алек наклонился ниже.

— Подожди!

Он поднял голову, и на его лице читалось: «Ну что теперь?»

— Только без рук, — сказала она и, убрав руки с его груди, спрятала их за своей спиной.

Искренняя досада, мелькнувшая в глазах Алека, могла бы позабавить Кристин, если бы сердце ее не трепыхалось как попавшая в паутину бабочка.

Умышленно медленно, очень медленно Алек убрал руки с ее бедер и поочередно уперся ими в стену на уровне ее головы.

И наконец он коснулся ее губ своими губами.

«О Боже мой!» — это была последняя связная мысль, мелькнувшая у нее в голове, и она, покорившись, погрузилась в волшебство его поцелуя. Его губы становились то жесткими и требовательными, то мягкими и податливыми, они менялись и двигались, ведя ее, как во время танца. Он наклонил поудобнее голову, и его язык скользнул внутрь, упрашивая ее, поддразнивая и обволакивая ее желанием.

Постанывая, Кристин отвечала на каждое его движение, впитывая его вкус и желая все больше, и больше, и больше. Если у нее есть только один этот поцелуй, пусть он длится вечность. Алек, похоже, стремился к тому же, вкладывая все, что у него было, в эту игру губ, пока наконец ее тело не обмякло и она не начала обессиленно сползать по стене.

Когда их поцелуй закончился, она издала длинный откровенный вздох. Потом открыла глаза. Медленно. И обнаружила, что он улыбается, а в его взгляде, обращенном на нее сверху вниз, читается истинно мужское удовлетворение.

Очевидно, она все-таки сползла по стене на несколько дюймов.

— Ах, ладно. — Кристин хмыкнула и постаралась както побороть дрожь в коленях. — Да. Это было... — Она снова кашлянула.

— Весьма красноречиво. — Алек сделал шаг назад и протянул ей руку.

Она приняла ее. С благодарностью.

Когда Алек двинулся с места, она в оцепенении последовала за ним, мельком заметив, что народу в пабе стало немного меньше. Оркестр, похоже, уже заканчивал свое выступление, и Алек направился не к своей компании, а, ловко лавируя между столиками, повел Кристин к выходу и помог ей одеться.

Они вышли на холод, и он заботливо накинул ей капюшон на голову, потом обхватил ладонями ее лицо и еще раз поцеловал, сладко, но слишком быстро.

Он поднял голову, и Кристин разочарованно взглянула на него.

— Увидимся в понедельник.

Потом он шагнул назад и вошел в паб.

Она стояла и в замешательстве смотрела на закрытую дверь паба. Когда наконец она пришла в себя, ей захотелось затопать ногами.

— Нет, — сказала она. — Нет, нет, нет. И я имею в виду именно это. И это не просто слова.

Глава 7

Твои корни там, где ты родился, но ты не обязан там жить.

«Как сделать свою жизнь идеальной»

Кристин рада была тому шумному беспорядку, который привнесли с собой в дом приехавшие — четверо взрослых и двое детей, которые, смеясь и переговариваясь, начали распаковывать свои вещи. Эта суета отвлекла ее от мыслей об Алеке и о том потрясающем поцелуе в пабе.

Почти отвлекла.

На самом деле ей трудно было думать о чем-то еще, кроме этого поцелуя, но приезд семьи позволил хоть немного отвлечься.

— Как давно я не проводила вместе с вами рождественские каникулы, — сказала Кристин, когда воскресным утром семья собралась за завтраком.

— И единственное, что тебя оправдывает, — это твоя резидентура, — заметила мать, посыпая отруби заменителем сахара.

Вся семья сидела за круглым обеденным столом со стеклянной столешницей. Кристин вновь поразила красота матери. Как удается женщине, которой скоро исполнится шестьдесят, всегда выглядеть такой привлекательной, молодой и идеально собранной? Кристин говорили, что она унаследовала внешность матери и ум отца, но, откровенно говоря, она так не считала. Рядом с Барбарой Эштон она выглядела неуклюжим жирафом. Что же касается мозгов, то и здесь Кристин была в семье на последнем месте. Она наблюдала за братом, который увлеченно читал какую-то статью в денверской газете. Как и их отец, Робби был не столько красивым, сколько импозантным, с острыми угловатыми чертами лица, и оба они отличались незаурядным умом.

— Я так обрадовалась, когда Робби сказал мне, что в этом году ты будешь вместе с нами на Рождество, — сказала Натали, жена Робби, которая, завтракая сама, одновременно умудрялась кормить сидящего на высоком детском стульчике двухлетнего малыша. Натали являла собой оживляющий контраст двум высоким блондинкам, она была миниатюрной шатенкой с большими карими глазами. — Нет ничего важнее, чем проводить праздники вместе с семьей, особенно для детей.

Малыш Джонатан издал вопль и захлопал своими пухлыми ручонками.

— Согласна, — кивнула Кристин и поздравила себя с тем, что ей удалось в течение пяти минут не думать об Алеке.

— Эй, обратите внимание. — Робби перевернул газетную страницу. — Сегодня будут проходить соревнования по сноубордингу. Кто-нибудь хочет пойти?

Кристин замерла.

— Смотреть сноубординг? — Роберт-старший неодобрительно поднял брови. Он сидел закинув ногу на ногу, а эта поза всегда казалась Кристин квинтэссенцией мужской элегантности. Острым ножом он резал грейпфрут на ровные дольки — насколько она помнила, он делал это каждое утро. Половинка грейпфрута и миска отрубей из злаков — вот и весь завтрак каждого из Эштонов. Всегда. Каждое утро. — Боюсь, я не понимаю привлекательности сноубординга. В мое время люди катались на лыжах. Они не носились по горам на досках как дикари.

Надеясь, что отец откажется от предложения Робби, Кристин ковырялась в своей тарелке с отрубями, мечтая о «датских плюшках».

— И сейчас катаются на лыжах. — Робби положил газету рядом со своей тарелкой. — А сноубординг перестал быть исключительно развлечением подростков. Вообще-то у меня была мысль попытаться освоить сноуборд.

— У тебя? — переспросил отец. И таким образом неожиданно предложение стало вполне приемлемым. Вполне логично. Кристин состроила рожицу двухлетнему Чарлзу, и тот захихикал. — Где будут эти соревнования?

— На Джибберз-Ран, — ответил Робби. — Начинаются в десять. Потом мы могли бы взять сноуборды напрокат и завтра попробовать покататься.

«О нет». Кристин положила ложку. Во-первых, она не хотела даже приближаться к Джибберз-Ран, ведь завтра там ее будет ждать Алек. А во-вторых, не для того она целую неделю оттачивала свои лыжные навыки, чтобы ее братец решил заняться сноубордингом. Если все пойдет как всегда, ему достаточно будет одного дня, чтобы преуспеть в этом деле, а ей потребуются недели тренировок только для того, чтобы сравняться с ним.

— Простите. — Она подняла руку. — Я думала, что завтра мы пойдем кататься на лыжах.

Робби пожал плечами:

— У нас впереди две недели. Времени хватит и для сноубординга, и для лыж. Натали, — обратился он к своей жене, — ты хочешь посмотреть соревнования по сноубордингу?

Натали отвлеклась от своих попыток уговорить Джонатана поесть.

— Я бы с удовольствием, но что делать с мальчиками? Я еще не связалась с агентством, не знаю, смогут ли они прислать завтра няню.

— За мальчиками присмотрит мама. Мама, ты как?

Барбара Эштон слегка помедлила с ответом.

— Вообще-то... На завтра я договорилась с дизайнером, он придет, чтобы заняться праздничным оформлением.

— Прекрасно. — Робби широко улыбнулся матери, словно не замечая ее завуалированного отказа. — Ты весь день будешь дома, так что для тебя не составит труда присмотреть за мальчиками. И они ведь могут помочь тебе украшать елку. Что ты на это скажешь, Чаки. Хочешь помочь бабушке украшать елку?

Мальчик завопил от радости.

Кристин посмотрела на мать и увидела тень ужаса, мелькнувшую в ее глазах. Позволить непоседливому малышу приблизиться к ее профессионально декорированной искусственной елке высотой двенадцать футов?

Кристин еще только предстояло увидеть это чудовище, но Натали достаточно рассказывала ей, и при мысли об этом Кристин не могла не поежиться. Она посмотрела на свою невестку, ожидая, что та будет упрашивать поставить настоящее дерево. Кристин знала, что именно о такой елке мечтала Натали для своих мальчиков. Но та, не сказав ни слова, продолжала уговаривать сына поесть.

Кристин перевела взгляд на брата. Он ответил ей прямым взглядом, казалось, его все это забавляет. Проклятие! Никто из них не собирался поднимать вопрос о живой елке.

Набравшись смелости, Кристин ринулась в атаку:

— Если уж мы заговорили о елках... поскольку после такого большого перерыва это мое первое Рождество вместе с вами, я надеялась, что у нас будет живое дерево.

— Не говори глупостей. — Мать отмахнулась. — С живыми елками слишком много хлопот.

— Но они того стоят, — возразила Кристин. — И дети их очень любят.

Мать холодно посмотрела на нее:

— Они никогда не выглядят по-настоящему красиво, и к тому же у нас уже есть елка.

— Да, но...

— Ну почему ты всегда споришь? — Мать разочарованно вздохнула, и Кристин, как это всегда бывало, почувствовала себя двенадцатилетней девочкой.

— Прости. — Она выпрямила спину, как ее учили на бесконечных уроках хороших манер, которые ей приходилось посещать в средней школе. — Я просто высказала свое предложение.

Уголком глаза она увидела, что брат снова спокойно взялся за свою газету. В душе поднялась волна негодования. Вот если бы Робби попросил поставить живую елку, отец поддержал бы его и маме пришлось бы уступить.

Кристин постаралась не поддаваться раздражению и, отставив отвратительные отруби, взяла чашку с кофе. Черт возьми, но ей хочется живую елку! Такую яркую и веселую, похожую на те, которые Мэдди всегда умудрялась втиснуть в уголок их комнаты и которые Эйми и Джейн помогали украшать. Они усаживались вокруг елки, пили горячий шоколад с мятным шнапсом и пели рождественские песенки, пока не приходила управляющая общежитием и не говорила, что пора гасить свет. Ну почему семейное Рождество не может быть таким же?

За столом повисла тишина, которую прерывало только радостное повизгивание Джонатана, разбрасывающего кусочки овощей из своей тарелки по разным сторонам. Наконец маленькое желтое колесико моркови со шлепком упало на белую фирменную блузку Натали. Она охнула от неожиданности и досады, и Кристин удивленно взглянула на жену брата. Она не ожидала, что невестка будет возмущаться из-за того, что дорогая блузка испорчена детской едой. Но Натали быстро взяла себя в руки и рассмеялась:

— Ах ты, маленький негодник! — Она наклонилась к ребенку и потерлась носом о его носик, мальчик захихикал. — Ты еще больший грязнуля, чем я.

— Я тоже негодник. — Его старший братишка зашлепал ложкой по тарелке со злаками. Барбара приложила наманикюренный палец ко лбу, словно пытаясь предотвратить приступ мигрени.

— Конечно, негодник! — воскликнула Натали. Она встала и сняла ребенка со стула. — Ты мой большой негодник.

Мальчик просиял и, стуча ложкой, начал брызгать еще сильнее.

— Не следует потакать им, когда они так плохо себя ведут, — вздохнула Барбара, точно так же, как вздохнула, услышав предложение Кристин поставить живую елку.

Однако, похоже, на Натали это не произвело совершенно никакого впечатления.

— Если мы сейчас пойдем куда-нибудь, то мне необходимо переодеться и скорее всего этого маленького поросенка тоже нужно переодеть. — Она подняла мальчика. — Фу! Кое-кого нужно еще и помыть. Дорогой, ты присмотришь за Чарлзом? Может, тебе удастся заставить его съесть хоть немного хлопьев.

— Не сомневайся, — заверил ее Робби с улыбкой.

— Спасибо, милый. — Натали поцеловала мужа в макушку и понесла ребенка наверх.

— Ну ладно, парень. — Робби усадил сына на колени. — Мы с тобой остались вдвоем. Мамы рядом нет, и тебе никто не поможет. Что ты предпочитаешь: злаки или... пытка щекоткой?

— Злаки такие противные!

Кристин подавила смешок и желание хлопнуть по ладошке мальчика в знак одобрения. Никто не спорит, что отруби полезны, но это такая гадость!

— Так ты будешь есть? — Робби угрожающе сдвинул брови.

— Нет! — заявил малыш с пылом, который только двухлетний ребенок может вложить в это слово.

— Значит, пытка! — объявил Робби и начал щекотать мальчика. Малыш визжал и, хохоча, извивался, наконец на его глазах выступили слезы.

Кристин наблюдала за ними в изумлении. Эштонам несвойственно было такое открытое проявление чувств, и все же она не раз становилась свидетелем того, как брат сам вел себя как ребенок, дурачился и даже катался по полу.

— Ладно! — наконец завопил Чарлз. — Сдаюсь!

Робби остановился, но держал руку наготове.

— Правда? Будешь есть хлопья?

— Да. — Мальчик вздохнул. Он тяжело дышал, а на пухленьких щечках выступили яркие пятна, и все же он выпрямился и с недовольной гримасой взял ложку. — Это как какашки!

Кристин поперхнулась, кофе моментально полился через нос, и, чтобы не фыркнуть открыто, она быстро прикрыла рот льняной салфеткой.

— Простите. Поперхнулась.

— Итак, Кристин, — обернулся к ней брат, когда Чарлз покорно начал уничтожать свой завтрак. — Ты пойдешь с нами на соревнования или останешься дома, чтобы помочь маме?

Кристин обдумывала предложенные варианты. Пойти смотреть выступления асов сноубординга или остаться со своей уже раздраженной матерью, чтобы наблюдать, как будут украшать искусственную елку. Даже с учетом опасности наткнуться на Алека первый вариант был предпочтительнее.

— Знаешь, — улыбнулась она, — пожалуй, я пойду с вами.

Брат улыбнулся ей в ответ:

— Я почему-то так и думал.

— Как тебе идет эта шапочка! — сказала Натали, поправляя белую шапку из искусственного меха, которая полностью скрыла волосы Кристин и частично прикрыла ее лицо. — Ты похожа на Снежную королеву.

— Мне кажется, я выгляжу нелепо. — Кристин нервно оглядела заполненное людьми пространство перед входом на трибуны, надеясь, что мужчины не слишком задержатся, покупая билеты.

— Тогда зачем же ты взяла ее у меня? — обиженным тоном спросила Натали.

— А? — Повернувшись к невестке, Кристин одернула себя. — Я... я помню, как великолепно она смотрелась на тебе, и мне захотелось попробовать. Ты умеешь носить подобные вещи, а я... просто не умею.

— Неправда. — Натали немного отступила и восхищенным взглядом окинула длинное пальто и великолепно сочетающуюся с ним шапку. — Думаю, ты выглядишь очень эффектно.

— Спасибо за комплимент и за то, что одолжила мне шапку. — Кристин подняла воротник и в своем длинном, свободного покроя пальто с поясом стала походить на заправского шпиона. Она еще раз обвела глазами толпу, выискивая Алека. Пока все шло нормально. — Кстати, о елке. Я все равно считаю, что у нас должна быть живая елка.

Натали вздохнула:

— Я не возражаю. В этом Робби и я с тобой абсолютно согласны.

— Так почему же ты ничего не сказала сегодня утром? Не важно, я знаю, почему ты промолчала, но почему же Робби не поддержал меня?

Натали засуетилась, поправляя искусственный мех под лису, который она сегодня надела.

— Как ты знаешь, у твоей матери и так немного радостей в жизни, так что плохого в ее страсти к декорированию? Я хочу сказать, что она замужем за твоим отцом уже сорок лет. Может быть, именно это помогло сохранить их брак.

— О чем ты говоришь? У моих родителей счастливый брак. — В толпе мелькнула ослепительно яркая зеленая куртка, и сердце Кристин екнуло. Украдкой выглядывая из-за высокого воротника, она обнаружила, что Алек, оглядываясь вокруг, разговаривает с билетером.

Она вспомнила об уроках, о спусках, от которых захватывало дух, о... поцелуе и поняла, как все-таки приятно ей было находиться рядом с ним. Какой живой она себя чувствовала в его обществе. И вот сейчас он стоит и высматривает ее в толпе, гадая, придет ли она или нет. Кристин так хотелось поднять руку, окликнуть его, чтобы увидеть, как он обрадуется их встрече.

Но вместо этого она прикрыла лицо рукой, сделав вид, что заправляет волосы под шапку. О чем там они говорили с Натали? Ах да, о родителях.

— Я признаю, что им несвойственно внешнее проявление своих чувств, но это вовсе не говорит о том, что их брак испытывает какие-то трудности. Они ведь даже никогда не ссорятся.

Натали поджала губы:

— Трудно поссориться, когда два человека практически не разговаривают друг с другом.

— Просто мама у нас немного замкнутая.

— Кристин, дело не только в твоей матери. Послушай, я не хочу заниматься критикой, но... К черту все это! Роберт Эштон-старший один из самых эгоистичных, эгоцентричных и шовинистически настроенных мужчин, которых я когда-либо видела.

У Кристин отвисла челюсть.

— Но кроме того, он верный муж и хорошо обеспечивает семью. Я никогда не слышала, чтобы мама жаловалась.

Выражая несогласие, Натали неодобрительно подняла брови.

— Ну ладно, она уходит в свои занятия, — согласилась Кристин. — И что это дает?

— Дает, как ни странно, — сказала Натали. — Робби считает, что если ежегодное декорирование квартиры к рождественским праздникам доставляет ей радость, пусть она занимается этим, хотя бы и с помощью профессионального дизайнера. В любом случае это лучше, чем в течение двух недель жаловаться на мигрень и срываться на нас.

— И ты хочешь сказать, что позволишь своим детям встречать Рождество у искусственной елки?

— Нет. — На губах Натали заиграла улыбка. — Мы подождем, пока твои родители заснут, тайком пронесем в мансарду живую елку, и мальчишки сами нарядят ее. А когда Барбара это обнаружит, будет уже поздно.

— Чудесный план. — Кристин оживилась, обрадовавшись, как ребенок. — Можно я тоже буду наряжать елку? Пожалуйста.

— Только если ты наденешь пижаму и согласишься выпить огромное количество горячего какао.

— С конфетами?

— Конечно.

— Договорились! — Кристин обняла невестку. — Я так рада, что ты вышла замуж за моего брата.

Натали тоже обняла ее.

— Я тоже этому рада.

Когда Кристин, выпрямившись, взглянула на Натали, то увидела, что ее глаза светятся счастьем, так же как светились глаза Мэдди, когда она смотрела на своего жениха Джо.

«Вот чего я хочу. Именно этого. Такой любви, которая переполняет тебя всю и даже выплескивается из тебя».

Если бы только она могла полюбить кого-то, кто был бы ей так же интересен, как Алек.

Смутившись при мысли об этом, Кристин осторожно оглянулась, но ничего не увидела, потому что вид на ворота ей загородили неожиданно появившиеся отец и брат.

— Воины-победители вернулись! — провозгласил Робби, поднимая в руке билеты. — Мы сделали это! Места на VIP-трибуне, как раз за кабиной комментатора.

У Кристин округлились глаза.

— Нет. Это невозможно.

— Впечатляет, правда? — Робби поднял брови и посмотрел на жену. — Я рассчитываю на соответствующее вознаграждение.

Он ткнулся носом в шею жены и что-то прошептал, Натали засмеялась.

Роберт-старший протянул Кристин ее билет:

— Пойдемте на наши места.

— Показывай дорогу, — сказал Робби, прижимая к себе жену.

Кристин, затаив дыхание, повернулась, готовая в любую минуту нырнуть за спину отца. Но Алек куда-то пропал, вероятно, направился к кабинке комментатора, где он обещал ее ждать. Отлично, теперь ей нужно проскользнуть незамеченной мимо него, тихонько занять свое место и, как говорят в определенных кругах, «лечь на дно».

Когда они обошли трибуны, Кристин вздохнула с облегчением. Алека нигде не было видно. Потом они начали подниматься по ступенькам со стороны кабинки комментатора, и Кристин обомлела от увиденного.

Алек находился не перед кабинкой, он был внутри! Ее инструктор сидел рядом с комментатором, а на голове у него были наушники и микрофон.

Маскировка Кристин была настолько удачной, что если бы она не остановилась в изумлении прямо перед комментаторской рубкой, Алек наверняка не заметил бы ее. Но Кристин не повезло, он обратил внимание на остановившуюся девушку и с любопытством посмотрел на нее, потом, словно не веря своим глазам, взглянул внимательнее.

Кристин не успела ни отвернуться, ни наклонить голову, а тут еще ее чуть не сшиб вечно спешащий Робби.

— Ой, извини. — Брат ловко подхватил Кристин, не позволив упасть.

— Кто это? — спросила Натали.

— Где? — Кристин попыталась спрятаться за широкую спину брата.

— Да вон, какой-то парень машет тебе рукой. — Натали кивнула в сторону кабины комментатора.

Кристин ничего не оставалось делать, как повернуться и посмотреть на Алека. Но что он делает на комментаторском месте? В ответ на ее недоуменный взгляд Алек постучал по своим часам, поднял пять пальцев, потом знаком изобразил «о'кей». Боже, неужели он хочет сказать, что подойдет к ним через пять минут?

— Очень симпатичный, — улыбаясь, сказала Натали.

— Кто такой? — также с любопытством спросил Робби.

— Он... ну он мой лыжный инструктор.

— Инструктор? — Выражение любопытства на лице Робби сменилось недоумением, он прищурил глаза и нахмурился. — Ты встречаешься с лыжным инструктором?

Кристин сжалась. Когда появлялась возможность выразить свое отношение к приятелям сестры, то братец ничуть не уступал ни Мэдди, ни Эйми. Хорошо хоть отец продолжал подниматься по лестнице и не слышал их разговора.

— Да нет, я с ним вовсе не встречаюсь, — начала оправдываться Кристин, надеясь избежать нравоучений на тему «Ну почему ты не можешь найти себе кого-нибудь приличного и подходящего, как это сделал я?». Она вовсе не нуждалась в напоминании, что даже в этом отношении брат, как обычно, без особых усилий обошел ее. — На самом деле я взяла учителя, чтобы завтра на склонах надрать тебе задницу.

Робби засмеялся:

— Ни малейшего шанса, сестренка.

— Эй, спорщики, — окликнула их Натали, — ну почему, где бы вы ни встречались, вы обязательно начинаете спорить, почему вы никак не можете вырасти из детских штанишек этого соперничества?

— Никакого соперничества, — усмехнулся Робби. — Поскольку я всегда выигрываю, это больше похоже на обучение смирению, чем на соперничество.

— Робби. — Натали ущипнула мужа за руку. — Не будь таким противным!

— А разве не для этого существуют старшие братья? — рассмеялся он в ответ.

— Смейся, смейся, — поддразнила его Кристин, поднимаясь по лестнице. — Посмотрим, кто будет смеяться завтра.

Эта перепалка отвлекла ее от мыслей об Алеке, но когда они уселись на свои места, она услышала слова, раздававшиеся из динамиков:

— ...рады видеть здесь Алека Хантера, одного из лучших «снежных акробатов» Колорадо. Алек, обычно вы входите в число финалистов, и я удивлен, что сегодня вы не принимаете участия в соревнованиях.

— У меня были обстоятельства личного характера.

— Уверен, что это известие очень огорчило некоторых участников наших соревнований, — пошутил комментатор. — Поделитесь с нами вашими прогнозами и расскажите, на кого вы делаете ставку этой зимой.

Кристин, остолбенев, слушала голос Алека, изредка посматривая в его сторону. Ее немного коробило свободное использование того, что она называла «пижонистым сленгом», — жаргона, свойственного только сноубордистам и лыжникам фристайла. И все же, несмотря на жаргонные словечки, в его голосе и словах чувствовалось присущее Алеку обаяние. Если бы он употребил все свое обаяние и очевидный ум на что-нибудь серьезное, то вполне мог бы стать «подходящей кандидатурой». Может, если бы она смогла его поддержать, он тратил бы свои силы на что-то большее, чем сноуборд и лыжи.

Поймав себя на этих размышлениях, Кристин мысленно закатила глаза. Именно в этом и заключались все ее проблемы — она всегда считала, что может помочь своему очередному парню наладить жизнь.

Хотя... с Алеком у нее просто не хватит времени, чтобы пройти весь путь от страстной влюбленности до разочарования. Она пробудет в Силвер-Маунтин еще всего две недели. Едва ли этого времени хватит на то, чтобы узнать его поближе, не говоря уж о том, чтобы исправить его.

Еще две недели.

Если подумать, то действительно времени в запасе было совсем мало, поэтому оставалось просто довольствоваться приятной компанией. А потом она вернется обратно в Остин и окажется на расстоянии в тысячу миль от соблазна. Даже если здесь у них с Алеком завяжутся какие-то отношения, расстояние удержит ее от того, чтобы совершить очередную глупость. У нее элементарно не будет возможности впустую потратить несколько месяцев жизни и изрядную сумму, которую она наверняка одолжит ему, прежде чем и этот бойфренд бросит ее, устав от постоянных придирок.

В конце концов, что страшного в том, что в течение этих двух недель она просто сполна насладится его обществом?

«Кристин, ты пытаешься найти оправдание своей слабости», — зазвучал у нее в голове тоненький голосок, подозрительно похожий на голос Мэдди.

«Кроме того, — вторил ему голос Эйми, — чувство удовлетворения собой должно идти изнутри, оно не возникнет от того, что ты встречаешься с духовно неполноценными мужчинами».

«Ну ладно, ладно! Я не буду с ним встречаться, — мысленно проворчала Кристин. — Хотя, к вашему сведению, Алека нельзя назвать духовно неполноценным человеком. У него просто недостаточно мотивации».

Он любит веселье. И он счастлив. Господи, хотела бы она вести такую жизнь: беззаботную, беспечную, иметь много друзей. У нее есть Мэдди и Эйми, и они по-настоящему любят ее, но в то же время ей часто встречаются люди, которые просто опасаются дружить с ней, считая Кристин опасной или скорее пугающей, а почему — она никогда не могла понять.

Слава Богу, Алека Хантера, кажется, ничто не отпугивает и не отталкивает. Кристин вспомнился их медленный танец и их поцелуй за эстрадой, она улыбнулась и взглянула на Алека. В этот момент комментатор поблагодарил гостя за выступление, и Алек Хантер, попрощавшись со зрителями, уверенной походкой направился прямо к ней. Кристин слегка запаниковала. Что ему сказать? А если он захочет сесть рядом с ними?

Быстро взглянув по сторонам, она поблагодарила Бога, что все места с обеих сторон заняты. Даже если он подойдет, чтобы поздороваться, то не сможет сесть рядом.

Но к ее ужасу, Алек уже пробирался между рядами, приветствуя некоторых зрителей, обращаясь к ним по именам, обмениваясь рукопожатиями, прося половину людей в ряду встать и передвинуться на одно сиденье. И они, конечно же, выполняли его просьбу. Нет проблем. Все, что угодно, для старины Алека.

Нет, честное слово, этот человек способен продать снег эскимосам.

— Привет, Крис, — сказал он, когда наконец подобрался к ним. — Вижу, вы взяли пропуска, которые я оставил на входе.

— Вообще-то мы купили билеты.

— В этом не было необходимости. Так это твоя семья?

— Э-э-э... — Растерявшись, Кристин не находила слов.

— Привет, я Алек Хантер. — Он наклонился, полуобняв Кристин, и протянул руку ее брату. — Вы, должно быть, Робби.

— Рад познакомиться. — Робби пожал ему руку. — Это моя жена Натали, а это мой отец, доктор Роберт Эштон-старший.

— Привет. — Натали доброжелательно улыбнулась Алеку. Роберт-старший едва удостоил его каким-то неразборчивым приветствием и вновь переключил свое внимание на площадку, ожидая начала выступлений.

— Кристин сказала, что вы ее лыжный инструктор, — обратился к Алеку Робби, когда тот наконец сел.

В ответ Алек засмеялся, продемонстрировав свои великолепные белые зубы, потом посмотрел на Кристин долгим, полным восхищения взглядом.

— Что-то вроде того.

«Пожалуйста, Боже, пусть он ничего больше не говорит. Пожалуйста!» Кристин зажала руки между коленей и стала слегка покачиваться, словно пыталась согреться. На самом деле она изнывала от жары в этом пальто и на жарком горном солнце.

— Насколько я понял, вы не новичок в сноубординге? — сказал Робби. — Но полагаю, что катанию на доске вы не обучаете?

— Я мог бы. — Алек бросил на Кристин игривый взгляд. — За хорошую плату.

— Сколько? — быстро спросил Робби.

— Гм... — Алек оторвал от Кристин свой взгляд. — Вообще-то я не имел в виду деньги. Если бы я взялся за это, то в качестве одолжения и ради Крис.

— Правда? — Робби бросил на сестру испытующий взгляд. — Значит, Крис?

— Смотрите. — Кристин выпрямилась. — Думаю, первый участник соревнований уже готов к выступлению.

Мужчины переключили свое внимание на склон. В течение нескольких следующих минут вся компания следила за сноубордистами, выполнявшими различные трюки, и если спортсмены, по выражению Алека, не «лажались» на спуске, он оценивал их виртуозное владение сноубордом как «колоссальное» или «потрясающее». Мужчины постоянно переговаривались, и Алек объяснял термины и комментировал происходящее. Кристин слышала, как ее брат подхватывал профессиональные словечки, но, вместо того чтобы посмеяться над этим, она только ежилась. И раньше Алек использовал жаргонные выражения сноубордистов, но никогда это не было так нарочито. Ну почему все это должно происходить на глазах у ее семьи?

Кристин пыталась не обращать на них внимания, но несколько раз ощутила на себе недоуменный взгляд Алека. Наконец он посмотрел прямо ей в лицо.

— Крис, может, прогуляемся за колой?

— Мне ничего не нужно, — отказалась она, понимая, что если пойдет с Алеком, подозрения Робби относительно их свиданий вновь вернутся.

— Ну что ж, мы можем поговорить прямо здесь.

— Поговорить? — Ее охватила паника. — О чем?

Он наклонился к ней и тихо спросил:

— Если ты пришла на свидание, то почему теперь меня игнорируешь?

— Пойдем за колой!

Глава 8

Кристин вскочила, протиснулась мимо него, мимо сидящих в этом ряду зрителей и добралась до лестницы. Алек взглянул на Робби, который озадаченно смотрел на Кристин, и, пожав плечами, последовал за ней. Она почти бегом спустилась по лестнице и остановилась перед кабиной комментатора, которая скрыла их от остальных Эштонов.

— Эй, где-то пожар? — спросил Алек.

Кристин взволнованно повернулась к нему:

— Я пришла сюда не для того, чтобы встретиться с тобой.

— Что? — Алек нахмурился.

Она скрестила руки на груди, избегая прямого взгляда.

— Я пришла с семьей.

— Но именно здесь мы и договорились с тобой встретиться.

— Вот почему я надела все это — этот дурацкий мех. — В ее глазах мелькнуло разочарование. — Я надеялась, что ты меня не узнаешь.

— Ничего не понимаю.

Но Алек уже начал понимать, в чем дело, и, испытывая замешательство, ощущал пока еще слабые уколы боли. В этом вычурном пальто и шапке, которые совсем не походили на ту дорогую, но практичную одежду, которую она обычно носила, Кристин выглядела как царственная особа. Если бы она тогда не замешкалась, не привлекла бы его внимание, то, вероятно, он и не узнал бы ее.

— Не понимаю, объясни. Я ведь знаю, что нравлюсь тебе.

— Нравишься. — Ее серые глаза смотрели на него умоляюще. — Ты мне действительно нравишься, Алек. Но я не могу с тобой встречаться. Давай просто оставим эту тему.

— Нет, мы не можем оставить это просто так. Я хочу знать почему.

Она нервно посмотрела на трибуны, словно хотела убедиться, что ее семья их не видит.

Алек проследил за ее взглядом, и понимание засветилось в его глазах.

— Ты считаешь, что я недостаточно хорош для тебя? Много же значат твои заявления, что деньги не имеют особого значения.

— Нет! — Щеки Кристин залил густой румянец, убеждая Алека в обратном. — Ты на самом деле считаешь меня такой высокомерной?

— Раньше не считал, но теперь уж и не знаю.

В его голове моментально прокрутилась последняя неделя, как она сначала отвергла его ухаживание, а потом, вдруг резко переменившись, появилась в пабе и танцевала с ним, флиртовала и даже подарила потрясающий, головокружительный поцелуй.

— Что же произошло в пятницу вечером? Может быть, тебе в конце концов стало скучно и перед приездом семьи ты решила для остроты ощущений снизойти до лыжного инструктора и развлечься в дешевом кабаке?

Кристин открыла рот от изумления, потом закрыла и процедила сквозь зубы:

— Я не развлекалась в кабаке.

— Тогда почему же я достаточно хорош для того, чтобы проводить со мной время в переполненном баре, но когда рядом твоя семья, я становлюсь чем-то, что необходимо соскрести с твоих фирменных сапожек? Кстати, здесь они выглядят довольно нелепо: ну кто же ходит по горным склонам в городской обуви?

— Они не мои, — раздраженно огрызнулась Кристин, и в ее глазах сверкнул злой огонек. — Мне их дала жена брата. И я действительно чувствую себя в них полной идиоткой.

— Так зачем же ты их надела? — Алек разозлился и заговорил громче. Его трудно было вывести из себя, но, похоже, ей удалось это сделать. — Ах да, для того чтобы я не узнал тебя. Тебе это удалось, потому что я действительно не узнаю тебя. Последние полчаса мне так и хочется спросить, что же за человек скрывается в облике красавицы Крис.

— Меня зовут Кристин.

— Я в этом не сомневаюсь. — Алек осмотрел ее с головы до ног. — Как я мог так ошибаться в тебе? Я думал, что ты не похожа на тех богатых отпускников, которые считают, что они выше нас, невезучих работяг, или на тех женщин, которые уверены, что лыжник-профессионал и жиголо — это одно и то же. Пожалуй, я даже должен быть благодарен судьбе, что ты не относишься к числу таких женщин, поскольку из двух этих вариантов второй более оскорбителен.

— Я не отношусь ни к тем ни к другим.

— Правда? Так докажи это. — Он подошел ближе и произнес тише: — Если я ошибаюсь, тогда назови мне настоящую причину, по которой ты не можешь со мной встречаться.

Она пристально смотрела на него, и Алек уже решил, что ответа ему не дождаться, но тут Кристин кивнула:

— Ты хочешь знать? Хорошо. Я тебе скажу. Причина в том, что ты никчемный бездельник, хотя и превосходный лыжник. Мне не важно, сколько мужчина зарабатывает, важно, что он занят делом.

— Я... я кто? — Алек прижал руку в перчатке ко лбу, пытаясь понять смысл ее слов. — Что ты сказала?

— Мне не везет, я постоянно встречаю на своем пути инфантильных, безответственных мужчин, но я собираюсь покончить с этим невезением. Мне наплевать, что ты мне нравишься и что с тобой очень интересно. Я себе такого больше не позволю.

— Ты думаешь, что я безработный? — Это обвинение разозлило Алека еще больше, потому что таким образом его относили к тому же разряду мужчин, к которому относился его отец, — записным лодырям. Вот какого она о нем мнения! — Но как такая мысль могла прийти тебе в голову? Ты ведь даже ни о чем не спрашивала меня!

— Я спрашивала! И Трент сказал, что ты не работаешь. Вдобавок ты тратишь все свое время, катаясь на лыжах или болтаясь в пабе. Разве это соответствует образу жизни взрослого ответственного и работающего человека?

Алек в изумлении покачал головой:

— И это говорит девушка, которая проводит трехнедельные каникулы в квартире своего богатого папочки и носит наряды, которые могли бы разорить маленькое государство! Что ты знаешь о работе? Тебе когда-нибудь приходилось работать?

— Это всего лишь необоснованные и несправедливые предположения, — почти прошипела она. — Ты ничего не знаешь обо мне.

— Конечно.

— К твоему сведению...

Толпа зрителей охнула и встала. Они посмотрели на трибуны и увидели ужас на лицах людей. Быстро повернувшись к склону, Алек увидел, что по снегу, схватившись за ногу, катается упавший сноубордист.

Над шумом толпы зазвучал голос комментатора:

— Какое несчастье, как не повезло!

— Оставайся здесь, — бросил Алек Кристин и понесся к проему в ограждении, отделяющем трибуны от площадки для выступлений. Один из служащих попытался преградить ему путь.

— Пропусти!

Распорядитель, поняв, что сейчас его просто растопчут, сделал шаг в сторону. Алек бросился к упавшему спортсмену.

Опустившись на колени, он схватил парня за плечо и попытался его успокоить.

— Я парамедик. Ты позволишь мне помочь тебе?

— Моя нога! Черт! Моя нога!

Алек посмотрел на его бедро и мысленно выругался. Бедро было явно сломано, и он мог бы поклясться, что если бы не свободные спортивные штаны сноубордиста, смещение было бы заметно даже при поверхностном осмотре. Сидеть и ждать разрешения было нельзя, парень в любую минуту мог потерять сознание.

— Эй! Послушай! — Алек крепко прижал несчастного к утрамбованному снегу. — Я парамедик...

Кристин опустилась на колени по другую сторону от парня.

— Ты кто?

Она была ошеломлена и выглядела настолько комично, что в другой момент Алек расхохотался бы, но сейчас, не обращая на нее внимания, он перевернул парня на спину и впервые внимательно посмотрел на лицо мальчишки. Боже, какой молоденький!

— Ты позволишь мне помочь тебе?

— Да, черт возьми! — Его лицо исказилось от боли.

— Постарайся не двигаться, — приказал ему Алек и, сбросив перчатки, достал из кармана куртки хирургические перчатки.

К его удивлению, Кристин вытащила точно такую же пару перчаток из своей сумки и натянула их с видом профессионала. Он удивленно взглянул на ее руки и поднял глаза.

— Удивлен? — Она улыбнулась. — Я врач «Скорой помощи».

— Ты врач?!

Это казалось абсурдным: она стояла на коленях в снегу в белом пальто с меховой оторочкой, шикарной меховой шапочке и больше походила на супермодель, чем на обычную девушку, и тем более на врача.

Парень закричал, и Алек переключился на него.

Кристин наклонилась и прижала пальцы к шее мальчишки.

— Назовите ваше имя.

В ответ раздался поток ругательств.

— Крепко держи его, — приказала Кристин и вытащила ножницы из своей сумочки. — Это будет не так-то просто.

Одной рукой Алек держал мальчишку за плечо, другой потянулся за рацией. Пока он соединялся, Кристин уже разрезала штанину от бедра до ступни. Да, она права. Это было сложно. Хлынула кровь, заливая снег и ее пальто.

Наконец Алек связался с Дорис, дежурившей на станции.

— Говорит 14В32, мне нужен травмокомплект, фиксатор позвоночника и носилки.

— Лыжный патруль в курсе и уже выехал, — ответила ему расторопная Дорис. — Прислать машину или вертолет?

— Подожди. — Он посмотрел на Кристин, которая осторожно расшнуровывала ботинок на ноге парня. — Нужен вертолет?

— У него есть травма головы?

Алек снял с парня очки.

— Эй, приятель, ты можешь назвать свое имя?

— Черт, больно! — Мальчишка зажмурил глаза.

— Да, я знаю. Держись. Помощь сейчас прибудет. Все будет хорошо. — Он взял голову парня в руки и пальцами поднял ему веки. — Как тебя зовут?

— Меня... — Парень вращал глазами из стороны в сторону. — Тим.

— А фамилия у тебя есть, Тим?

— О'Нейл. — Он снова потянулся к ноге.

— Откуда ты?

— Бейли. Черт, как больно!

Алек изо всех сил пытался отвлечь его.

— Какой у тебя номер телефона?

— Номер... номер... черт! — Мальчишка закричал, когда Кристин наконец стащила высокий и тяжелый ботинок.

Алек посмотрел через плечо.

— Зрачки ровные и реагируют хорошо. Небольшая дезориентация. Возможно, просто от боли. Есть кровообращение ниже перелома?

— Сильное и ровное, — ответила Кристин. — А где ближайшая больница?

— За перевалом. Тридцать минут на машине, если дороги свободны.

— Это очень далеко, учитывая, что у него сильное кровотечение. Вызывай вертолет.

— Вызываю.

Он передал по рации ее просьбу, а в это время подъехал на лыжах Трент, на буксире он вез тобогган.

— Привет, старина. — Алек кивнул Тренту, который, схватив снаряжение, поспешил к ним. — Рад, что ты с нами.

— Не мог пропустить. — Трент поставил кислородный баллон рядом с Алеком. Поскольку Тим извивался от боли, пришлось опять применить силу, чтобы закрепить маску.

— Нужна капельница с иглой большого диаметра и фиксирующий воротник, — по привычке скомандовал Алек, потом посмотрел на Кристин: — Прости. Обычно я веду шоу. Ты сама поставишь капельницу?

— Я вроде как занята. — Она пыталась зафиксировать ногу, пока Тим своим дерганьем не сделал себе еще хуже. Руки у нее были в крови, как и манжеты белого пальто.

На недоуменный взгляд Трента Алек ответил со смешком:

— Оказывается, Крис — врач.

— В самом деле? — Трент бросил на нее недоверчивый взгляд.

— В самом деле. — Заметив, что парень стал чуть спокойнее, Алек закрепил вокруг шеи Тима ортопедический воротник, затем, действуя спокойно, но быстро, стянул с его руки перчатку и поставил капельницу, закрепив иглу на тыльной стороне ладони. — Эй, Тим, ты как?

— Лучше, — ответил тот слабым голосом.

— Ты принимаешь какие-нибудь препараты? — Алек наклонился над ним, чтобы вновь проверить его глаза. — Какие-нибудь таблетки? Те, что отпускаются без рецепта?

— Нет.

— Что-то запрещенное? Наркотики?

— Нет.

Алек строго посмотрел на него:

— Я не смогу тебе помочь, если ты не будешь со мной откровенным.

— Я не принимаю наркотики! — Дыхание Тима стало прерывистым. — Я чистый.

— Как насчет аллергии на лекарства?

— Я не... думаю. Боже!

— Хорошо. Ты держишься молодцом. — Он потрепал парнишку по плечу, заметив краешком глаза, что паренек схватился за шину. — Послушай, Тим, мы сейчас наложим шину на твою ногу. Пока будем ее фиксировать, будет страшно больно, но как только шина будет наложена, станет гораздо легче. Ты меня понял?

Мальчишка кивнул и стиснул зубы.

Алек выдавил из себя ободряющую улыбку:

— Держись, можешь кричать все, что угодно, а мы постараемся управиться побыстрее, хорошо?

Тим крепко зажмурился, но из-под век все же потекли слезы.

Алек повернулся к Кристин. Работая с врачами, он давно научился щадить самолюбие докторов.

— Послушай, мы с Трентом уже сработались. Не возражаешь, если мы с тобой поменяемся местами?

— Что? — Кристин подняла глаза. Моргнула. — О! — Она смотрела на мужчин и видела, что они ждут, когда она подвинется. Она засмеялась и откинулась назад. — Конечно, не возражаю.

Она стала наблюдать за состоянием пациента, одновременно пытаясь его отвлечь.

— Тим, ты давно занимаешься сноубордингом?

— Давно. — Его лицо исказилось.

— Два года? Три?

— Четыре. О черт!

Кристин посмотрела через плечо и увидела, что Трент поддерживает ногу, в то время как Алек закрепляет шину в нужном положении. Обернувшись к Тиму, она взяла его за руки и прижала их к его груди.

— Держись. Они постараются сделать это как можно быстрее.

— Начинаем, — предупредил Алек.

Когда шина потянула голень, выравнивая кость, Тим испустил ужасный вопль. Чтобы удержать парня, Кристин пришлось всем своим весом навалиться на него.

— Справляешься? — крикнул Алек, перекрывая вопли парня.

— Вроде того, — пробормотала она, опуская голову, потому что парнишка начал молотить кулаками возле ее лица.

— Готово! — сказал Алек.

Тим внезапно перестал дергаться, и Кристин чуть не ткнулась носом ему в лицо. Отстранившись, она увидела, что парень потерял сознание.

— Он без сознания, но дыхание ровное. — Она прижала пальцы к его шее и почувствовала ровный пульс. — Пульс хороший. Проверьте кровообращение и рефлексы.

Алек прижал пальцы к пульсу на лодыжке, потом слегка царапнул ступню.

— В порядке.

Над Кристин нависла тень, и, подняв голову, она увидела, что рядом с ней стоит ее отец. Эштон-старший кивнул в сторону капельницы:

— Слишком большая кровопотеря, нужно вводить больше жидкости.

— Я знаю, папа, — раздраженно ответила она, поскольку уже потянулась к колесику регулятора, чтобы увеличить подачу раствора.

— Помощь нужна? — спросил Робби. — Только без обид.

— Нет, помощь не нужна. — Господи, они что, не помнят, что она травматолог? Она посмотрела на Трента. — Мне нужно одеяло.

— Момент! — Трент поспешил к тобоггану.

Над головой раздалось ритмичное тарахтенье. Кристин подняла голову и увидела вертолет, который пронесся над вершиной горы и, развернувшись, начал кружить над ними.

Из динамика портативной рации донеслось невнятное бормотание, Алек поднес аппарат к уху, чтобы расслышать голос за шумом вертолетного двигателя, потом опустил его и прокричал:

— Они не могут сесть здесь. Мы должны спустить его к подножию.

«Вот дерьмо!» — подумала Кристин.

— Зафиксируйте ему позвоночник.

Поскольку Тим перестал дергаться, эта предосторожность, вероятно, была излишней, но при транспортировке пострадавшего лучше перестраховаться, чем потом сожалеть.

Робби и отец Кристин наблюдали, как они ремнями привязали Тима к фиксирующему щиту и уложили его на сани. Кристин тоже забралась на них, придерживая Тима своими коленями. Первая капельница была уже почти пуста, поэтому она быстро подсоединила второй контейнер, внимательно следя за состоянием неожиданного пациента.

— Готовы? — крикнул Трент, вставая на лыжи.

— Да. Поехали! — Кристин выпрямилась, одной рукой держась за ремни.

Трент шел впереди, ведя сани на буксире, а Алек, привязав к тобоггану веревку, контролировал движение, не давая саням скатиться вниз. Не спеша, но довольно споро они направились к подножию. Кристин на секунду обернулась и с радостью заметила, что ни брат, ни отец не последовали за ними. Меньше всего ей хотелось, чтобы они крутились возле нее, советуя и делая замечания.

В конце трассы один из сотрудников, перехватив у Трента конец веревки, бросился вперед и потянул сани через ограждение. Другие служащие быстро и ловко оттеснили зевак.

Кристин, сосредоточившись на пострадавшем, едва ли замечала толпу, окружавшую их на всем пути к вертолету. Когда сани остановились, Тим открыл глаза, и Кристин вздохнула с облегчением, так как опасалась, что он может впасть в кому.

— Эй, ну как мы? — Она улыбнулась парню. — Как мы себя чувствуем?

— Немного тошнит, — простонал он.

— Можешь назвать свое имя?

— Тим О'Нейл.

— Отлично.

Рядом показался экипаж вертолета, и Кристин передала летчикам парня.

— Тим, сейчас тебя отвезут в больницу. — Она ободряющим жестом сжала его руку. — С тобой все будет хорошо, поверь.

Он слабо кивнул.

Девушка быстро рассказала прибывшим медикам о состоянии пациента, и через несколько секунд Тим уже был на борту вертолета.

Кристин стояла между Трентом и Алеком, наблюдая, как вертолет, подняв небольшую метель, взмыл в воздух и, заложив крутой вираж, полетел в обратном направлении. Только когда стих гул двигателя винтокрылой машины, Кристин почувствовала, как бешено бьется ее сердце.

— Ну что ж, — Кристин глубоко вздохнула, — это, без сомнения, один из самых верных способов испытать выброс адреналина.

— Это точно. — Алек засмеялся и посмотрел на нее. — Так о чем мы говорили, пока нам не помешал Тим?

Кристин посмотрела на него, и, когда она увидела его залитые солнцем волосы на фоне голубого неба, его ослепительную улыбку и смеющиеся глаза, на душе у нее стало очень легко.

— Ну, вроде бы о том, что ты безработный лыжник-бездельник, а я богатая стерва, которая за всю свою жизнь палец о палец не ударила.

— Ах да. — Он улыбнулся еще шире. — Теперь припоминаю.

— Алек безработный? — Трент захохотал. — Безумный Алек, который работает по двадцать четыре часа семь дней в неделю, независимо от того, платят ему или нет?

В голове у нее начала лихорадочно прокручиваться новая информация.

— Так из-за этого они называют тебя «безумным»? Потому что ты трудоголик?

Алек немного смутился, но улыбка не исчезла с его лица.

— Ну, наверное, из-за этого, и еще... м-м-м... из-за манеры, которую ребята окрестили «никаких препятствий».

— Что это за манера?

— Давай, Хантер, — вмешался в разговор Трент, хотя они были слишком заняты друг другом и не обращали на него никакого внимания, — расскажи-ка ей, как ты читаешь нам нотации, требуя неукоснительного соблюдения мер безопасности, а сам, черт знает как рискуя, прыгаешь с самолета, чуть не верхом на оползне спускаешься со скалы или ползешь на животе по готовому рухнуть в ущелье снежному козырьку.

— Это моя работа, — ответил Алек.

Кристин в замешательстве покачала головой:

— Но разве парамедики занимаются такими вещами? Ведь это дело подготовленных волонтеров из поисково-спасательной команды.

— Гм... — Алек наконец отвел свой взгляд от лица Кристин и посмотрел на ее запачканные кровью перчатки из латекса. — Наверное, нам следует сначала привести себя в порядок, а потом я отвезу тебя в деревню. Мы можем поговорить по дороге.

— Конечно.

Кристин одарила его сверкающей улыбкой.

Глава 9

Не переставайте удивляться.

«Как сделать свою жизнь идеальной»

Ожидая Кристин у ворот, Алек попытался успокоиться, но ее улыбка не давала ему покоя и сердце у него скакало. Кристин смотрела на него так, словно готова была расцеловать его прямо там, на глазах у Трента и толпы зевак. Это хороший знак. Если только ее состояние не объяснялось возбуждением, которое всегда наступает после завершения спасательной операции. Любому, кто работал в спасательных службах, хорошо известно это состояние перевозбуждения. Тем более когда команда была смешанной, когда мужчины работали бок о бок с женщинами, и неудивительно, что после спасательной операции довольно часто именно секс помогал снять напряжение. Адреналин, без сомнения, был мощным средством, усиливающим сексуальное влечение. Средством, которое постоянно держит твое тело в тонусе. Без сомнения, Кристин тоже испытала этот выброс адреналина, но Алек очень надеялся, что не только этим объяснялось то, как она на него смотрела. А если все дело только в этом? Если это только временное возбуждение, которое спадет, как только Кристин выйдет из дамской комнаты?

Она может снова стать такой, какой была всего пару часов назад. Она может снова оттолкнуть его.

И вот наконец она появилась. Высокая и грациозная, она величаво шла сквозь толпу в своем длинном, как мантия, пальто. В своем безнадежно испорченном пальто.

Кристин остановилась перед Алеком, разведя руки немного в стороны, как хирург-профессионал. Глаза ее были опущены. Она смыла кровь с перчаток, но не сняла их, — меховая оторочка элегантного пальто вся была пропитана кровью.

— Я совсем забыла, что на мне не хирургический костюм. — Она подняла глаза, в ее глазах плясали веселые огоньки. — Хотя какая разница. Я ведь не могла сказать: «Извини, Тим, ты не мог бы перестать истекать кровью, пока я найду более подходящий наряд?»

Алек немного расслабился, он понял, что стена не была возведена вновь. Перед ним была та самая девушка, в которую в течение последней недели он влюблялся все больше и больше, — ярко выраженный контраст между безупречной внешностью и неукротимым нравом. Алеку захотелось обхватить руками лицо Кристин и крепко поцеловать ее в губы. Вместо этого он кивком указал на стоянку:

— Пойдем, у меня в машине есть запасная куртка.

Кристин последовала за ним мимо заполнивших стоянку внедорожников и легких прицепов со стойками для лыж. Обойдя несколько машин, Алек поднял руку и ключом дистанционного управления разблокировал двери темно-зеленого полноприводного четырехдверного пикапа с проблесковыми маячками на крыше и серебряной надписью «Спасатель» на передних дверцах.

— Ух ты! Это твоя машина? — У Кристин загорелись глаза. — Мужская «эротическая мечта» на колесах.

Алек захохотал — умеет же найти словечко!

— Положено по должности.

— А какая у нас должность?

Его распирало от гордости.

— Я координатор поисково-спасательной службы округа.

— Правда? — Кристин подняла брови. — Это впечатляет.

Алек открыл дверь со стороны пассажирского сиденья и приветствовал восторженно повизгивающего Бадди, который, принюхавшись, решил, что предстоят спасательные работы. Собака несколько раз нетерпеливо гавкнула и отчаянно завиляла хвостом, ожидая, что хозяин наденет свой красный жилет и скомандует «ищи!».

— Прости, приятель, вечеринка уже закончилась. — Увидев, что Алек не собирается надевать жилет, Бадди обиженно заскулил. — Ну не дуйся. Терпеть не могу, когда ты дуешься. Обещаю, что позже возьму тебя на тренировку спасателей, ладно? — Бадди гавкнул, очевидно, удовлетворенный таким решением. — Ну вот и умница. — Алек погладил пса, затем достал с заднего сиденья куртку пожарного, которой он иногда пользовался, и протянул ее Крис: — Примерь-ка вот это.

Кристин сняла испорченное пальто, стянула перчатки, вывернула все наизнанку, свернула и положила на пол машины. Как только она сняла свою элегантную шапочку, светлые волосы, словно радуясь свободе, тут же рассыпались по ее плечам. Кристин тряхнула головой, и широкая светло-золотая волна прошла по ее спине.

Алек остолбенел.

В следующий раз, когда он будет целовать ее, он сделает все, чтобы она забыла о своем правиле «без рук». Ему хотелось жадно целовать ее, запустив руки в эти роскошные волосы. Кристин повернулась к нему спиной, и он накинул на ее плечи куртку. Потом помог ей вынуть волосы из-под высокого воротника, не отказав себе в удовольствии прикоснуться к этим золотистым прядям, которые словно шелк скользили у него между пальцами.

Кристин быстро отстранилась и посмотрела на Алека:

— Как я сейчас выгляжу?

Он сдвинул брови, стараясь сосредоточиться. Кристин буквально утонула в его куртке, и в этом было что-то настолько сексуальное, что тело Алека живо отреагировало на эту картину.

— Замечательно.

Алек кивнул, стараясь держаться непринужденно. Он не стремился к горячему, основанному на выбросе адреналина «одноразовому» сексу. Ему хотелось поговорить с Кристин, расставить все по своим местам и условиться о свидании.

— Ты могла бы дать толчок к развитию нового направления в моде.

— Спасательное обмундирование на подиуме в Милане? — Кристин игриво улыбнулась. — А это мысль.

Боясь себя выдать, Алек не ответил и молча сел в машину. Кристин не мешкая села на переднее сиденье, и Бадди тут же начал приставать к ней со своими слюнявыми поцелуями.

— Ну, Бадди, веди себя прилично.

Алек прогнал собаку назад.

— Ой какие мы строгие! — произнесла Кристин, недовольно надув губы, потом повернулась и, внимательно посмотрев на него, наконец улыбнулась: — Итак, ты парамедик, и к тому же руководишь поисково-спасательными работами? По-моему, это не совсем обычно. Я думала, что волонтеры поисково-спасательной службы должны быть в пределах досягаемости двадцать четыре часа в сутки, а это, как правило, не позволяет заниматься чем-либо другим.

— Вот поэтому, будучи дипломированным парамедиком, я никогда не работал в качестве такового. — Алек завел машину и начал выезжать со стоянки. — Для меня на первом месте всегда были поисково-спасательные работы, и я много лет добивался того, чтобы получить оплачиваемую работу.

— И когда это произошло?

— Два года назад. До этого кем я только не работал — от продавца в лыжных магазинах до автобусного диспетчера. Чтобы оставаться в горах и быть готовым в любой момент отправиться на вызов, обычно приходилось работать на двух работах и с тремя другими парнями снимать крошечную квартирку. — Алек улыбнулся. — А ты, значит, врач «неотложки».

— Да. И это подрывает твою теорию об избалованной богатой девице.

— В части «избалованной» согласен, но что касается «богатой», здесь не подкопаешься.

— Тебя это волнует?

Алек немного подумал.

— Просто для справки, о какой степени «богатства» идет речь?

Кристин глубоко вздохнула и медленно выдохнула.

— Моя семья имеет достаточный доход.

— Те, кто так скромно оценивает свое состояние, как правило, сверхбогаты.

— Мне казалось, что мы сошлись во мнении, что деньги не имеют значения. Тем более когда речь идет о семейном состоянии, а не о деньгах, которые человек заработал сам.

— И поэтому ты стала врачом? Ты решила, что сидеть без дела и тратить папочкины деньги — это неправильно?

Кристин недовольно поджала губы.

— На самом деле это дедушкины деньги, они унаследованы по материнской линии. Именно дедушка основал брокерскую фирму. По сравнению с ним мой отец просто нищий.

— А я думал, что он хирург.

Она кивнула:

— Он заведующий кардиологическим отделением в больнице Святого Джеймса в Остине.

— Теперь ты меня по-настоящему пугаешь.

— Но не запугиваю, — поддразнила Алека Кристин, потом подумала и спросила: — Неужели тебя это действительно пугает? Неужели деньги для тебя имеют такое значение?

— Хотелось бы думать, что не имеют, но то, что ты рассказываешь, вызывает некоторые опасения.

— Почему? — Она наклонила голову и внимательно посмотрела на Алека.

Алек хмыкнул.

— Хорошо, давай оба будем откровенны. Я родился в бедной семье, Крис, в очень бедной, такие семьи обычно называют «белыми отбросами». Ты знаешь все эти шуточки в духе Джеффа Фокса: «Ты мог бы быть голодранцем, если бы...»? Так вот, это вполне подходит к моей семье. Но мне удалось вырваться и стряхнуть грязь с ботинок. Решившись, я поднял большой палец и автостопом свалил из нашей дыры, но материальные проблемы у меня будут всегда. Работая на округ, я зарабатываю очень немного, да и эти деньги я, как правило, трачу на покупку оборудования. Поэтому я не могу пригласить тебя на роскошный обед, но если ты любишь спорт, то всегда сможешь весело провести со мной время.

— А разве округ не покупает тебе оборудование?

— Большую часть, но его никогда не бывает достаточно. — Алек въехал на стоянку Сентрал-Виллидж. — Я ведь именно поэтому взял неделю отпуска и начал давать тебе уроки. Я хотел купить новый специально оборудованный для летних спасательных работ вездеходный мотоцикл.

— Я такие видела. — Кристин с интересом кивнула. — Это настоящая «скорая помощь» на двух колесах.

— Правда классные? — Глаза Алека загорелись, как у ребенка, который говорит о новой игрушке, и... все встало на свои места.

— Вот что имели в виду твои друзья, когда в пятницу в пабе говорили о том, что ты тратишь все свои деньги на игрушки?

— Виноват, каюсь. — Алек вырулил на свободное место и мягко выжал тормоз.

— А что имел в виду Трент, когда говорил, что ты не работаешь, а развлекаешься целыми днями?

— Просто он прекрасно знает, что мне действительно нравится то, чем я занимаюсь. — Алек повернулся, чтобы видеть лицо Кристин. — Это самая лучшая работа в мире, хотя платят за нее сущие гроши.

— Я вполне могу это понять. Нет ничего увлекательнее, чем работа в «неотложке». Ну, по крайней мере это мое мнение. Например, сегодня... это был настоящий кайф.

— Это еще что! Вот если бы ты поучаствовала в спасательных работах где-нибудь у черта на куличках.

— А это возможно?

Идея явно воодушевила Кристин. Или, может быть, ее сердце забилось быстрее оттого, что она сидела в машине рядом с человеком, который из никчемного бродяги вдруг превратился в «достойного кандидата»?

— Ты меня возьмешь с собой?

Алек прищурил глаза.

— Если я соглашусь, ты будешь со мной встречаться?

— Это зависит от... — Кристин закусила губу. Исчезло главное препятствие, но оставалось еще одно. — Сколько тебе лет?

Алек вздохнул.

— Я молодо выгляжу, тебя это смущает? Ты знаешь, у меня до сих пор иногда требуют удостоверение личности, ребята находят это чертовски забавным.

— Ты, конечно, выглядишь молодо, но не настолько, не надо себе льстить.

— Ну хорошо, сознаюсь, мне уже двадцать девять.

Кристин вздохнула, стараясь ничем не выдать своего ликования.

— Всего четыре года разницы. Это я переживу. — Теперь препятствий больше не существовало, и она собиралась каждую минуту в течение следующих двух недель провести с Алеком. С усмешкой Кристин поманила Алека пальцем: — Иди ко мне.

В его глазах засветился огонек понимания. Отстегнув ремень, он подвинулся, собираясь поцеловать ее, но вдруг отстранился:

— Погоди-ка. Тебе только двадцать пять? Как же ты стала врачом, ты же так молода?

Кристин рассмеялась:

— Нет. Четыре года разницы в другую сторону. Мне тридцать три. — Она кончиком пальца провела по его щеке. — Но ты получаешь дополнительные очки за то, что подумал наоборот.

— У меня будет подружка старше меня? — Алек медленно улыбнулся. — Это круто.

— Эй! — Кристин нахмурилась.

Алек изогнул бровь:

— Ну хорошо, я могу быть твоим мальчиком для развлечений.

— Я думала, что это оскорбительно.

— Тут и говорить не о чем. — Он нагнулся и со щелчком отстегнул ее ремень безопасности. — Я-то думал, это что-то серьезное.

— Хорошо. — Кристин обняла его за шею. — Потому что мне не нужен мальчик для развлечений. Мне нужен настоящий мужчина.

— Значит, я буду твоим мужчиной. — Алек коснулся ее губ своими губами. Кристин охотно ответила на его поцелуй, охваченная радостью и возбуждением.

Рука Алека нырнула под куртку, и Кристин отреагировала, изогнувшись дугой, ей необходимо было ощущать его прикосновение всем телом, чувствовать вкус его губ и вдыхать запах его кожи.

Желание возрастало по мере того, как они неловко пытались почувствовать друг друга через многослойную одежду в тесном салоне автомобиля. Алек запустил пальцы в роскошные волосы Кристин, и она, не желая прерывать поцелуй, обхватила ладонями его лицо и ответила на его поцелуй со всей страстью. Изогнувшись на неразделенном сиденье внедорожника, Кристин еще сильнее прильнула к Алеку, а он обхватил руками ее ягодицы и тесно прижал к себе. Их бедра соприкоснулись, и в этот момент Кристин, прервав поцелуй, откинулась назад, тяжело дыша от наслаждения.

Губы Алека коснулись ее шеи, потом спустились ниже, но грудь Кристин все еще была скрыта под толстым слоем одежды. И Кристин, услышав его негодующий стон, попыталась освободиться хотя бы от куртки. Неловко дергая локтем, она задела гудок, и раздался резкий звук. Усиленно завиляв хвостом, Бадди положил лапы на спинку сиденья и ткнулся холодным носом прямо в щеку Кристин. Она засмеялась и расслабленно прислонилась к приборному щитку автомобиля.

Алек посмотрел на нее и тоже рассмеялся, хотя его смех прозвучал несколько вымученно.

— Автомобильная стоянка в разгар дня, вероятно, не самое подходящее для этого место.

— Вероятно, нет.

Кристин посмотрела по сторонам и с облегчением убедилась, что поблизости никого не видно. Повернувшись к Алеку, она улыбнулась ему озорной улыбкой:

— Думаю, мы с уверенностью можем сказать, что моя вакцина от обаяния перестала действовать.

Смеясь, Алек притянул ее к себе и заключил в объятия.

— Знаешь, что я хочу тебе сказать?

— Что?

Он слегка отодвинулся назад, чтобы видеть ее лицо.

— Ты мне нравишься.

Эти слова наполнили Кристин таким ощущением счастья, какого она никогда не испытывала раньше. Она ему нравится! Это было так просто и в то же время так чудесно. Она ему нравится. Вот и все. Он ничего от нее не требует. Ей не надо для этого прилагать никаких усилий. Она ему нравится.

Все внутри ее пело.

— Ты мне тоже нравишься.

— И это хорошо. Тем более что мы теперь с тобой будем часто встречаться. Хотя... — Алек посмотрел на часы, — прямо сейчас я должен заскочить на станцию, проверить, как там Тим, и написать отчет о случившемся.

— О! — Настроение Кристин упало. — Мне следует отпустить тебя.

— Я провожу тебя домой. — Алек похлопал ее пониже спины.

— Это не обязательно. — Она передвинулась на свою сторону сиденья.

Он поднял бровь:

— Думаешь, я упущу возможность поцеловать тебя на пороге дома твоих родителей?

— Пожалуй, не упустишь.

— Пойдем, Бадди, — позвал Алек, вылезая из машины. Они подошли к машине с ее стороны, и Алек, открыв заднюю дверь, посмотрел на пол. — Мне жаль, что пальто испорчено.

— Ничего страшного, — заверила его Кристин. — Натали не носит натуральный мех, поэтому на самом деле пальто не такое дорогое, каким кажется. Если она очень расстроится, я куплю ей новое.

Когда они ступили на тротуар, Алек взял Кристин за руку.

— Ты не хочешь пойти завтра покататься на лыжах? Я говорю не об уроке. Мы просто проведем время вместе.

— Ты все еще в отпуске?

— Нет, но одной из моих обязанностей является мониторинг отдаленных трасс. Для этого приходится много ходить и даже выходить за границу округа. — Он рукой показал на горы, которые, как гигантские часовые, стояли над деревней. — Я могу показать тебе места, куда не так просто попасть. Там снег похож на чистейшую пудру, а от красоты, открывающейся твоим глазам, захватывает дыхание.

— Ты знаешь, как соблазнить девушку.

— Ну так как? — Алек намекающе ухмыльнулся. — Хочешь перейти границу?

— Ох, какой ты, оказывается, испорченный!

— У меня такое чувство, что тебе это нравится.

Кристин действительно нравилось.

— Утром я собиралась поехать кататься на лыжах с отцом и братом.

— Ах да, большой вызов. Давай сделаем так. Мы встретимся днем, и ты расскажешь, как все прошло.

— Одно условие. — Они вошли в дом и остановились в теплом холле. — Научи меня кататься на сноуборде, прежде чем этому научится мой брат.

— Договорились.

— И поцелуй меня на прощание здесь.

— Получается уже два условия. Честно говоря, я бы предпочел пообниматься в лифте.

— Нет. И уж точно никаких обниманий перед дверью родительской квартиры. — Кристин скинула огромную куртку и протянула ее Алеку. — Могу себе представить картину: мы слишком увлеклись, потеряли голову, начинаем кататься по полу в холле, и в этот момент мама открывает дверь, чтобы посмотреть, кто это поднял такой шум.

— Ты большая девочка. — Алек снова притянул Кристин к себе. — Ты уже достигла достаточно зрелого возраста, и, конечно, твоя мамочка знает, что ты иногда позволяешь себе пообниматься с мальчиками.

— Осторожно! — Кристин неожиданно сильно ткнула Алекса пальцем под ребро. — Если хочешь поцеловать меня, забудь о шуточках по поводу возраста.

— Слушаюсь! Мои губы запечатаны, но поцелуи не считаются.

Оказавшись в квартире, Кристин еще целую минуту просто стояла, приходя в себя, потом помчалась наверх, чтобы поскорее отправить письмо подругам. Ей так хотелось рассказать им о том, что произошло.

— Папа! — Маленький Чарлз вскочил на ноги и бросился к двери. Лежа на спине посреди беспорядочно сваленных игрушек, Кристин смотрела на вернувшееся с соревнований по сноубордингу семейство.

— Привет, Чаки. — Робби подхватил сынишку и подбросил его вверх, к огромному восторгу мальчика. Последовали шумные поцелуи и смех.

Кристин улыбалась, наблюдая эту сцену. Любовь сотворила чудо с ее прежде серьезным и все время напряженным братом.

— А меня поцелуют? — спросила Натали, предоставив Эштону-старшему развешивать одежду в шкафу прихожей.

Робби немного наклонил малыша, чтобы он мог чмокнуть свою маму. Потом, держа сына на бедре, прошел в гостиную и с серьезным видом кивнул в сторону елки:

— Итак, это новогодняя елка.

— Да, это она. — Кристин поднялась, держа на руках Джонатана.

Они встали полукругом и молча смотрели на высокое искусственное дерево, стоявшее рядом с окном, за которым открывался вид на горы. Дюжины белых лебедей, сделанных из натуральных перьев, сидели на ветках, среди многих ярдов переливающихся ленточек. Тысячами крошечных огоньков искрились стеклянные розовые, лиловые, серебряные и золотые украшения, изготовленные в итальянском Марино. Иней покрывал темно-фиолетовые шары, а сосульки сверкали как бриллианты.

— Да. — Робби кивнул. — Елка, как и положено.

— Она красивая! — воскликнул Чарлз. Пляшущие елочные огоньки отражались в его глазах. Кристин вынуждена была признать, что елка действительно была красивая. Но тем не менее даже на эту красавицу она поменяла бы скромную елку Мэдди с ее импровизированными украшениями.

— Я полагаю, здесь должна быть какая-то тема. — Эштон-старший наклонил голову с таким видом, словно рассматривал абстрактную картину. — У Барбары всегда есть тема.

— Я думаю, они с декоратором назвали это «леденцы», — предположила Кристин.

— М-м-м... — Отец пощипывал нижнюю губу. — Ну что ж, если это доставляет ей удовольствие.

— Кстати, о сладостях. — Натали принюхалась. — Похоже, пахнет какой-то выпечкой?

— Это свечи. — Кристин сморщила нос. — Декоратор перед уходом зажгла свечи с запахом домашнего печенья. От этого запаха мы с мальчиками безумно проголодались, а мама слегла с мигренью. Я их все потушила, но мой желудок продолжает требовать: «Булочек!» — Последнее слово она произнесла, искусно имитируя голос Бисквитного чудовища*.

Джонатан захлопал в ладоши, услышав ее смешной голос, и Кристин, конечно, пришлось пощекотать его. Он такой чудесный малыш.

— Ну что ж. — Натали забрала ребенка у тетки. — Нам придется с этим что-то делать, верно?

— Ты умеешь печь сахарные булочки? — с надеждой спросила ее Кристин.

— Ты что, с луны свалилась? — Натали закатила глаза. — Я позвоню в бакалейную лавочку в Ист-Виллидж и закажу несколько упаковок готового теста и прессованные трубочки цветной сахарной глазури. Это не домашнее печенье, но тоже здорово. Мы можем устроить небольшую вечеринку с украшением булочек.

— Меня это устраивает, — решила Кристин.

— Кто-нибудь хочет выпить? — спросил Роберт-старший, подойдя к бару у камина.

Кристин и Робби согласились на предложение, а Натали с мальчиками направились в кухню за полдником.

— Ну и представление ты сегодня устроила! — сказал Робби Кристин, когда они сели на диван.

— Толпа была в восторге? — спросила Кристин.

— Не знаю насчет толпы, но я точно был сражен, — сказал Робби. — Должен признать, сестренка, ты свое дело знаешь.

— Ты только сейчас это понял?

— Не обижайся. Я делаю тебе комплимент.

— Он прав. — Отец подал Кристин стакан белого вина, полагая, что это именно то, чего ей хочется, по-

* Бисквитное чудовище — кукла, герой телевизионного варьете.

скольку это именно то, «что пьют женщины». — Меня это тоже очень впечатлило.

Кристин моргнула. Она не ослышалась? Отец похвалил ее?

— С-спасибо.

Она лихорадочно вспоминала, а ее отец, словно не произошло ничего необычного, спокойно сел, положив ногу на ногу, и начал потягивать виски. Кристин хватило бы пальцев одной руки, чтобы сосчитать, сколько раз отец хвалил ее. Хотя «хвалил» было слишком сильным словом, точнее было бы сказать «одобрительно кивал». И то, что он сказал «впечатлило», просто лишило ее дара речи.

Брат откинулся на спинку дивана, тоже держа в руках стакан виски.

— Ты все еще работаешь в «неотложке»?

— Да. — Кристин выпрямилась. — И мне это очень нравится.

Робби посмотрел на отца:

— Отец, насколько мне помнится, больница Святого Джеймса ищет хорошего травматолога? Руководству следовало бы рассмотреть кандидатуру Кристин.

— Знаешь, ты прав. — Эштон-старший кивнул. — Я об этом даже не подумал.

Конечно, не подумал. С какой стати ему вспоминать о дочери только потому, что больница, членом руководства которой он является, ищет врача именно ее специализации?

Он посмотрел на Кристин:

— Тебя бы заинтересовало место в больнице Святого Джеймса?

Работать в больнице отца вместе с его ближайшими коллегами? Иметь возможность завоевать их уважение? Действительно показать, на что она способна? Да за это Кристин готова была душу продать!

Она постаралась не выдать своих чувств и сдержанно ответила:

— Я подумаю об этом. А что они предлагают?

— Точно не уверен. Знаю только, что они ищут специалиста с опытом. — Он сделал небольшой глоток. — Если хочешь, я мог бы порекомендовать тебя.

Неожиданно глаза у нее защипало.

— Ты можешь рекомендовать меня?

— Я же сказал, что сегодня ты произвела на меня большое впечатление. И кроме того, ты же Эштон. — Он поднял стакан приветственным жестом.

Кристин охватила такая слабость, что она даже не смогла ответить на его тост.

— Спасибо. — Она сделала небольшой глоток и, боясь уронить стакан, быстро поставила его на кофейный столик. — Прошу меня извинить, я пойду посмотрю, не нужна ли Натали моя помощь.

Кристин поспешно вышла из комнаты, чтобы не сделать чего-то такого, что окончательно приведет ее в смущение, например расплакаться. Ее отец доктор Роберт Эштон-старший собирается рекомендовать ее на место в больнице Святого Джеймса? Еще совсем недавно она могла об этом только мечтать!

Ладно, это Робби подтолкнул его к этой мысли, но все же отец сам предложил ей поддержку, такую же, какую он оказывал Робби.

Кристин охватила сладкая до боли радость. На мгновение ей даже стало безразлично, обгонит ли она завтра брата. Достаточно было и этой победы. Но она посмеялась над этой мыслью. После того как всю жизнь ей приходилось быть на вторых ролях, теперь она впервые имела реальную возможность обойти его!

Глава 10

Говорят, что терпение — это достоинство,
но, только действуя, можно чего-то достичь.

«Как сделать свою жизнь идеальной»

Кристин опаздывала. Алек взглянул на часы, потом осмотрел зону отдыха у канатной дороги в Юнион-парк. Толпа у подъемника была приличной, одни ждали своей очереди, другие отдыхали, сидя за столами для пикника. Но Кристин нигде не было видно, и Алек не мог понять, в чем дело. Она несколько раз опаздывала на уроки, но никогда ему не приходилось ждать так долго. Может, она перепутала час? Ведь когда он говорил о времени встречи, Кристин, похоже, пребывала в полной прострации.

Алек вспомнил, как она выглядела после поцелуя, и еще сильнее захотел увидеть ее. Ну где же она?

Бадди нетерпеливо поскуливал. Собака привыкла, что когда Алек надевал красный жилет, они приступали к работе, а не стояли без дела.

— Знаю, приятель. — Алек рассеянно потрепал пса за ухом, а может, это он ошибся, может, ему следует спуститься к схеме лыжных трас — их обычному месту встреч — и посмотреть, не ждет ли она его там? А вдруг он пропустил ее?

Рация, которая на дежурстве всегда была при нем, затрещала, и раздался голос Трента: «Лыжный патруль передает номеру 14В32. Алек, ты меня слышишь?»

Алек нахмурился и достал рацию из кармана куртки. Меньше всего сейчас ему нужен был этот вызов, ведь наверняка придется спасать какого-нибудь идиота, который проигнорировал запретительную разметку, а что подумает Кристин, когда придет на встречу и не увидит его?

— Говорит 14В32, прием.

— Лыжный патруль номеру 14В32. У нас инцидент у подъемника Фри-Флаерс, требуется твое присутствие. Прием.

Инцидент? Что, черт возьми, за инцидент?

— 14В32 лыжному патрулю. Я занят. Постарайтесь разобраться сами. Прием.

— Нет, думаю, ты должен заняться этим лично. Прием.

— Сообщите подробности. Прием.

— У нас тут лыжница Кристин Эштон. У нее острый приступ панического расстройства...

— Сообщение принял. Сейчас прибуду. Конец связи.

Едва Алек тронулся с места, Бадди тотчас огромными прыжками «ринулся в бой». В рекордно короткое время они добрались от зоны отдыха в Юнион-парке до подъемника Фри-Флаерс. Резко затормозив, Алек осмотрелся, но нигде не увидел ни Трента, ни Кристин.

— Эй! — закричал он оператору подъемника. — Слышал, у вас здесь проблема?

— Они там.

Оператор указал на небольшую площадку недалеко от подъемника.

Сначала он увидел только Трента, который стоял спиной к нему, но, подъехав ближе, заметил сидевшую на большом валуне Кристин. Остановившимся взглядом она смотрела прямо перед собой, сжимая в руках бутылку с водой.

Трент взглянул на подъехавшего к ним Алека:

— Ты быстро.

Не обращая внимания на Трента, Алек снял лыжи и опустился на колени перед Кристин. Ее дыхание было учащенным и поверхностным.

— Эй, — мягко окликнул он ее, — что случилось?

— Я не могу сесть на подъемник. — Она быстро моргала, но глаза оставались сухими. — Я не могу этого сделать.

— Все в порядке. Тебе и не нужно этого делать. — Алек снял перчатку и просунул пальцы под манжету ее куртки, чтобы определить пульс. Пульс был учащенным, и это встревожило его. — Мы просто немного посидим здесь, хорошо?

Кристин кивнула и тяжело сглотнула, пытаясь сдержать подступившие слезы. Бадди ткнулся носом ей в руку, всем своим видом выражая крайнее беспокойство.

Алек бросил взгляд через плечо.

— Что случилось?

— Приступ начался перед подъемником, — объяснил Трент. — Она вдруг застыла, начала учащенно дышать и хвататься за грудь. Операторы решили, что у нее сердечный приступ, и вызвали меня. Крис утверждала, что это просто приступ паники и что через секунду все пройдет, но не похоже, чтобы он прошел. И я понятия не имею, что спровоцировало этот приступ.

— У нее боязнь высоты. — Алек снова повернулся к Кристин: — Ты великолепно с этим справлялась. В чем дело?

Слезы, которые Кристин так долго сдерживала, появились в ее глазах.

— Раньше ты всегда был рядом. А сегодня тебя не было.

— Девочка моя. — Сердце у него сжалось, он опустился рядом с ней на камень и нежно обнял Кристин.

— Мне очень жаль. — Она положила голову ему на грудь, шлема на ней не было, и ее шелковые волосы коснулись его подбородка. — Мне так стыдно.

Алек посмотрел на Трента:

— Не беспокойся, все под контролем.

— Ну что ж, оставляю ее на тебя.

Трент собрал свой рюкзак, встал на лыжи и с заметным облегчением заскользил вниз. И Трентон, и Алек вместе бывали в разных переделках, рисковали своими жизнями ради спасения других, но когда дело касалось плачущих женщин, Трент всегда чувствовал себя не в своей тарелке.

Пытаясь успокоить Кристин, Алек погладил ее по спине, а Бадди улегся у ее ног.

— Итак, расскажи мне, что произошло. Утром, когда ты была вместе с отцом и братом, все прошло нормально?

— Сначала — да. — Она выпрямилась и вытерла лицо перчатками. От ветра и холода щеки у нее обветрились. — Как ты сказал, я хорошо справлялась со своими страхами и думала, что с этим покончено. Перед первым подъемом я даже не колебалась. Мы вместе сели в кресла, и я подумала, как все здорово. Вообще никакой тревоги. Но потом, я не знаю, мы проехали уже половину пути... — Дыхание Кристин вновь стало неровным.

— Вот, выпей воды. — Алек протянул ей бутылку и подождал, пока она сделает глоток. — Теперь лучше?

Она кивнула.

— Мы были на середине, когда Робби начал дразнить меня, как это он обычно делает.

— А как он это делает?

— Ну, он говорит что-то вроде того: «Так ты и в самом деле думаешь, что ты можешь обогнать меня, да? Возможно, нам стоит сделать несколько прыжков, а отец будет вести счет». И я ему сказала: «Хорошо, давай». И тогда отец вздохнул и сказал: «А может, я сейчас объявлю Робби победителем и с удовольствием проведу день без ваших никому не нужных состязаний? В любом случае мы знаем, что он выиграет».

— Что? — Алек в удивлении покачал головой. Как мог отец, которого она так сильно любила и уважала, так обидеть свою дочь? — Да уж!

— Вот так! — Щеки Кристин немного порозовели. — И он совершенно не понимает, как обидно слышать такое!

— И что было дальше?

— Мы с Робби все-таки настояли на состязании и все вместе отправились в Майнерз-Бейсн.

— Неплохой выбор. — Алек кивнул. Этот участок вполне подходил для подобных состязаний. — И как ты откаталась?

— Я его стерла в порошок, Алек. — Ее глаза блестели, но теперь уже от возбуждения, а не от слез. — Я надрала ему задницу. Жаль, что ты меня не видел. Меня невозможно было остановить.

— Охотно верю. Ты молодец, — похвалил Алек. — Тогда ты меня чуть не снесла, на спуске.

Кристин вздохнула:

— Ну вот. И отец заявил, что это был пробный спуск. Он сказал, что первый раз не считается, потому что я здесь уже целую неделю, а Робби только что приехал. И мы делали это снова, и снова, и снова, и каждый раз я легко обходила Робби. Я раздолбала всю лыжню и совершила несколько безумных прыжков, а Робби, пытаясь угнаться за мной, раз пять грохнулся в снег. И каждый раз у отца находилась отговорка, чтобы не считать очередной забег.

— Это полный бред. — Алек не мог поверить своим ушам.

— Вот именно, — согласилась Кристин. — И мы снова и снова возвращались на подъемник и снова поднимались, и каждый новый подъем давался мне все труднее. Я почувствовала, что меня начинает охватывать паника, но я не хотела показывать вида. Ни за что. Я была готова снова и снова подниматься наверх и соревноваться до тех пор, пока отец не признает, что хоть в чем-то я лучше Робби. Я знаю, что он умнее, чем я. Я знаю, что он хороший невролог, а я скромный врач «неотложки». Я знаю, что ему, а не мне была доверена честь произнести речь на выпускном вечере в колледже. Я знаю, что во многих вещах я не смогу сравниться с ним, но, черт возьми, в этом деле я лучше его! Лучше!

Алек пристально смотрел на Кристин, и у него щемило сердце.

— В конце концов твой отец признал это?

— Нет. — Она раздраженно фыркнула. — Робби все это надоело. Он сказал, что устал и от высоты, и от лыж, и ему надоело проигрывать. И он сам провозгласил меня победителем. Это было словно... — Кристин замялась, отыскивая подходящие слова. — В общем, это был один из самых замечательных моментов в моей жизни! Брат так и сказал: «Ты выиграла. Поздравления, сестренка. Ты все-таки это сделала».

— А что отец?

— Он? Он просто повернулся к Робби и сказал: «Поедем, неплохо было бы перекусить». И они уехали без меня.

— Что? — Алек нахмурился. — Они так вот взяли и оставили тебя там?

— Они знали, что мы с тобой договорились встретиться и мне пора ехать, но все равно оставили меня стоять там.

— Вот придурки! — Алеку захотелось тут же броситься вниз, чтобы сказать господам Эштонам «пару ласковых». — И что ты сделала?

— Я подъехала сюда, встала в очередь на подъемник, чтобы отправиться на встречу с тобой. Я так разозлилась, что меня трясло. И когда подошла моя очередь, я... я не знаю, что случилось. Я просто... — В глазах у нее снова появились слезы. — Я не могла сесть на подъемник.

— Все в порядке. — Алек притянул ее к себе и крепко обнял, сожалея, что ничего больше не может для нее сделать.

Однако сейчас Кристин нужно было именно это — чтобы кто-то просто обнял ее. Напряжение в груди начало медленно спадать.

— Эй, — Алек снова погладил ее по спине, — давай-ка я провожу тебя домой. Ты немного отдохнешь, а когда я освобожусь, мы отпразднуем твою победу.

— Нет, я не хочу. — Кристин покачала головой. — Если я сейчас появлюсь дома, Робби поймет, что я расстроилась, и начнет меня жалеть. Мне это будет неприятно. Отец, как правило, не замечает такие моменты, он их просто не видит, но Робби замечает все, хотя это не мешает ему подметать моим самолюбием теннисный корт. По его мнению, я просто не должна придавать значения таким вещам. Конечно, ему легко говорить. Он всегда без особых усилий завоевывал всеобщее внимание. — Она подняла голову и уже почти спокойно посмотрела на Алека: — Ну почему семейные отношения обязательно должны быть такими сложными? Как можно одновременно любить людей и злиться на них?

— Не знаю. Но мне твои чувства понятны.

— Я хотела бы...

— Что?

Кристин по-детски шмыгнула носом, стараясь сдержать подступившие слезы.

— Я хотела бы, чтобы мои родители любили меня так же, как они любят Робби.

— О Крис! — Алек снова обнял ее.

Она закрыла глаза, досадуя на слезы, которые не смогла сдержать. Надо же было прийти на первое свидание с Алеком и расплакаться у него на плече.

Кристин решительно настроилась взять себя в руки и выпрямилась.

— Но знаешь, что говорят: «Если бы лягушки не пытались взлететь, они не отбивали бы себе задницы».

Алек засмеялся:

— А я думал, что это звучит так: «Если бы да кабы во рту выросли грибы».

— Просто ты приличнее меня. И ты более обаятельный.

— Да, я такой. Мистер Обаяние. — Его легкая улыбка помогла разрядить обстановку. — А я думаю, что ты очень приличная.

Кристин вытерла лицо.

— Но ты ведь не ругаешься, как я.

— Прежде чем ты сделаешь из меня настоящего паиньку, позволь мне кое-что пояснить.

— Что?

— Понимаешь, обычно бывает так. Каждому при рождении выделяется определенное количество ругательств. Но мой отец и брат настолько быстро расходовали свои квоты, что я решил проявить щедрость и поделился с ними.

— Правда? Ты очарователен. — Кристин улыбнулась Алеку. — И очень милый.

— Нет, только не милый. — Он содрогнулся — Достаточно «обаятельного». Обаятельный — это хорошо. Но только не милый и не прелестный.

— Но ведь так оно и есть.

— Нет. Мерзкий, тошнотворный. — Словно в приступе тошноты, Алек согнулся пополам.

— Прекрати! — Кристин, смеясь, толкнула его в плечо.

Алек повернулся и схватил ее за руку.

— Только если ты меня поцелуешь.

— С чего это? — Она наклонила голову, думая, как быстро ему удалось заставить ее перейти от слез к смеху.

Алек обхватил ладонями ее лицо и уже совершенно серьезно, глядя прямо в глаза, сказал:

— Потому что я не в состоянии думать о чем-либо еще с момента нашей первой встречи.

Когда Алек нежно провел большим пальцем по ее нижней губе, сердце Кристин затрепетало, но теперь уже не от страха, а от охватившей ее радости.

— Кругом полно людей.

— Они слишком увлечены катанием, чтобы обращать на нас внимание. Поцелуй меня.

— Да, — выдохнула Кристин, закрыв глаза.

Не было ничего милого или прелестного в том, как Алек поцеловал ее. Его губы заявляли о своих правах на нее, заставляя тело изнывать от желания, и Кристин до боли захотелось ощутить его всей кожей, чтобы вся боль, растущая внутри ее, уступила место наслаждению.

Она со стоном обхватила его за шею и пылко ответила на поцелуй.

— Диспетчер номеру 14В32, вы меня слышите? — проскрипел резкий женский голос.

Кристин испуганно отшатнулась, но, оглянувшись, никого не увидела.

— Проклятие! — Алек полез в карман куртки. — Мы еще не закончили. — Он легко поцеловал ее в губы и вытащил рацию. — 14В32 слушает, прием.

Кристин рассмеялась, прижав руку к сильно бьющемуся сердцу.

— Мы получили сообщение о сходе лавины в Каттерс-Бейсн, — сообщил женский голос. — Очевидцы сообщили, что под снегом оказались три парня на снегоходах. Одного пострадавшего удалось обнаружить живым, но без сознания. Двое других все еще не найдены. Прием.

— Вас понял. — Говоря по рации, Алек выпрямился и изучающим взглядом окинул горизонт. Почуяв возбуждение хозяина, Бадди запрыгал на месте, готовый броситься в путь. — Передайте лейтенанту Крейгеру, чтобы он подобрал меня у основной трассы в Каттерс-Бейсн, и оповестите всех, с кем удастся связаться. Конец связи.

Алек опустил рацию.

— Похоже, мне надо отправляться. С тобой все в порядке? Я могу вызвать Трента.

— Послушай, тебе нужна помощь?

— В спасательных работах из-под снежной лавины? Дорогая, у меня достаточно помощников. А ты хочешь пойти со мной?

— Конечно.

Возбуждение от предстоящей работы вытеснило все остальные эмоции. Кристин надела свой шлем и затянула ремешки.

— Хорошо. — Алек опустил защитные очки. — Тогда в путь!

Глава 11

— На вертолете? — прокричала Кристин сквозь шум лопастей, когда громоздкая старая машина опустилась практически ей на голову. В отличие от пикапа Алека, на нем не было свежей краски или сверкающей надписи, указывающей на то, что геликоптер принадлежит службе спасения округа. Вертолет больше походил на старую военную машину, раздобытую на кладбище военной техники. Затаившаяся было паника моментально поднялась из груди к самому горлу, и голос Кристин прозвучал на октаву выше. — Ты не говорил, что мне придется лететь на вертолете.

— Пригни голову! — Алек положил руку на ее шлем и заставил Кристин нагнуть голову, когда машина коснулась земли. Воздушный поток от вращающихся лопастей толкал ее назад. Дверь открылась, и она увидела двух парней, которые были на мальчишнике в пабе. — Давай! — Алек старался перекричать шум двигателей. — Забирайся!

Один из парней схватил ее лыжи, а второй взял за руку. За спиной Кристин стоял Алек с Бадди, и выбора у нее не было. Она и оглянуться не успела, как уже сидела внутри, прислонившись к борту вертолета. Когда машина поднялась со стремительностью скоростного лифта, сердце Кристин екнуло и испуганно замерло, провалившись куда-то в живот.

Ей часто приходилось летать, но всегда это были большие коммерческие самолеты. Она впервые находилась на такой маленькой машине, которая летела столь низко, что почти касалась верхушек деревьев в не защищенной от ветра горной аллее.

Кристин закрыла глаза, пытаясь оценить уровень своей тревоги. Не возникнет ли новый приступ паники, второй за этот день, или, может, тревога утихнет? Медленно дыша, она слушала, как Алек разговаривает с пилотом, как потрескивает рация, как шумят двигатель и лопасти вертолета. Пока все шло нормально, даже начала расти уверенность, что она с этим справится. Обязательно справится. Хотя сердце пока не хотело возвращаться на свое место.

— Эй, тебе нужны сапоги? — Кто-то слегка толкнул ее в плечо.

— Что? — Кристин открыла глаза и увидела, что на нее смотрит парнишка с ярко-рыжей шевелюрой. Если она правильно запомнила, его звали Брайан, а высокого худого блондина, который проверял содержимое рюкзаков, — Эрик.

— Сапоги. — Брайан показал на ноги. — В этих ты далеко не уйдешь.

— Да, верно. — Кристин увидела, что Алек, сидевший на месте второго пилота, расстегивает замки своих лыжных ботинок.

— Хорошо, вас понял, — сказал Алек в микрофон рации. — Требуется один спасательный вертолет и второй в резерве. Расчетное время прибытия две минуты. Конец связи. — Он оглянулся на Кристин: — Ты в порядке?

— В полном. — Она выдавила улыбку, не поддаваясь все еще сидевшему внутри чувству тревоги. Он поднял большой палец.

— Вот, возьми. — Брайан протянул ей пару теплых сапог. — Должны быть впору.

— Спасибо. — Кристин сосредоточилась на смене обуви, в то время как вертолет продолжал подниматься в горы.

— Вон там! — Алек через стекло кокпита указал на небольшую площадку. — Высади нас там.

— Будет сделано, — ответил Крейгер.

Когда вертолет выполнил вираж по широкой дуге и резко пошел на снижение, Кристин еле сдержала стон. Наконец с мягким толчком машина коснулась земли. Как только Эрик открыл люк, Бадди выскочил из машины с нетерпеливым лаем.

— О'кей, пошли, пошли. — Алек захлопал в ладони, поторапливая свою команду.

Кристин выпрыгнула из вертолета и оказалась на огромной слепяще-белой равнине.

— Я здесь! — закричала женщина, из-за ветра голос звучал отдаленно и слабо. — Пожалуйста, помогите!

Щурясь от яркого солнечного света, Кристин видела, что женщина в ярко-желтой парке стоит на коленях рядом с голубым, занесенным снегом, бесформенным комком.

Алек сунул рюкзак в руки Кристин. Потом, схватив шину для фиксирования спины и кислородную подушку, направился к женщине вместе с Брайаном и Эриком, которые несли лопаты, шесты и снаряжение. Кристин пошла за ними, поражаясь, насколько плотно был утрамбован снег под ее ногами. Она не знала, что должна была увидеть на поле лавинного пробоя — возможно, неплотный, даже рыхлый слой снега, — но то, что она увидела, больше походило на куски застывшего цемента, расколотые отбойным молотком.

Вертолет, взревев двигателем, без промедления отправился за следующей группой спасателей.

Алек первым добрался до пострадавшей и опустился рядом с ней на колени, женщина истерично рыдала, держась за свою левую руку.

Голубой комок оказался паркой второй женщины, правда, на поверхности виднелись только голова и одна рука.

— Как вас зовут? — Обратившись к женщине в желтой куртке, Алек одновременно нащупал пульс второй женщины и, приподняв веки, проверил реакцию зрачков.

— Дж-женни, — с трудом произнесла женщина. — Я не смогла ее откопать! Помогите ей!

— Она жива, — сообщил Алек. — Брайан, Эрик, откапывайте пострадавшую.

Кристин открыла рюкзак, проверяя его содержимое, Алек в это время опрашивал Дженни:

— Кого мы ищем? Где они находились во время обвала?

— Пол и муж Терезы — Тед. Они находились выше. Вон там.

Женщина попыталась показать, но сморщилась от боли.

Алек включил небольшое устройство слежения.

— У них есть передатчики?

— У Теда есть. Наши Пол забыл захватить.

Алек выругался, что делал крайне редко, и встал.

— Ладно, Бадди, ты готов, парень? — Его голос зазвучал бодро. — Хочешь поработать? — Бадди залаял и отчаянно завилял хвостом от радости. — Хорошо, ищи!

Собака бросилась в указанном направлении. Алек пошел за ней, держа в руках лопату и длинный металлический стержень для зондирования снега.

— Где вы чувствуете боль? — спросила Кристин, проводя быстрый визуальный осмотр Дженни. Пострадавшей на вид было лет тридцать пять, у нее были темные волосы, светлая кожа, чуть полновата, но общее состояние здоровья удовлетворительное.

— Везде, — задыхаясь, произнесла Дженни. — Больше всего в плече.

Кристин сунула руку под парку и обнаружила сломанную ключицу. Рука, которую женщина прижимала к груди, вероятно, тоже была сломана. Боль в брюшной полости отсутствовала, значит, внутренних повреждений не было. Кроме того, женщина сильно повредила колено. Ничего представляющего угрозу для жизни, и ничего, что не могло бы подождать.

— С вами все будет в порядке, — заверила ее Кристин и накинула на плечи женщины одеяло. — Пока мы будем помогать вашей подруге, просто не двигайтесь, хорошо?

Продолжая тихо плакать, Дженни кивнула.

Кристин подвинулась, чтобы заменить Брайана, который поддерживал голову женщины, пока Эрик быстро, но очень аккуратно откапывал Терезу.

— Пойду помогу Хантеру, — сказал Брайан и, подхватив лопату, отправился вслед за Алеком.

Глядя на измученное лицо женщины, Кристин внутренне сжималась от сочувствия. Терезе повезло меньше, чем ее подруге. Определенно можно говорить о травме головы, а возможно, и шеи, не говоря уже о многочисленных переломах и внутренних повреждениях. Но женщина дышала, и у нее прощупывался пульс.

— Как Тереза? — Дженни не отрывала взгляда от подруги.

Кристин сумела сдержанно улыбнуться:

— Спасательный вертолет уже в пути. Мы быстро доставим ее в больницу.

— Не могу поверить, что это произошло. — Дженни зашмыгала носом. — Когда Пол и Тед выпьют, они напрочь теряют голову. Они устроили гонку вверх по склону, хотя прекрасно знали, что это очень опасно. Я просила их прекратить, но они словно с цепи сорвались, и тогда я решила уехать. Я доехала до деревьев, когда услышала, что за мной едет Тереза. Не знаю, хотела она уехать со мной или думала уговорить остаться, но когда она почти догнала меня, послышался этот грохот. И потом началось какое-то безумие. Целая гора... просто рухнула. Все произошло так быстро! В одно мгновение Пол и Тед были там, а потом... эта снежная стена врезалась в них и начала двигаться прямо на нас. Мы попытались отскочить в сторону, но лавина моментально поглотила Терезу, а меня буквально вбила в деревья. Когда все кончилось, я увидела руку Терезы, торчавшую из снега. Я кое-как откопала ее голову, очистила лицо и стала звать на помощь. — Дженни оглянулась назад. — Я не вижу своего мужа. Я его не вижу! Ну почему они были такими болванами? Клянусь Богом, если он погиб, я убью его! — Осознав, что она сказала, женщина снова начала всхлипывать.

Неподалеку залаял Бадди. Кристин подняла голову и увидела, что собака, быстро работая лапами, роется в снегу. Алек и Брайан, встав напротив друг друга, начали откидывать комья плотного снега.

— О Господи! — Дженни попыталась подняться. — Кого они нашли? Это Пол? Он жив?

— Подождите! — Кристин схватила ее за здоровую руку. — Не двигайтесь. Вам нельзя двигаться, сначала я должна тщательно осмотреть вас.

— Хороший пес! — донесся до них голос Алека. — Теперь мы должны найти второго. Давай, Бадди, ищи!

Бадди, помахивая хвостом, отправился на поиски, его красный жилет ярким пятном выделялся на фоне снега. Брайан остался откапывать первого обнаруженного.

Где-то вверху раздался глухой стрекот вертолетного двигателя. Кристин подняла голову и увидела, как спасательный вертолет вылетает из-за верхушек деревьев; едва он приземлился, из заранее распахнутого люка выскочили медики и бросились к ним на помощь, один направился к Кристин, второй — к Брайану.

— Привет, это снова вы, — улыбаясь, сказал доктор Кристин. — Что вы нам приготовили на этот раз?

Кристин кратко описала состояние Терезы. Через несколько минут они уже зафиксировали женщине позвоночник, закрепили кислородную маску и поставили капельницу.

— На этой высоте мы можем взять на борт не больше двух человек, — сказал доктор. — Но Хантер вызвал еще один вертолет, он уже в пути.

— Значит, он жив? — Кристин кивком указала на человека, которого откапывал Брайан.

— Да.

— Слава Богу! — Дженни заплакала.

— Хорошо. — Кристин бросила взгляд на Терезу и повернулась к доктору: — Посмотрите, как у них дела и насколько критично его состояние. Если это займет больше пяти минут или если его состояние достаточно стабильно, забирайте его.

— Понял. А что с женщиной? — Он кивнул в сторону Дженни.

— Мне нужно зафиксировать ее плечо, чтобы она могла дождаться следующего вертолета. А вот вторую пострадавшую надо отправлять срочно.

Мужчины понесли Терезу к вертолету, Кристин повернулась к Дженни:

— Давайте я вас еще разок осмотрю.

Порывшись в рюкзаке, Кристин нашла все необходимое, Алек хорошо знал свое дело. Кристин зафиксировала плечо Дженни, и в этот момент спасательный вертолет поднялся в воздух. Это могло говорить как о приличном состоянии найденного, так и о том, что ребята до сих пор не откопали его. Она взглянула в их сторону и увидела, что Брайан и Эрик продолжают осторожно откапывать несчастного. «Пожалуйста, Боже, пусть это не означает, что у мужчины перелом позвоночника».

Появился второй вертолет. Не мешкая, к ним поспешила новая группа медиков.

— Женщина может идти? — спросил подошедший врач.

— Колено повреждено. — Кристин закрепила шину на предплечье. — Когда доберетесь до больницы, проследите, чтобы ее сразу же отправили на рентген.

— Сделаем. — Он опустился на колени и взял Дженни на руки.

— Подождите, — попросила Дженни, когда они направились к вертолету. — Отнесите меня туда. Я должна посмотреть, может быть, там мой муж.

Кристин попыталась успокоить женщину. Прежде чем позволить пострадавшей увидеть, что там происходит, она должна была посмотреть сама.

— Вас ждет вертолет.

— Нет! — закричала женщина, когда доктор понес ее к машине.

Кристин собрала медицинские инструменты и направилась на помощь Брайану, Эрику и еще одному прибывшему медику. Они уже положили мужчину на щит, фиксирующий позвоночник. Брайан подвинулся, уступая ей место. Пострадавший был в сознании, но дезориентирован и выглядел так, словно его только что достали из бетономешалки, — лицо мужчины представляло собой сплошную кровавую массу.

— Что тут у нас? — Кристин с возрастающим беспокойством проверила реакцию зрачков и нащупала пульс.

Врач медицинской транспортной службы перечислил полученные повреждения и заметил, что не исключен перелом позвоночника, так как отмечена опасно низкая чувствительность нижних конечностей. Кристин не знала, кто это, Тед или Пол. Доктор закончил свой краткий доклад, сказав, что уже передал в больницу, что пострадавшему понадобится хирургическая помощь. Конечно, если пациент дотянет до операционной.

— Я врач. Вы можете взять меня на борт?

— На этой высоте? — Молоденький врач покачал головой. — Только если оставить здесь второго пострадавшего.

— Как обстоят дела с поисками второго? — Кристин обернулась и поискала глазами Алека, который вместе с

Бадди вел поиск на дальнем участке поля лавинного пробоя. Она четко видела границу между плотно утрамбованным снегом следа лавины и белой искрящейся пудрой вокруг него. Каким красивым, должно быть, был этот склон, когда сюда прибыли Дженни и вся ее компания. Ясное голубое небо и чистый сверкающий снег. Казалось бы, мечта для любителей снегоходов, но добавьте алкоголь и глупость, и этот рай превращается в настоящий ад. — Никаких признаков?

— Пока нет. — Брайан взглянул на часы и коротко выругался.

— Что такое? — спросила Кристин, обеспокоенная его расстроенным видом.

— У парня нет шансов. — Брайан продолжал работать. — Проклятие!

— Ты уверен? — спросила Кристин.

Брайан кивнул:

— Даже если он уцелел после удара лавины и не разбился о какой-нибудь камень или первое попавшееся дерево, прошло слишком много времени. Остается надеяться, что ему повезло и он попал в воздушный карман.

— Но ведь такое возможно, правда?

— Иногда случается. Но скорее всего он задохнулся уже минут десять назад.

Это известие сдавило Кристин грудь. Неужели она когда-нибудь научится спокойно воспринимать смерть пациентов? Она пока не столкнулась с этой смертью, но Дженни или Тереза уже потеряла своего мужа.

— Мы готовы, — произнес медик с вертолета. — Вытаскиваем. Медленно.

Брайан и Эрик молча кивнули и на счет три подняли носилки. Кристин шла рядом с ними, пытаясь побороть разочарование. Обычно она сопровождала каталку в операционную и отдавала приказы. Однако здесь, на склоне горы, она больше ничего не могла сделать.

— Это Пол? — крикнула Дженни, когда они подняли носилки в салон, но, увидев разбитое лицо мужчины, разрыдалась.

— Это он? — спросила ее Кристин.

— Нет! — Дженни зашлась в рыданиях. — Это Тед! Он жив?

— Жив. — Пока жив, подумала Кристин, моля Бога, чтобы раненый держался. Если он дотянет до больницы, его шансы будут пятьдесят на пятьдесят.

— Где Пол? — спросила Дженни. — Его нашли?

— Все еще ищут, — ответила Кристин. Она не стала повторять слова Брайана. Все-таки пока еще оставался шанс, что муж Дженни жив.

Брайан и Эрик собрали инструменты и тоже отправились на поиски.

Пилот обернулся и обратился к медикам, хлопотавшим над Тедом:

— Вы готовы?

— Почти, — отозвался один из врачей, потом посмотрел на Кристин: — Спасибо за помощь.

— Подождите! — закричала Дженни. — Я не полечу без мужа...

В этот момент дверца вертолета закрылась. Врач обнял Дженни, и она, рыдая, повисла у него на руках.

Кристин, пытаясь укрыться от поднятого лопастями вихря, отступила назад, и вертолет поднялся в воздух. Когда вертолет скрылся за верхушками деревьев, к Кристин подошел Алек.

— Пола не нашли? — спросила она.

Он покачал головой. Ей достаточно было бросить на него один взгляд, чтобы понять, что он думает то же, что и Брайан.

Проклятие! Кристин пыталась сохранить профессиональную отстраненность, но ей это не удалось. Она стала врачом, но не перестала воспринимать чужую боль.

Когда стих шум вертолетного двигателя, стал отчетливо слышен свист холодного ветра, который, продувая ледяную поверхность, пробирался даже сквозь теплую одежду спасателей. Бадди скулил и жался к ноге Алека.

— Понимаю, приятель. — Алек потрепал собаку по голове, пряча глаза от Кристин. — Он думает, что подвел нас.

Сердце у нее сжалось, когда она поняла, что Алек говорит и о себе тоже.

— Но это не так. Он ведь нашел одного из засыпанных, к тому же нашел его живым.

— Да. — Алек продолжал гладить собаку. — В таких случаях обычно говорят, что три из четырех не так уж плохо.

Кристин понимающе кивнула:

— Четыре из четырех было бы лучше.

Алек повернулся и в который раз осмотрел поле лавинного пробоя, холодный ветер безжалостно трепал его парку.

— Четыре из четырех было бы гораздо лучше.

Кристин подошла к Алеку и, обняв его, прижалась щекой к его спине.

— Почему у него не было передатчика? — раздраженно воскликнул Алек. — Если он не хотел покупать его, можно было взять напрокат.

— Алек, не надо. — Она попыталась его успокоить. — Не надо играть в игру «если бы». Не надо мучить себя.

— Ты права. — Он глубоко вздохнул. — Я знаю это. Более того, я постоянно повторяю это своим волонтерам. И все же... ты понимаешь.

— Я понимаю. — Кристин сочувственно вздохнула. — И что теперь?

Сквозь свист ветра послышался шум лопастей, и через секунду Кристин увидела вертолет Крейгера.

— Теперь, — со вздохом сказал Алек, — переходим от режима спасения к режиму поиска.

Глава 12

Прошло несколько часов, и Кристин в совершенно ином свете увидела мужчин и женщин, работавших в поисково-спасательном отряде, хотя и раньше восхищалась их самоотверженностью и умением работать в течение многих часов в самых сложных условиях. Как это тяжело, она ощущала на себе: ноги гудели, руки были ободраны.

— Как ты, держишься? — спросил ее Алек, когда они, решив немного передохнуть, вернулись на базу, на скорую руку созданную возле вертолета. Машина хоть немного защищала их от усилившегося к концу дня ветра.

— Честно говоря, я бы не возражала против трехчасового отдыха с массажисткой и горячей ванной. — Кристин взяла термос и налила каждому по чашке дымящегося кофе.

— Это можно устроить. — Улыбнувшись, Алек взял свой кофе и постучал по днищу вертолета. — Ко мне, Бадди. Дай я проверю твои лапы, мальчик.

Совершенно измотанный Бадди вскочил в вертолет и тут же улегся у ног хозяина, позволив Алеку проверить лапы и нанести на подушечки свежий слой специального спрея, который защищал лапы пса от налипающего снега.

Пока Алек занимался собакой, Кристин следила за поисками. Волонтеры, расположившись цепочкой, медленно двигались вверх по следу лавины, зондируя лед длинными металлическими стержнями. Склон был крутым, а поверхность неровной, поэтому работа продвигалась очень медленно. Снег был таким плотным, что поисковики согнули несколько стержней.

Кристин посмотрела на свои изодранные лыжные перчатки.

— Черт, одни дыры.

— Вот почему мы берем с собой запасные.

Алек уселся на пол вертолета, скрестив по-турецки ноги, и тоже стал наблюдать за волонтерами. Кинологи с двумя другими собаками работали выше, там, где был обнаружен один из снегоходов.

— Как ты считаешь, сколько на это уйдет времени? — спросила Кристин.

— Минуты, часы, дни. — Алек поднял солнцезащитные очки и потер глаза. Лицо его было серым от усталости, и Кристин осознала, что это его первый отдых с момента приезда других спасателей. — В самых продолжительных спасательных работах я принимал участие еще волонтером. Мы потратили пять дней на поиск двенадцати тел. Поиски проходили в теснине, и координатор расположил базу непосредственно на следе лавины, что категорически запрещается, но у нас не было другого выбора. В конце концов оказалось, что наш обеденный стол стоял на том самом месте, где завалило трех человек.

— О Боже!

— Да. — Алек потянулся к собаке и потрепал Бадди за ухом. — Мой пес пытался сообщить нам об этом, но координатор сказал, что собака плохо обучена и что она выпрашивает подачку. Я не стал спорить, хотя мне и хотелось. Собаки-спасатели обучены не обращать внимания на запах еды, они выделяют другие запахи, как, например, запах солнцезащитного крема. Но тогда мы с Бадди только-только начали работать вместе, поэтому я промолчал. Оказалось, что Бадди был прав. Разве не так, дружище?

Бадди несколько раз лизнул Алека в лицо. Кристин улыбалась, наблюдая это проявление взаимной преданности.

— Ну хватит. Хватит лизаться. — Алек погрозил собаке пальцем. — Это позволяется только Крис. Понятно? — Алек опять погладил Бадди, который смотрел на Алека взглядом, полным обожания. — Та спасательная операция научила меня больше доверять ему. Только кролики могут сбить его с толку, как сегодня.

— Кролики?

— Мы работали у дальнего выступа скалы и спугнули снежного кролика. Это самая большая слабость Бадди.

При слове «кролик» Бадди навострил уши и, возбужденно гавкнув, заерзал на месте.

— Видишь? Он просто помешан. — Алек покачал головой. — Мы работали над этим, и мне показалось, что Бадди исправился, но похоже, что нет. Стоило промелькнуть кролику, и он погнался за ним, сразу забыв о зоне поиска.

— Ты уверен, что он начал лаять, спугнув кролика?

— М-м-м... — Алек посмотрел на Кристин.

Она подняла брови:

— Разве не ты только что сказал, что следует больше доверять Бадди?

— Но... это совершенно нелогично.

Алек посмотрел на край склона. Поле лавинного пробоя заканчивалось неподалеку от края плато. Логика подсказывала, что любой из захваченных лавиной должен находиться в пределах этого поля. Хотя когда дело касается природы, возможно все. Даже нелогичное.

— О Боже! — Алек выпрямился. Бадди мгновенно насторожился. Алек указал в направлении скалы. — Ладно, Бадди! Ищи!

Собака стремительно сорвалась с места. Красный жилет Бадди и его золотистая шерсть ярким пятном выделялись на белом снегу. Когда Алек поравнялся с ним, Бадди стоял на самом обрыве и лаем указывал вниз, в ущелье. В каньоне завывал ветер, поднимая мелкую снежную пыль.

— Не подходи. — Алек поднял руку, останавливая подошедшую Кристин. — Меньше всего нам нужен еще один обвал.

— Будь осторожен, — попросила она, остановившись на границе плотно утрамбованного снега.

Проверяя снег перед собой, Алек дюйм за дюймом продвигался вслед за Бадди. Каньон был очень глубоким, стены неровные и зазубренные, к тому же внизу плескалась небольшая, но быстрая речка. Летом с этой скалы он снял не одного незадачливого альпиниста. Еще труднее будет достать отсюда тело зимой.

Добравшись до края обрыва, Алек вытянул шею, пытаясь увидеть снегоход на дне пропасти. Вытянувшись изо всех сил, он увидел внизу, примерно в пятнадцати футах, скальный выступ и лежащего на нем неловко скрючившегося человека.

— Кто бы мог подумать! — Обернувшись, он громко свистнул, потом махнул рукой. Волонтеры остановились, услышав свист. — Я нашел его!

— Он жив? — с надеждой спросила Кристин.

— Не могу сказать, — ответил Алек, а в это время все спасатели уже спешили к ним. Их лица выражали оживление, беспокойство, надежду и еще массу эмоций, которые пришли на смену напряжению последних часов, и у всех в глазах стоял вопрос, заданный Кристин. — Никому не подходить, — предупредил Алек. — Снег здесь очень ненадежный. Наш пострадавший внизу, на выступе, не очень далеко. Эрон, Джефф, — Алек вызвал двух лучших альпинистов, — давайте готовиться.

— Что мне делать? — спросила Кристин, когда Алек направился к вертолету.

— Молиться, — ответил он, на ходу сжав ей руку.

Она молча кивнула, расстроившись, что ничем не может помочь, но понимая, что сейчас лучше не путаться под ногами. Экстренная медицинская помощь — это ее работа, а спасение человека — это работа Алека.

Мужчины вернулись, неся веревки и спасательную корзину. Кристин, чтобы не мешать, стояла поодаль, теребя в руках изодранную перчатку, Алек и Эрон начали спускаться в ущелье, а Джефф остался наверху, на страховке. В ущелье ревел ветер, и, чтобы услышать друг друга, мужчинам приходилось кричать. Но Кристин слышала только Джеффа.

После нескольких мучительных минут Джефф повернулся к группе, на его лице была широкая улыбка.

— Похоже, нам понадобится еще один транспортный вертолет.

Раздались радостные возгласы, все стали обнимать друг друга.

Кристин почувствовала огромное облегчение, поднеся руки к лицу, она мысленно возблагодарила Бога. Как бы она хотела оказаться сейчас там, внизу, спасая пострадавшего! Впрочем, пожалуй, это было бы слишком, ей даже представить было страшно, как Алек висит над жуткой пропастью, цепляясь за тонкую веревку. Пришлось утешаться тем, что даже Бадди сейчас оказался не у дел.

— Ты молодец, парень. Умница.

Пес посмотрел на Кристин, словно выражая свое согласие, потом вновь уставился в направлении расселины.

Транспортный вертолет медицинской службы прибыл, когда сетка, в которой поднимали мужа Дженни, была уже наверху. Немного погодя над снежным козырьком показалась голова Эрона, потом парни помогли подняться Алеку. Когда вся троица перебралась на безопасное место, Кристин поспешила к ним.

— Как его состояние?

— Гипотермия, множественные переломы, но он жив. — Алек вытер лоб, он тяжело дышал. — Учитывая обстоятельства, можно сказать, что этому сукину сыну очень повезло.

Подошли медики транспортника, и Кристин отошла в сторону. Санитары быстро загрузили носилки с раненым в вертолет, и машина сразу же поднялась в воздух.

Кристин стояла, щурясь от солнца. Подошел Алек, и они, не сговариваясь, посмотрели вслед улетавшему вертолету.

— Ну что? Четыре из четырех, — сказал Алек. — А ведь это чертовски здорово!

— Да, сэр, определенно круто!

Рассмеявшись, Кристин обняла его. Алек подхватил девушку на руки и, кружа, крикнул так, что эхо заметалось по утесам:

— Идем в паб! Первая порция за мой счет!

В ответ послышались радостные возгласы.

Алек с Кристин под руку направились к вертолету, она улыбалась, поглядывая на него с нескрываемым восхищением.

Алек остановился и с деланным недоумением посмотрел на Кристин:

— Что означают эти взгляды?

— Я просто подумала, что ты, оказывается, действительно знаешь, как сделать первое свидание с девушкой незабываемым.

Он рассмеялся и прижал ее к себе.

Паб «Сен-Бернар» взорвался аплодисментами в ту же минуту, когда Алек переступил порог заведения. Кристин удивленно моргала, слыша свист, раздававшийся со всех сторон.

— Спасибо, спасибо. — Алек помахал толпе, стоящей у камина, и, широко улыбаясь, выдал подражание Элвису Пресли: — Спаси-ибо, ребятки. Всем бо-ольшое спаси-ибо.

— Похоже, тебя довольно часто приветствуют овациями? — спросила Кристин, пока остальные волонтеры один за другим подтягивались в паб.

— Бывает иногда. А тебя?

— Никогда. — Она сняла пальто и поежилась — от двери тянуло холодом.

— Какая досада! Но с другой стороны, ведь ты же не работаешь с аудиторией.

— С аудиторией?

— Эти парни ловят частоты, на которых передаются сообщения экстренной службы, точно так же, как другие слушают по радио трансляцию бейсбольного матча. — Алек притянул Кристин к себе и, согревая, стал растирать ее руки.

— Хорошая работа, Хантер. — Подошедший к ним Стив похлопал Алека по спине. Сегодня шериф был в полной форме, на широком ремне красовался внушительных размеров пистолет и поблескивающая новеньким кожаным чехлом портативная рация.

Пока мужчины разговаривали, Кристин огляделась вокруг и среди обычных отдыхающих рассмотрела четырех пожарных и двух егерей национального парка. Посетители, мало знакомые с завсегдатаями паба, с откровенным любопытством рассматривали вновь прибывших.

Стив повернулся к Кристин и протянул руку:

— Спасибо, что потратили время своего отпуска, чтобы помочь нам. Слышал от экипажа транспортника, что вы хорошо поработали, док.

— Спасибо. — Она ответила на его рукопожатие.

— Она неплохо поработала. — Алек крепче обнял Кристин за плечо.

— Неплохо? — Она ткнула его локтем под ребро.

Алек ухмыльнулся и с довольным видом повел Кристин к площадке перед камином.

— Ну, кто хочет пива?

Кругом поднялись руки и послышались довольные возгласы. Он повернулся к ней:

— А ты? Пиво устроит? Или хочешь чего-нибудь другого?

— Пиво. Отлично. — Кристин кивнула, наслаждаясь теплом, идущим от открытого очага. Яркие языки пламени поднимались от потрескивающих поленьев, тянуло дымком.

— Харви! — крикнул Алек бармену. — Запиши на мой счет три кувшина. Потом парни отправятся в свободное плавание.

— Договорились. Уже несу. — Бармен с ловкостью фокусника наполнил кувшины.

— Есть новости из больницы? — спросил Алек Стива и придвинул одно из кресел; не отпуская Кристин, он сел в кресло и быстрым движением усадил ее рядом с собой, Кристин от неожиданности ойкнула. Они без труда уместились в широком кресле, хотя и сидели, плотно притиснувшись друг к другу. Алек обнял ее, затем приподнял ее ноги и положил к себе на колено. Кристин хотела было запротестовать, но потом передумала и расслабленно облокотилась на витой подлокотник.

— Есть, и в основном неплохие. — Стив расположился у камина, сев спиной к огню, а Бадди растянулся на полу, справедливо полагая, что тоже заслужил отдых в тепле. — Женщина, получившая контузию, пришла в сознание, и ее состояние характеризуется как стабильное. Мужчина, которого вы вытащили первым, уже прооперирован и сейчас находится в палате интенсивной терапии.

— А ноги? Его ноги парализованы? — спросила Кристин. В это время к столику подошла официантка с кружками и кувшином.

От пива Стив отказался, он пил кофе.

— Ничего определенного.

— А Пол? — Кристин взяла кружку с пивом. — Второй мужчина?

— Он все еще в операционной, но есть надежда, что все пройдет благополучно, — ответил Стив.

— Слава Богу. — Кристин вздохнула с облегчением. — Могу себе представить, что чувствует его жена.

Алек вздохнул.

— Единственное, что я могу сказать, — слава Богу, что мне не нужно будет выслушивать от членов семьи слова благодарности за то, что я нашел тело и они теперь смогут достойно проводить усопшего в последний путь.

Стив кивнул:

— Или стучаться в дверь к незнакомым людям, чтобы сообщить плохие новости.

— Или выслушивать обвинения в том, что не все возможное было сделано, — добавила Кристин.

Все трое мгновение помолчали, потом Алек поднял свою кружку:

— За счастливое завершение!

— Безусловно, за это стоит выпить. — Кристин лихо чокнулась с ним и сделала большой глоток холодного пенистого пива.

Вокруг только и говорили что о событиях прошедшего дня или вспоминали прошлые спасательные операции. Официантки непрерывно разносили пиво и закуски, не забыли и о поисковых собаках, которым принесли миски с водой и щедрое угощение.

— Послушай, Хантер, — окликнул Алека Джефф, который тоже расположился у камина в одном кресле со своей женой Линдой. — А ты помнишь тот случай, когда две студентки-скалолазки решили задержаться на подходящем карнизе, чтобы позагорать нагишом?

— Еще бы, конечно, помню! — хохотнул Алек.

— А что там произошло? — Кристин подвинулась, чтобы видеть его лицо.

— Дело в том, что они оказались не единственными, кто решил это сделать, — на выступе находилась змея, —

объяснил Алек. — Девчонки покинули выступ в такой спешке, что бросили не только снаряжение, но и одежду. Но скала была крутой, и спуститься самостоятельно они не смогли.

Все сидящие у камина засмеялись, вспомнив это происшествие.

— Попробуй угадать, сколько мужчин-волонтеров мне удалось собрать на тот вызов, — предложил Алек.

— Всех? — предположила Кристин.

— Да уж немало! Эта история сотворила чудо при вербовке новых волонтеров.

— Не сомневаюсь. — Кристин подняла брови.

День плавно перетекал в вечер, а воспоминания не иссякали. Расслабившаяся от пива и усталости Кристин сидела, положив голову на плечо Алека, и смотрела на огонь. Алек же, словно задумавшись, поглаживал ее бедро, и от этого неторопливого, но ласкового движения где-то внутри ее зарождалось желание. В углу кто-то опустил монету в музыкальный автомат, и зазвучала мелодия медленной и страстной баллады.

Когда раздались первые аккорды, Алек ткнулся носом в ее волосы.

— Эй, — прошептал он ей на ухо, — ты ведь не собираешься заснуть на мне прямо здесь?

— Нет. — Кристин улыбнулась, подумав, что ей сейчас не до сна. Приподняв голову, она наблюдала за отблесками пламени, играющими на лице Алека. Больше всего сейчас ей хотелось остаться наедине с этим мужчиной, чтобы, забыв обо всем, целовать его долгими страстными поцелуями. — Ты потанцуешь со мной?

— Ну... — Он замялся, а потом сказал так тихо, что только она могла расслышать его слова: — Я не уверен, что это хорошая идея — прямо сейчас выйти на танцевальную площадку.

Его смущенно-огорченный вид красноречивее слов говорил о причине хотя и мягкого, но отказа. Алек явно не хотел, чтобы вся компания, заметив его состояние, начала подшучивать над ними. Кристин улыбнулась, томно и сексуально, прикрыв веки.

— Это была не просьба.

Брови у него удивленно поползли вверх.

— Ты мне приказываешь?

— А у тебя с этим какие-то проблемы?

Он замешкался на секунду, потом посмотрел на свое колено и наконец взглянул в глаза Кристин.

— По-видимому, нет.

— Хорошо. — Она сняла ноги с его колена и встала, он тоже быстро поднялся, стараясь держаться поближе, пока они пересекали крохотную площадку у камина.

Несколько человек мельком взглянули на них, но тотчас вернулись к своим разговорам. Отдыхающие теснились за столиками, и танцевальная площадка была пуста. Только оказавшись в объятиях Алека, Кристин поняла, насколько он возбужден. Ее глаза широко раскрылись, а по телу разлилось дурманящее тепло.

— У меня вопрос, — начал Алек, двигаясь с ней в танце.

— Да? — Кристин откинула назад волосы, стараясь выглядеть спокойной, хотя ее тело буквально изнывало от желания.

— Как далеко ты собираешься зайти в своих приказаниях?

— Что ты имеешь в виду?

— Ну... — Он задумался, и на лбу у него залегла складка. — Ну, например, принимаются ли предложения относительно сегодняшнего вечера?

Кристин удивленно вскинула брови:

— Я... об этом не думала.

— О! — Его лицо стало унылым.

Кристин хитро прищурила глаза:

— А ты хочешь внести предложение?

— Не знаю. — Алек пожал плечами, потом развернул ее, так что их бедра соприкоснулись. — Я никогда...

— Не оказывался в полном подчинении?

Он покачал головой и вопросительно изогнул бровь:

— А ты?

— Нет. — Кристин рассмеялась при мысли об этом. — Я знаю, что некоторые считают меня слишком властной, но я не люблю командовать.

— Да? — Алек нахмурился.

Она внимательно посмотрела на него:

— А тебе бы хотелось, чтобы я была именно такой?

— Я об этом не думал. — Алек сделал еще один поворот, прижав Кристин еще ближе, и она почувствовала, что его возбуждение усилилось. — Но похоже, моему телу эта мысль кажется привлекательной.

В этом невозможно было усомниться! Кристин облизнула неожиданно ставшие сухими губы.

— Значит... м-м... если бы я вдруг захотела, чтобы ты подчинился мне, доставляя мне удовольствие, ты подчинишься?

Рука Алека скользнула по ее ягодицам.

— А ты этого хочешь?

Кристин наклонилась вперед и коснулась губами мочки его уха.

— Возможно.

От неожиданности он сбился с такта и простонал:

— Боже, ты меня убиваешь!

— Правда? — Она потерлась своим бедром о его бедро. — На мой взгляд, ты жив.

— Наступает трупное окоченение.

— Может, следует проверить твой пульс?

В полумраке бара лицо Алека, казалось, излучало напряжение.

— Думаю, что стоит.

Кристин прижала губы к его шее, лизнула кончиком языка и скорее почувствовала, чем услышала сдавленный стон Алека. Отстранившись, Кристин улыбнулась:

— Пульс у пациента хорошего наполнения, но несколько учащенный.

— Это потому, что я на грани сердечного приступа.

— Хорошо, что я доктор.

— Какие будут предписания?

— Пациенту необходимо пройти тщательное обследование.

— Как квалифицированный медик, не могу не согласиться. — Алек внезапно остановился и крепко взял Кристин за руку. — Иди за мной. — Он тянул ее за собой, уводя с танцевальной площадки. — Бадди, подъем! Мы идем домой. — Бадди, вяло виляя хвостом, нехотя поплелся за ними. — Харви! — крикнул Алек бармену. — Я зайду к тебе завтра.

— Ладно, — отозвался Харви.

Когда они проходили мимо своей компании, приятели осуждающе посмотрели на них.

— Уже уходишь? — спросил Джефф.

— Да. — Алек кивнул. — Провожу доктора домой, потом пойду спать.

Стив нахмурился:

— Когда такое было, чтобы ты первым уходил с вечеринки?

— Должно быть, старею, — усмехнулся Алек, потом бросил на Кристин страстный взгляд и буквально сорвал с вешалки куртки.

Глава 13

Холод хлестал по щекам Кристин, когда они с Алеком поспешили из паба. Солнце скрылось за Силвер-Маунтин, и на городок опустились плотные сумерки.

— Сюда, — кивком указал Алек.

Кутаясь в куртку, Кристин последовала за ним. Наконец парочка остановилась перед малозаметной дверью между торцевой частью паба и лыжным магазином и вошла в тесный холл.

Алек проскользнул в дверь вслед за Кристин и в то же мгновение пригвоздил ее к стене. Его губы пылко припали к ее губам. Сначала Кристин почувствовала изумление, которое тут же сменилось головокружительным возбуждением — наконец-то они могли целоваться и никто не смотрел на них. Она обвила руками шею Алека и с радостью приняла его ласки, безумную игру губ и языка. Их тела слились, грудь к груди, бедро к бедру. Пульсирующая выпуклость, которую Кристин чувствовала своим животом, только усиливала желание прижаться к Алеку еще плотнее.

Где-то наверху хлопнула дверь.

Они отшатнулись друг от друга и посмотрели наверх, вздохнув с облегчением, когда на верхней площадке никто не появился. Бадди сидел на лестнице и удивленно поглядывал на них, словно спрашивая, почему они стоят там внизу.

— Извини. — Алек, тяжело дыша, коснулся своим лбом лба Кристин. — Я так долго сдерживался, что сейчас совершенно потерял голову. Я постараюсь хотя бы немного остыть.

— Даже не думай. — Она схватила его за куртку и вплотную притянула к себе. — Алек Хантер, если ты сейчас же не отведешь меня в какое-нибудь укромное место, клянусь, я сорву с тебя одежду прямо здесь.

Алек широко открыл глаза.

— Моя квартира вон там.

Он взял Кристин за руку, и они быстро поднялись по лестнице, оказавшись в узком коридоре. У первой двери справа Алек остановился и полез в карман за ключами.

— Проклятие!

— В чем дело?

— Я где-то оставил ключи.

— Что?! — Кристин готова была поколотить его. Как он мог так завести ее, а потом вдруг сказать, что им некуда идти?

— Все в порядке. — Алек улыбнулся, как будто прочитав ее мысли. Подняв руку, он достал ключ, спрятанный над дверью. — У меня полно запасных.

Кристин с облегчением рассмеялась.

Алек отпер дверь и впустил их с Бадди внутрь. Он еще только закрывал дверь, а они уже соединились в голодном нетерпении. Кристин почувствовала, как он попытался нащупать выключатель, но потом прекратил попытку. Через окно проникало достаточно света, чтобы они могли видеть друг друга. Они скинули куртки, потом начали стягивать свитера.

— Кровать, — успела вымолвить Кристин между поцелуями.

— Сюда. — Не отрывая от нее своих губ, Алек повел ее в комнату, двигаясь спиной назад.

Они прошли через комнату, стаскивая одежду и спотыкаясь бог знает обо что. Скинув свитера, они, не прерывая поцелуя, начали расшнуровывать ботинки. Не в силах оторваться друг от друга, они, словно в странном танце, двигались по полутемной комнате, задевая мебель и роняя какие-то предметы. Наткнувшись на диван, они едва удержались на ногах.

Наконец, пробравшись через гостиную, Кристин и Алек вошли в темную спальню и, спотыкаясь о разбросанные на полу предметы, с шумом упали на неубранную кровать — вполне в ее вкусе. Когда Алек оказался поверх нее, Кристин улыбнулась.

Горя желанием прикоснуться к нему и ощутить его прикосновения на своей коже, она перевернула его на спину и через голову сняла с него теплую футболку. Кристин провела рукой по его мускулистой груди и упругому животу, наслаждаясь теплотой его кожи, но этого было недостаточно.

— Подожди. — Она поцеловала его в губы, потом соскользнула с кровати и с необычайной быстротой освободилась от одежды. Совершенно обнаженная, она собралась было запрыгнуть в кровать, но замерла при виде открывшегося ее глазам зрелища. При свете, проникающем через жалюзи, Кристин увидела, что он также скинул свою одежду. Он лежал посередине беспорядочно разворошенной постели, приподнявшись на локтях и согнув одну ногу. — Бог мой! — Она моргнула при виде его эрегированного члена, который был... внушительно пропорциональным для мужчины его роста. Возбуждение, смешавшееся с неуверенностью, тотчас охватило ее.

Кристин видела блеск желания в глазах Алека, видела, как откровенно он восхищался ее обнаженным телом. Он смотрел так, словно мог поглотить ее одним жадным глотком.

Он поднял глаза, и их взгляды встретились, Алек протянул руку:

— Иди сюда.

Он потянул Кристин на кровать, и по ее телу пробежала дрожь возбуждения. Алек накрыл ее своим телом и начал целовать. Оглаживая великолепные бедра Кристин, он положил ее ногу себе на бедро. Кристин с наслаждением ощущала, как под ее руками перекатываются мощные мышцы его спины, а член требовательно и горячо упирается ей в живот. Она мягко нажала на плечи Алека, желая переменить позицию.

Не раскрывая объятий, Алек перекатился на спину, и Кристин оказалась наверху, насыщаясь красотой его тела, повторяя пальцами абрисы его хорошо развитых мышц, дразня его плоские соски, которые от ее прикосновений становились жесткими и упругими.

Мягким движением Алек закинул волосы Кристин ей на спину, и теперь ничто не мешало ему прикасаться к ее телу. Ее груди легли в его ладони, и девушка изогнулась, подавшись ему навстречу. Алек улыбался Кристин, покусывая ее набухшие соски, но в глазах его уже плясали озорные огоньки.

— Ну что? Сейчас ты достанешь плетку и кожаную маску, и я должен буду выполнять твои прихоти?

Представив себе эту порочную картину, Кристин засмеялась грудным смехом:

— В другой раз. Может быть. — Наклонившись, она поцеловала его долгим страстным поцелуем. — А прямо сейчас у меня на уме кое-что другое.

— Да? — спросил Алек, и тут же, когда она, целуя его, стала соскальзывать вниз, выдохнул еще одно «да». Ее волосы, словно нежнейший шелк, ласкали его разгоряченную кожу, а она опускалась все ниже, дразня его своим языком.

О Боже! Да! Мысли заметались, и Алек еле сдержал стон удовольствия, когда его член оказался у нее во рту. Он запустил руки в волосы Кристин и полностью отдался наслаждению. Возбуждение, охватившее его, пронизывало все его тело, сосредоточившееся на изумительном ощущении — она доставляет ему удовольствие. Часть его хотела, чтобы это продолжалось вечно. Другая же его часть неистово желала подмять ее под себя, войти в нее так, чтобы их тела слились в единое целое и в безумном взрыве достигли высшей точки страсти.

Кристин довела его до самого края. Пытаясь хоть както сохранить над собой контроль, Алек с такой силой вцепился в простыни, что чуть не порвал ткань.

— Остановись! — Он тяжело дышал, в глазах плясали безумные огоньки.

Кристин отпустила его, издав журчащий смешок, и начала двигаться вверх по его телу, сводя Алека с ума прикосновениями языка. Он скорее почувствовал, чем услышал, что она что-то пробормотала. «Что она говорит? Презерватив. О, черт! Где...»

— Тумбочка. Верхний ящик.

Кристин приподнялась и, протянув руку через его голову, потянулась к тумбочке. В этом положении ее груди, подобно спелым плодам, соблазняюще повисли прямо над его ртом. Алек обхватил их, прижавшись губами к одному соску и лаская пальцами другой. Кристин слабо постанывала, впитывая его ласки, и плотоядная, почти хищная улыбка чувственного удовлетворения заиграла на его губах.

Поведя плечами, Кристин отняла свои груди и вновь села на бедра Алека, он застонал, выражая протест, хотя открывшаяся его глазам картина многое компенсировала. У нее было великолепное упругое, с гладкой бархатистой кожей тело.

Алек зачарованно следил, как она, вскрыв пакетик из фольги, медленно — о Боже! — медленно надела ему презерватив.

Его глаза едва не выскочили из орбит, когда Кристин прикоснулась к его ставшей слишком чувствительной коже.

— Подошел, — удивленно сказала она и посмотрела на Алека с озорным восторгом.

То, как она произнесла это, и выражение ее глаз заставили дернуться мышцы в паху.

— О Боже! — простонал Алек. — Если ты хочешь, чтобы я раньше времени испытал оргазм, то тебе это почти удалось.

Кристин наклонилась к нему, жадно прихватив своими губами его губу, потянула и медленно отпустила.

— Если ты это сделаешь, мне придется найти способ заставить тебя расплатиться.

Алек обхватил руками ее лицо, поцеловал и посмотрел ей в глаза:

— А если я пообещаю на целый час устроить культ почитания твоего тела?

— Мне это подходит. — Она улыбнулась, целуя его.

Алек закрыл глаза, но когда почувствовал жар ее тела, заставил себя открыть их. Это зрелище он не хотел пропустить. Он должен был видеть лицо Кристин, которая медленно опускалась на него, неспешно, дюйм за дюймом вбирая его вовнутрь. Вдруг она остановилась. Боже, почему она напряжена? Волна паники всколыхнула его. Он ни в коем случае не хотел причинить ей боль, а в этой позе он может войти очень глубоко, но контроль, которого она, по-видимому, хотела, давала ей именно эта позиция. Кристин приподнималась, потом опускалась ниже, каждый раз заходя чуть дальше.

Ему уже казалось, что если она не возьмет его целиком, он просто умрет, и, чтобы облегчить ей движение, Алек поднял руку и принялся ласкать ее лоно.

Наконец он полностью вошел в нее. Откинув голову, Кристин издала глубокий горловой, полный наслаждения стон. Алек смотрел на нее, испытывая трепет при виде этого зрелища, но не только от ее физической красоты, но и восхищенный ее открытой сексуальностью, отсутствием притворства и ее желанием без оглядки броситься в любовную игру. Все в ней притягивало его, вызывая страстное желание.

Что-то щелкнуло внутри его, словно сработал механизм цифрового замка, пазы и выступы которого постепенно вставали на место с момента их первой встречи. А когда Кристин вновь подняла голову, открыла глаза и, глядя на него, улыбнулась, он вдруг, словно на него снизошло озарение, совершенно ясно понял, что любит эту женщину.

Теперь он знал, что наконец-то встретил женщину, любить которую он хотел всю оставшуюся жизнь.

Эта мысль поразила Алека, словно удар молнии, он даже замер, ошеломленный столь неожиданным открытием.

Кристин начала двигаться. Мысли Алека были беспорядочно разбросаны, но тело автоматически отвечало на ее движения. Он напрягся еще больше, когда она медленно начала подводить их к кульминационному моменту удовольствия. Какое потрясающее чувство, когда тебя переполняет радость, а твое тело, кажется, вот-вот взорвется!

— У тебя очень счастливый вид, — сказала она, и улыбка Алека стала еще шире.

— М-м-м... — выдавил он в ответ, думая о том, как она отреагирует, когда он ей все скажет. — Иди ко мне, — вместо этого велел он.

Кристин охотно наклонилась вперед, чтобы поцеловать его. Он запустил руки ей в волосы и встретил ее поцелуй, стараясь передать в танце губ и языка каждую каплю переполняющих его эмоций.

Когда ритм движений участился, его сердце безумно заколотилось, а Кристин изогнулась и, прикусив губу, задержала дыхание.

Руки Алека, успокаивая и ободряя, скользнули по ее спине, и когда Кристин достигла пика, он крепко сжал ее ягодицы. Хриплый стон удовлетворения подстегнул Алека, и, сбросив странное чувство оцепенения, он резко выгнулся, яростными толчками входя глубже и глубже, с восторгом приветствуя все сокрушающее освобождение...

Когда в голове у него прояснилось, он обнаружил, что Кристин, тяжело дыша, лежит у него на груди. Пытаясь успокоить сердце и хоть немного восстановить дыхание, он ласково обнял ее и на мгновение замер. Потом коснулся губами ее виска, ощутив испарину на линии волос. «Итак, — поглаживая ее волосы, он мысленно попробовал произнести эту фразу, — как ты посмотришь на то, чтобы выйти за меня замуж?»

Алек почувствовал, как ее тело дернулось в изумлении, и понял, что эти слова не прокрутились у него в голове. Он произнес их вслух!

Затаив дыхание, Алек ждал ее реакции.

Кристин подняла голову и испуганно посмотрела на него.

— Я имею в виду, — он как можно непринужденнее пожал плечами, хотя от неожиданности был на грани сердечного приступа, — если у тебя нет никаких других планов на ближайшие пару дней.

Кристин расхохоталась и крепко обняла его.

— Вот что мне нравится в тебе. Ты иногда просто сумасшедший. Не пугай меня больше так. Я даже на мгновение поверила, что ты говоришь это серьезно.

«Я говорю это вполне серьезно!» — подумал Алек, совершенно потрясенный, но на этот раз он действительно произнес эту фразу про себя. Господи! Он действительно хочет жениться на ней. Он и в самом деле сумасшедший. Такая женщина, как Кристин Эштон, никогда не выйдет замуж за такого парня, как он.

Хотя почему бы и нет, черт возьми? Они оба сошлись во мнении, что деньги и статус не имеют значения. И они идеальная пара!

— У тебя татуировка?

— Гм? — Кристин, приподнявшись, бросила взгляд через плечо. Алек, собиравшийся принести ей стакан воды, совершенно обнаженный, стоял в дверях ванной комнаты и с выражением крайнего изумления смотрел на ее ягодицы. Кристин рассмеялась: — Тебе нравится?

— Дай-ка мне рассмотреть. — Он подошел к ней, поставил стакан на тумбочку и включил лампу. Забравшись на кровать, он широко развел ее ноги.

Кристин с озорной улыбкой через плечо наблюдала, как он рассматривает сексапильную дьяволицу со светлыми развевающимися волосами. У нее были крошечные рожки, длинный хвост и порочная усмешка.

Алек кивнул:

— Наконец-то я определился с именами.

— Определился с именами? — Она недоуменно нахмурилась.

— Кристин, Крис и Кристи. Кристин — это дочь доктора Эштона, — произнес он глубоким, таинственным голосом. — Крис — это реальная женщина, с которой мне нравится проводить время. А это, — он снова посмотрел на татуировку, — это озорная и грешная Кристи.

— Возможно. — Кристин усмехнулась.

— Она мне нравится.

— Правда?

— Гм... — Алек чмокнул изображение, потом сел и прислонился к спинке кровати. — Ты давно ее сделала?

— Еще в колледже. — Не испытывая никакого смущения из-за своей наготы, Кристин села рядом с Алеком и отхлебнула воды. — Моя подруга Эйми очень хотела иметь татуировку, но у нее не хватало духу сделать ее. К тому же она не знала, куда обратиться, и страшно боялась всех этих иголок и возможной инфекции. Я согласилась пойти с ней, чтобы обеспечить моральную поддержку, ну и заодно убедиться, что в тату-салоне достаточно чисто. Когда мы туда пришли, я увидела на стене изображение этой дьяволицы и тут же решила, что у меня должна быть такая татуировка, это было совершенно спонтанное решение.

— И это вполне понятно, она на тебя так похожа.

— Это уж художник постарался.

— Ты когда-нибудь об этом жалела? — Согнув ногу, Алек обхватил колено рукой, в неярком свете лампы он сейчас выглядел очень сексапильным, хотя и слегка уставшим.

— Никогда. — Кристин быстро поцеловала его.

— Спонтанное решение оказалось на удивление постоянным.

— На самом деле думаю, что спонтанными были все мои лучшие решения.

— Со мной та же история. — Алек посмотрел на нее серьезным, даже испытующим взглядом, и Кристин стало интересно, какие мысли скрываются за этим взглядом. Алек отвел глаза и спросил, играя ее волосами:

— А какую татуировку сделала твоя подруга?

— Бабочку. Причем на том же самом месте, где у меня моя маленькая чертовка, так что теперь мы с ней тату-близнецы. — Кристин улыбнулась, вспомнив, как была довольна Эйми их дерзким поступком. — Мы пытались уговорить Мэдди и Джейн последовать нашему примеру, но Мэдди сказала, что никогда не сможет выбрать подходящий рисунок, поэтому ей даже в салон ходить не стоит. К тому же Мэдди — потрясающая художница и вряд ли ей бы понравилось, что кто-то другой будет колдовать над ее телом.

— А Джейн?

— Ну конечно. — Кристин фыркнула. — Как будто мисс Совершенство может сделать татуировку!

— Мисс Совершенство? — Алек поднял бровь, уловив нотки иронии в ее тоне.

— Черт! Я не хотела, чтобы это прозвучало так язвительно. — Кристин сделала глоток и отставила стакан в сторону. — В колледже Джейн мне нравилась, правда нравилась. Мне только всегда хотелось, чтобы она перестала зацикливаться на том, что о ней подумают другие. Грустно, когда ты постоянно боишься совершить на глазах у других даже малейшую ошибку, и этот страх контролирует все твои действия.

— Когда видишь ее в телепередачах, она кажется очень уверенной. Хочешь сказать, что в жизни она не такая?

— К сожалению, нет. Но в остальном ее публичный имидж соответствует действительности. Джейн с искренним сочувствием относится к людям, и это качество делает ее замечательной ведущей. Она просто предъявляет к себе слишком высокие требования. Меня всегда удивляло название ее книги — «Десять шагов к абсолютному счастью». Допустим, что смысл книги «Как сделать свою жизнь идеальной» заключается в том, чтобы сделать совершенной свою жизнь, в соответствии с тем, как ты это понимаешь. Но абсолютное счастье? Нет уж, увольте! Ты знаешь кого-нибудь, кто был бы «абсолютно счастлив»?

— Ну, в данный момент я чувствую себя именно так. — Алек наклонился и поцеловал Кристин. — А ты?

— Я чувствую себя чертовски здорово. — Мягко улыбнувшись, она посмотрела ему в глаза.

— Рад это слышать, — прошептал Алек, не отрывая от нее взгляда.

Чувствуя легкое головокружение, она обвела взглядом комнату, и только теперь, при включенной лампе, рассмотрела ее.

Нижняя часть каждой стены была заставлена книжными полками, на которых лежали самые различные предметы, от одежды и обуви до больших спортивных сумок и рюкзаков, а также медицинские инструменты и книги. На одной из стен над полками были закреплены простые крючки, на которых тоже висела одежда. Вся противоположная стена была завешана мотками ярких веревок и различным альпинистским снаряжением. Чтобы не рассмеяться, Кристин прикусила губу.

— У тебя довольно... гм-м... оригинальный дизайн интерьера.

Пожав плечами, Алек обвел взглядом комнату, очевидно, не видя в этом хаосе ничего необычного.

— У меня такая система организации. Хранить все на открытых местах, чтобы ничего не потерять. Отсюда и проблема с такими мелочами, как бумажник или ключи. Поскольку ты их не видишь, ты думаешь, что они где-то в кармане, но когда ты лезешь в карман, выясняется, что там нет ни бумажника, ни ключа.

— Ладно, с этим все ясно, но зачем тебе столько веревок?

Он посмотрел на стену.

— Это же альпинистское снаряжение. Ты когда-нибудь ходила в горы?

— С моей боязнью высоты? Никогда!

— Ладно, я покажу тебе, как этим пользоваться.

— Сейчас?!

Алек вытащил ее из кровати.

— Прямо сейчас.

Он начал показывать ей всякие приспособления и совершенно непонятные штуковины и в конце концов настоял на том, чтобы она, застегнув хромированную пряжку чуть ниже пупка, нацепила на себя альпинистские ремни, которые плотно охватили ее бедра. Поскольку Кристин все еще оставалась обнаженной, все это выглядело довольно странно.

— Ничего себе! — сказала она, глядя на веревку, которую он держал. — Это просто какое-то сексуальное извращение.

Алек перевел взгляд с веревки на нее.

— Ты права.

Прежде чем Кристин успела опомниться, он сделал петлю и обхватил веревкой ее запястья. С глухим стуком альпинистский пояс упал на пол.

— Алек!

— Ага! Попалась!

Кристин взвизгнула, когда он перекинул ее через плечо и бросил на кровать.

— Что ты делаешь?

Алек поднял ей руки над головой и закрепил веревку на спинке кровати. Кристин охватило странное возбуждение, когда она дернула за веревку и поняла, что он действительно привязал ее.

— Алек, это не смешно. Отпусти меня.

— А если нет? — В его глазах плясали озорные огоньки.

Кристин посмотрела на него, и ее сердце заколотилось. Алек улыбался, но в его взгляде читалось отчаянное намерение по-настоящему изнасиловать ее. При этой мысли где-то глубоко внутри ее зашевелилось первобытное желание.

Кончиками пальцев Алек коснулся подбородка Кристин и медленно провел рукой вниз по шее, к груди.

— Думаю, теперь настала моя очередь.

— Алек. — Ее дыхание стало прерывистым, соски напряглись. Желание быстрой волной пронеслось по телу, и Кристин безумно захотелось полностью подчиниться его воле, разрешив Алеку делать все, что ему захочется. — Я в этом ничего не понимаю.

— Зато я понимаю. Я позволил тебе позабавиться. Если мы поменяемся ролями, это будет вполне честная игра.

— Я тебя не связывала! — Кристин потянула за веревку.

— И все равно я чувствую себя обязанным... м-м-м... ответить любезностью на любезность.

Алек развел бедра Кристин и расположился у нее между ног, целуя ее живот и спускаясь все ниже. Она не отрываясь следила за его движением, и ее сердце бешено колотилось. Вот его губы легко коснулись кожи под ее пупком, потом последовало легкое прикосновение языка. Чтобы облегчить себе доступ, Алек, скользнув руками под ее ягодицы, слегка приподнял бедра Кристин. С широко разведенными ногами, с надежно связанными руками она чувствовала себя совершенно беззащитной.

Кристин никогда и никому не доверяла настолько, чтобы позволить это. Собственная беспомощность возбуждала ее, и это пугало Кристин, но одновременно возбуждало еще сильнее.

— Алек, нет, развяжи меня.

Он поднял глаза и внимательно посмотрел на нее, едва заметно улыбаясь.

— Если ты говоришь «нет» и действительно подразумеваешь это, я не буду.

Кристин посмотрела на него, дыхание ее было неровным, а сердце громко стучало — все ее тело стремилось к этому эротическому приключению.

— Просто... я никогда этого не делала.

— Это еще не значит «нет». — Алек улыбнулся, и его губы снова коснулись ее.

— О Боже! — Кристин выгнула спину и, отдавшись наслаждению, закрыла глаза.

Когда Алек почувствовал, что Кристин близка к экстазу, он уверенным движением согнул ее колени. Она открыла было рот, собираясь запротестовать, но только охнула, когда он вошел в нее одним сильным толчком.

После этого она окончательно утратила чувство реальности, погрузившись в волны чувственного удовольствия.

Когда ураган стих, обессиленная Кристин лежала и, блаженно улыбаясь, бездумно глядела в потолок.

— Не могу поверить, что ты заставил меня кричать.

— Три раза. — Алек приподнялся и развязал ей руки. Увидев красные следы на ее запястьях, он нахмурился. — Надеюсь, я не сделал тебе больно?

— Если даже и сделал, оно того стоило, — пробормотала Кристин, все еще не в силах прийти в себя от удовольствия. — Я была не в том состоянии, чтобы заметить это. Боже мой! Кто бы мог подумать, что я позволю себя связать!

— М-м-м... — Алек пристально смотрел на нее. — По моей теории, большинство женщин, которые любят держать все под контролем, с не меньшим удовольствием утрачивают его.

Кристин взглянула на него и спросила:

— Так ты делал это раньше?

— Я думаю, не стоит обсуждать это. — Алек скупо усмехнулся.

Она покачала головой:

— Только подумать! Когда мы с тобой познакомились, я подумала, что ты сама невинность, настоящий мальчик из церковного хора.

— Да, внешность бывает обманчива. — Алек взбил подушку и устроился поудобнее. — Когда я учился в школе и мне приходилось выкручиваться из-за прогулов, это действительно отлично срабатывало. «Нет, господин школьный надзиратель*. Это не меня вы вчера видели прогуливающим уроки. Я был дома, болел».

Алек три раза кашлянул.

— Как же ты испорчен!

— Что-то я не слышал, чтобы минуту назад ты жаловалась на это. Что ты там говорила? «О да, о Боже мой, да!»

— Прекрати! — Кристин ударила его по плечу, но в ее голосе звучал смех, а не раздражение. — И что, у тебя есть еще какие-нибудь эксцентричные идеи?

— Конечно, милая.

— И какие же, например? — Она с любопытством взглянула на него.

— Из самых последних? Заняться этим в подъемнике.

— Ты издеваешься?!

— Понимаешь, каждый раз, когда я смотрел в твои глаза, когда мы поднимались... — Он провел кончиком пальца по ее щеке.

— Ты представлял, как мы занимаемся любовью?

— Эй, док, я ведь мужчина. Я всегда думаю о сексе. Послушай, а может, это позволит тебе избавиться от твоего страха высоты? Как насчет того, чтобы попробовать это завтра? Оставь свою семью и проведи день со мной. А еще лучше проведи со мной и ночь тоже.

— Ты же знаешь, я не могу этого сделать. Кстати, который час? — Кристин повернулась, чтобы взглянуть на часы на тумбочке. — Ничего себе! Мне пора домой.

— Пожалуйста, останься. — Алек схватил ее за руку.

* В американской школе — надзиратель, обнаруживающий прогульщиков и направляющий их в школу.

— Не могу. — Она выскользнула из его объятий. — Что подумает моя семья?

— Кого это волнует? Ты ведь взрослый человек.

— Нет, правда. — Кристин стала собирать свою одежду. — Мне нужно домой.

— Ну хорошо. — Алек тяжело вздохнул и сел. — Я тебя провожу.

— В этом нет необходимости.

Он сердито посмотрел на нее:

— Ладно, давай договоримся кое о чем. О моей семье мало чего можно сказать хорошего, но, когда дело касается этикета, мы, Хантеры, всегда на высоте. Я провожаю тебя домой. Я открываю перед тобой дверь. Я придерживаю тебе стул. Это понятно?

Кристин усмехнулась:

— Могу я быть неполиткорректной и сказать, что мне это нравится?

— Можешь.

Они оделись и, смело выйдя навстречу холоду, торопливо пошли по улице. Уже стоя в холле дома ее родителей, Алек обнял Кристин и поцеловал.

— Я увижу тебя завтра? — спросил он.

— Это зависит от того, что у тебя на уме. — Она стояла, обхватив его руками, и улыбалась.

— Чем бы ты хотела заняться? — спросил Алек с намеком.

Кристин рассмеялась:

— Многим.

— А как тебе такая идея: мы возьмем снегоход и проверим одну из наших отдаленных баз? Хочешь поехать со мной?

— На снегоходе?

— Без всяких глупых трюков, вроде тех, что устроили Пол и Тед. Мы можем взять с собой еды, развести костер и изображать застрявших в снегу первопроходцев. Будто бы нас застигла буря. Укрывшись одеялами, мы станем отогревать друг друга.

— Подожди, подожди. — Кристин загорелась, и у нее появилась собственная идея. — А может, где-то высоко в горах одинокая вдова найдет раненого альпиниста?

— И я очнусь в твоей постели, и мы оба будем обнаженными, потому что ты отогревала меня теплом своего тела?

— Точно.

— Решено.

— Хорошо. — Дверь лифта открылась. — Теперь я должна идти. Правда.

— Подожди. — Одной рукой Алек придерживал дверь лифта, другой сделал движение, словно пытаясь смахнуть что-то с ее носа.

— Что? — Кристин замерла, не понимая, в чем дело.

Вместо того чтобы легко смахнуть что-то кончиком пальца, он, не снимая перчатки, пошевелил рукой перед ее лицом.

— Нет, не получается.

Она недовольно мотнула головой и сердито прошипела:

— Что ты делаешь?

Алек ухмыльнулся:

— Я пытался стереть с твоего лица это выражение — «О Боже! У меня только что был секс».

Кристин довольно усмехнулась и быстро поцеловала его.

— Поверь мне, Алек, действительно нет времени на разговоры.

Улыбнувшись, он отпустил дверь и отступил назад. Двери лифта закрылись, а Алек еще некоторое время стоял с глуповато-довольной улыбкой на лице.

Позднее в тот же вечер, после того как вся семья наконец отправилась спать, Кристин открыла свой ноутбук, чтобы отправить по электронной почте сообщение Мэдди и Эйми.

Тема: Я влюбилась!

Сообщение: Это не огромная любовь с большой буквы, но Алек Хантер — это здорово!

Вчера она уже сообщила подругам, что он далеко не безработный, и теперь собиралась рассказать им о своем первом безумном свидании с ним.

Глава 14

Всегда имейте план на случай непредвиденных обстоятельств.

«Как сделать свою жизнь идеальной»

— Эй, Хантер, а где же Крис? — спросил Джефф, когда неделю спустя они стояли в гараже пожарной станции. — Я думал, что она тоже будет с нами.

— Так оно и есть, — заверил его Алек, хотя сам задавал себе аналогичный вопрос уже на протяжении часа. Несколько волонтеров с супругами и детьми собрались в это утро, чтобы украшать грузовик для зимнего праздничного парада. Начиная с той спасательной операции, Кристин стала равноправным членом команды, она проводила с Алеком время в баре и участвовала в обсуждении предстоящего парада. Волонтеры с радостью приняли ее в свой круг и теперь относились к ней с той же доброжелательностью, с какой относились друг к другу.

— Возможно, она задерживается, выполняя срочные поручения твоей жены.

— Надеюсь, она не забудет о парике, — засмеялся Брайан. Устанавливая мачту, они с Крейгером возились в кузове грузовика, который должен был превратиться в корабль. — Мне не терпится увидеть нашего лейтенанта с длинными локонами.

— Поосторожней, трепач, — предупредил Крейгер, — я еще на это не подписался.

— Брось, парень, — заныл Брайан, стараясь перекричать стук молотков и визг пилы. — Эта идея с кораблем просто бесподобна. Когда мы появимся, все выпадут.

— Как пить дать, — подтвердил Алек, пыхтя подтаскивая с Джеффом к капоту грузовика нос корабля, сборку которого команда только что закончила. Команда спасателей должна была непременно затмить всех остальных и одержать победу в ежегодной борьбе за желанный титул, присуждаемый Торговой палатой, и получить право хвастаться этим в течение всего года.

— Мы заткнем пожарных за пояс. — Джефф пренебрежительно кивнул в сторону двора, где соперники превращали пожарный автомобиль — его шутливо-ласково называли «Рыжий великан» — в гигантские сани Санта-Клауса.

— Салазки Санты, — усмехнулся Брайан. — Никакой фантазии! Ну и что, что их сани в десять раз больше? Правда, и сирена у них громче, и огней много. И каждый год они срывают больше аплодисментов. Но в этом году на нашей стороне будет оригинальность идеи, и она должна сработать.

— Оригинальность есть, — согласился Джефф — они с Алеком крепили нос корабля к оградительной решетке. — И это благодаря подружке Алека.

Алек горделиво улыбнулся, вспомнив день, когда они выбрали эту тему. Вдохновившись прозвищем Алека, Кристин предложила тему — Рождество на затерянном острове Гдетотам. Команде понравилась эта идея, и, чтобы выиграть состязание, все с воодушевлением взялись за реализацию проекта. И вот теперь дело близилось к финалу, а Кристин нигде не было видно. Пока остальные, усердно стуча молотками, продолжали нахваливать свою оригинальную задумку, Алек размышлял о том, что не давало ему покоя в течение последних пяти дней: как уговорить ее переехать в Колорадо. После того как предложение о замужестве глупым образом сорвалось у него с языка, он слишком нервничал, чтобы затронуть менее пугающую тему — вопрос о ее переезде. И теперь до возвращения Кристин в Техас у него оставалась только одна неделя.

Может, спросить ее об этом прямо сейчас, тогда у нее будет время привыкнуть к этой мысли? А может, лучше подождать и предложить это в какой-то необычной романтической обстановке, после того как они проведут вместе больше времени? Откуда ему знать? Ни одна женщина не нравилась ему настолько, чтобы задумываться о чем-то серьезном.

При мысли, что она может отказаться от его предложения, неприятно сводило живот. А если она опять подумает, что он шутит, и снова будет смеяться? Они знакомы около двух недель. Как можно убедить ее в серьезности своих намерений?

Сейчас ему нужен был хороший здравый совет. Алек посмотрел на Джеффа. Они с ним трудились над палубой корабля и находились вне пределов слышимости остальных. Алек откашлялся.

— Послушай, Джефф, вот ты женат. Можно тебя кое о чем спросить?

— Если только твой вопрос не о женщинах.

— Вообще-то именно о женщинах.

— Подожди, я должен это слышать. — Крейгер облокотился на кабину грузовичка. — Когда мужчины дают советы, касающиеся женщин, это всегда любопытно. Это как слепой ведет слепого.

Алек бросил на него сердитый взгляд:

— Ладно, Крейгер, раз уж ты такой умный, возможно, ты сможешь помочь.

— Сомневаюсь, — ответил Крейгер, — но давай выкладывай, приятель.

Алек глубоко вдохнул, чтобы успокоиться.

— Во-первых, полагаю, я должен упомянуть, что у меня самые серьезные намерения по отношению к Крис...

— Не может быть! — Крейгер изобразил изумление. — А то никто бы об этом не догадался! Эй, ребята! — Он повернулся к группе парней, занятых строительством острова. — Экстренное сообщение. Только что поступило. Хантер запал на докторшу.

Сообщение встретили дружным хохотом.

— Прекрати! — Алек бросил взгляд через плечо, чтобы убедиться, что Кристин еще не появилась.

— Так что ты хотел узнать? — Джефф подвинулся, пропуская свою четырехлетнюю дочь, которая искренне хотела помочь взрослым. На самом деле толку от Колин было немного, но путалась под ногами она весьма талантливо.

— Вот так, папа? — Колин сморщила лоб, сгибая проволоку.

— Точно, малышка. — Джефф улыбнулся девочке.

— Ну ладно, дело вот в чем. — Алек задумался, подыскивая слова. — Я хочу уговорить Крис переехать сюда, но каждый раз, когда я начинаю разговор на эту тему, я покрываюсь холодным потом и напрочь перестаю что-либо соображать.

— Мне знакомо это чувство. — Джефф широко раскрыл глаза, вспоминая о чем-то своем.

— Ну так вот... — Алек с трудом выдавливал слова. — Как к этому подступиться? Понимаешь, спросить женщину о чем-то по-настоящему... важном?

Брайан вынырнул из-за крыши грузовика, и они с Крейгером уставились на Алека.

— Ты собираешься сделать этой красотке докторше предложение? Сначала Уилл, а теперь ты? Это уже напоминает массовое дезертирство.

— Нет, черт побери! — солгал Алек. — Мы знакомы только две недели. Я не собираюсь делать предложение. Я просто хочу попросить ее переехать сюда.

— Иногда бывает достаточно и двух недель, — сказал Джефф. — Правда, Линда?

— Что? — Из-за грузовика послышался голос его жены.

«Замечательно, — подумал Алек, — давайте устроим всеобщее совещание».

Джефф повысил голос:

— Сколько времени нам потребовалось, чтобы понять, что все это серьезно?

— Дай подумать, — ответила Линда. — У меня желание возникло, как только ты появился в моем офисе, чтобы починить «винчестер». Правда, пока ты его не починил, желание не превратилось в любовь.

Решив, что совет женщины будет весьма кстати, Алек подвинулся в сторону, чтобы видеть жену Джеффа.

— Мы говорим серьезно, Линда.

— Я тоже. — Она пожала плечами, шелестя целлофаном, который должен был изображать воду. — Мужчины думают, что на женщин производит впечатление вся эта мужская крутизна. Поверь мне, когда у меня летит жесткий диск, мне нужен мужчина, который может его завести. Ну а тот факт, что компьютерный фанат Джефф обладает телом скалолаза, никак не мешает.

Джефф наклонился к Алеку и изогнул бровь.

— Это тоже ее заводит.

— Ты о чем там? — Линда, прищурившись, взглянула на мужа.

— Ни о чем, — отозвался Джефф с самым невинным видом.

Алек встал.

— Все это, конечно, очень любопытно, но мне это ничего не дает. У кого-нибудь есть толковая мысль, как мне убедить Крис переехать сюда?

Посыпались самые разные предложения — от предложения обсудить этот вопрос в горах, поскольку Крис нравится кататься на лыжах, до предложения Брайана устроить великолепный секс и сразу после этого обсудить вопрос о переезде. Крейгер шлепнул Брайана по голове и напомнил о том, что их могут услышать дети.

— «Руссо» — наконец удалось вставить Джеффу.

— Что? — Алек нахмурился.

— Своди ее в ресторан «Руссо». — Джефф поднял дочку и усадил к себе на колени. — Там тихо, уединенно и замечательная атмосфера. Угости ее вкусной едой, закажи бутылку хорошего вина, потом обрати ее внимание на вид из окна — а вид оттуда открывается потрясающий — и скажи: «А разве тебе не хотелось бы жить здесь?»

Алек фыркнул:

— «Руссо» мне не по карману.

Джефф поднял бровь:

— Ты хочешь, чтобы она сюда переехала или нет?

Алек не успел ничего ответить, как в ангар влетела раскрасневшаяся и запыхавшаяся Кристин с охапкой костюмов в руках.

— Ты ни за что не угадаешь, что я сейчас тебе скажу!

Алек бросил на всех предостерегающий взгляд и двинулся к ней.

— Наконец-то. Мы уже начали думать, что ты забыла о нас.

— Здравствуй, Крис! — раздались приветственные возгласы.

Она положила живописный сверток на скамью и чмокнула Алека в щеку. Ее глаза сияли от возбуждения.

— У меня потрясающие новости.

— Что такое? — Он улыбнулся, думая, что любые новости, которые заставляют ее светиться от счастья, должны быть хорошими.

— Мой отец сегодня утром звонил Кену Хатченсу, главному исполнительному директору больницы Святого Джеймса, чтобы поздравить его с Рождеством. Ух, не могу отдышаться! — Кристин начала стягивать перчатки. — Очевидно, в связи с рекомендацией, которую мне дал отец несколько дней назад, Кен начал наводить обо мне справки.

— Да? — Улыбка Алека застыла. Он мог назвать только одну причину, по которой исполнительный директор будет наводить справки о новоиспеченном травматологе.

Кристин расстегнула молнию на парке.

— По-видимому, коллеги в больнице Брекенридж, где я проходила резидентуру, не поскупились на похвалы.

— Да? — буркнул он. Это было не к добру.

— В больнице Святого Джеймса открылась вакансия в отделении неотложной медицинской помощи, и... — Кристин в молитвенном жесте сложила ладони, — Кент Хатченс сказал, что хотел бы поговорить с моим «охотником за головами»* на предмет подписания контракта, если меня это интересует! — Она взвизгнула и бросилась Алеку на шею.

— Вот это да! — Он пошатнулся, сделав шаг назад, не столько от удара ее тела, сколько от потрясения, которое вызвала эта новость. Словно в тумане, он обнял ее. — Это... замечательно.

— Это не просто замечательно. — Кристин сделала шаг назад, протянула руки и закружилась, как маленькая девочка. — Это самый чудесный рождественский подарок, о котором можно только мечтать!

— Лучше, чем домик для Барби? — спросила Колин. — Мне его принесет Санта-Клаус. Папа обещал.

— Намного лучше, чем волшебный домик от Санты. — Кристин улыбнулась девочке.

Алек, будто окаменев, стоял и слушал, как она с радостным воодушевлением рассказывает о предложении работать в Остине. В голове у него шумело, как после пары пинт пива.

---

* «Охотник за головами» (head hunter) — человек, вербующий специалистов.

— Так, посмотрим, что я могу сделать. — Кристин осмотрелась вокруг, не замечая, что все бросают на Алека сочувственные взгляды. — Ах да, костюмы! Линда, я нашла все по нашему списку. — Повернувшись к груде одежды, Кристин вытащила длинный черный парик и подняла его. — Крейгер, я даже нашла парик капитана Крюка, так что теперь вам не отвертеться.

Он проворчал что-то себе под нос и вновь занялся мачтой. Остальные также вернулись к работе.

Алек откашлялся, стараясь не показать виду, что она только что нанесла ему удар ниже пояса.

— Судя по всему, ты действительно очень хочешь получить эту работу.

— Ты даже не представляешь, как хочу, — возбужденно ответила Кристин.

— Тогда это нужно отпраздновать. — Алек сумел выдавить улыбку. — Как ты посмотришь на то, если я приглашу тебя в «Руссо»?

— О! — Кристин резко остановилась и посмотрела на него удивленным взглядом. — В этом нет необходимости. Мы можем сходить в паб.

Другими словами, она тоже думает, что этот ресторан ему не по карману.

— Но чтобы отпраздновать, мне действительно хочется сводить тебя в какое-нибудь шикарное заведение.

— Ты уверен?

— Абсолютно. — Алек смог улыбнуться, хотя уже начал думать, что на ее переезд потеряна всякая надежда. — Я закажу столик на вечер.

— Хорошо. Честно говоря, звучит очень заманчиво.

— Но сначала... — Он осмотрелся вокруг, пытаясь собраться с мыслями. — Надо закончить здесь.

— Это для тебя, Питер Пэн. — Она достала из своей груды зеленую шляпу и водрузила ему на голову, потом посмотрела на Бадди. — А для тебя, мой мохнатый дружок... — Кристин напялила белую шляпку на голову Бадди и захлопала в ладоши. — Какая прелестная Нэна!

Бадди одарил ее преданной собачьей улыбкой, совершенно не подозревая, что его мужское достоинство было только что оскорблено.

— А себе ты нашла костюм? — спросил Алек.

— Да. — Кристин достала голубую ленточку и завязала волосы на затылке, потом накинула на плечи старомодную ночную сорочку. — Как тебе?

Алек заправил прядку белокурых волос ей за ухо.

— Из тебя получится очень сексапильная Венди.

— Спасибо. Хотя мне следовало побороться с Колин за роль феи Динь-Динь. Это гораздо интереснее.

— Только Питер больше любит Венди.

— Недостаточно, чтобы повзрослеть и быть с ней в реальном мире. Но я его не виню. — Кристин наморщила нос. — Венди такая примерная девочка.

Алек наклонился к ней и прошептал на ухо:

— А вдруг, когда Венди станет старше, она не сделает на ягодице татуировку с изображением озорной дьяволицы?

— Мне нравится эта идея. Хорошо, я буду Венди с душой феи Динь-Динь. — Кристин приподняла бровь и прошептала: — Возможно, мы сможем переписать эту историю и у нас Питер Пэн все-таки вырастет, тогда они с Венди смогут заниматься самым эксцентричным сексом.

— Вечное детство или эксцентричный взрослый секс? — Алек взвесил два варианта и покачал головой. — Если бы он только знал, то, вероятно, все-таки стал бы взрослым. В тот же миг!

Кристин засмеялась и посмотрела на Алека таким счастливым взглядом, что он пронзил его в самое сердце. К счастью, прежде чем он успел ляпнуть какую-нибудь глупость, она сменила тему:

— Ты приготовил конфеты, которые пираты и русалки будут бросать в толпу?

— Приготовил. — Он постарался выбросить грустные мысли из головы и пошел к задней части грузовика. В кузове стояли коробки с сигнальными фонариками размером с пластиковую кредитную карточку, на их корпусах красовались номера телефонов «Скорой помощи» и службы спасения. — Как тебе?

— Ой! Это будет раздавать Питер Пэн, отлично, лучше не придумаешь.

— Правда? — Алек нахмурился. — Я просто подумал, что они идеально подходят для раздачи спасателями. Какая тут связь с Питером Пэном?

— Смотри. — Кристин подняла один фонарик и, вытянув руку, посветила на себя. — Вторая звезда справа, горит до самого утра. По этому ориентиру можно найти путь на остров Гдетотам.

— И все равно я считаю, что мы были лучшими, — в сотый раз с момента окончания парада проворчал Алек.

— Согласна. — Кристин с трудом сдержала улыбку. Они вошли в кабинку лифта, чтобы подняться в ресторан «Руссо». Алек походил на спортивного фаната, команда которого проиграла из-за спорного решения судьи.

— У нас украли нашу победу. — Он продолжал настаивать на своем, нажимая кнопку верхнего этажа.

— Совершенно верно.

— Ну как судьи могли выбрать Стива?

— Взгляни на это с другой стороны. — Кристин взяла в руки его ладонь, подумав о том, как красив Алек во всем черном, от кожаной куртки и водолазки до широких брюк и модных ботинок. — По крайней мере хоть пожарные не выиграли.

— Верно, но почему Стив?

— Ну ладно, согласись, что его выступление было действительно талантливым. Шериф в роли черта, похитившего Рождество. Это действительно забавно!

— Возможно. — Алек нахмурился. — Но наш корабль был лучше.

— Совершенно согласна. — Кристин взяла в ладони его лицо, желая полностью завладеть его вниманием. — Если бы я сказала тебе, что на мне нет нижнего белья, твое настроение бы улучшилось?

— Ты это серьезно? — Взгляд Алека скользнул по темно-серому пальто, надетому поверх длинного темно-синего платья. — Под этим у тебя действительно ничего нет?

— Есть, но ведь мне удалось на секунду заставить тебя позабыть о параде, верно?

— Так нечестно, Крис. Ты соблазняешь меня надеждой, а потом ее отнимаешь. Ты меня еще больше расстроила.

Она засмеялась и коснулась губами его губ. «Я люблю его», — подумала она. Потрясенная этой мыслью, Кристин отпрянула и внимательно посмотрела на Алека.

— Что такое? — Он нахмурился, увидев странное выражение, появившееся на ее лице.

— Ничего, — ответила она, и в это время двери лифта открылись.

Пока они шли через фойе к распорядителю, стоявшему у богато украшенного дверного проема, Кристин пыталась привести в порядок внезапно смешавшиеся мысли. Не может быть, чтобы она влюбилась. Ей приятно проводить время с Алеком, но ведь это не означает, что она его любит. По сути, они едва знакомы.

И все же... иногда у нее возникало ощущение, что он ее знает, понимает ее и относится к ней так, как никогда не понимал и не относился ни один мужчина.

Но ведь и живут они в разных штатах. Она просто не имеет права влюбиться в него.

— Сюда, пожалуйста, — сказал распорядитель и повел их в освещенный приглушенным светом ресторан, который занимал весь верхний этаж. Вдоль стеклянной стены располагались отдельные кабинки, разделенные панелями из темного дерева. Обстановка была интимной с очарованием Старого Света. Спокойные мелодии итальянской народной музыки пряно оттенялись ароматами соусов и свежеиспеченного хлеба.

Распорядитель остановился у свободной кабинки:

— Надеюсь, здесь вам будет удобно.

— Превосходно. — Алек кивнул. — Спасибо.

— Хорошо. — Мужчина положил на столик меню, карту вин и зажег свечу. — Официант сейчас подойдет. Приятного аппетита.

— Какой великолепный вид, — сказала Кристин, когда Алек помог ей снять пальто.

— Действительно великолепный, — согласился он.

Покрытые снегом горные вершины сверкали под звездным небом голубоватой белизной. На площади вокруг катка сияли золотистые огни магазинов, кругом прогуливались люди в ярких зимних нарядах. Открывшаяся картина живо напомнила Кристин о детской игрушке —

снежном стеклянном шаре с тихо опускавшимся на крошечные домики снегом.

Алек повесил одежду, вернулся и сел рядом с Кристин.

Появился официант в белоснежной рубашке и переднике поверх черных брюк.

— Вы будете заказывать вино?

Алек взял карту вин и нахмурился:

— Я не большой знаток вин, может быть, ты выберешь что-нибудь.

Кристин не нужно было заглядывать в меню, чтобы убедиться, что здесь все безумно дорого. Она улыбнулась официанту:

— А нет ли у вас итальянского пива?

— Могу предложить «Моретти», — ответил он.

— Звучит заманчиво. Мне пиво и воды, пожалуйста.

— Хорошо. А вам, сэр?

— То же самое, — ответил Алек с облегчением.

Официант отошел, и Кристин взяла меню.

— Интересно, есть ли у них настоящая итальянская пицца?

— Совершенно не обязательно заказывать пиццу, — заверил ее Алек. Потом он открыл меню, и его глаза слегка округлились.

«Как раз обязательно», — подумала Кристин, глядя на цены.

— Ты не представляешь, как давно я не ела настоящую пиццу. — Она пробежала глазами меню и увидела, что даже пицца в этом ресторане стоит недешево. Но это все же лучше, чем омары с тонкой лапшой втрое дороже, чем в любом другом месте. — Ага! У них есть «куатро стаджони», пицца четырех времен года, моя любимая.

Алек засмеялся:

— Стоило вести девушку в шикарный ресторан, чтобы она заказала пиццу и пиво.

— Ну как же без них! А что ты будешь?

— Старое доброе спагетти с фрикадельками, если оно здесь есть. — Алек, словно прилежный ученик, рассматривал меню, в котором под итальянскими названиями блюд давалось их описание на английском языке.

— Слушай, тебя не раздражает, что в ресторанных меню все так запутано, что даже заказ сделать трудно? — Кристин шутливо сморщила нос, стараясь снять напряженность, которую, как ей показалось, испытывал Алек. На самом деле он считал ресторанную претенциозность более забавной, чем пугающей. Кристин склонилась ближе, читая меню. От нее пахло свежестью и простотой, как и всегда. Никаких вычурных духов или смеси ароматов от множества сталкивающихся запахов лосьонов и гелей для волос. — Вот. — Она постучала по меню. — Spaghetti e polpette*.

— Ты говоришь по-итальянски?

— Нет, но я знаю названия блюд на нескольких языках. Когда путешествуешь по Европе, становишься перед выбором: либо набираться этой лексики, либо объясняться знаками. С «методом проб и ошибок» я пару раз вляпывалась, и мне приносили нечто совершенно невообразимое.

— Ладно, тогда выбирай закуски.

Он протянул ей меню. Кристин раскрыла богато украшенную книжицу, а Алек, расслабившись, откинулся на спинку удобного диванчика.

— Так, посмотрим. Я бы взяла формаджи, это сырное ассорти, или жареных calamari.

---

* Спагетти с фрикадельками (*ит.*).

— Это кальмары? — Он насупился. — Думаешь, мне понравится?

— Не знаю, но я это обожаю. — Ее глаза блестели в свете свечи.

— Тогда закажи и то и другое. — Он погладил ее волосы. — Я жутко голоден.

— Ты всегда голоден. — Кристин засмеялась.

Вспомнив, с какой целью он пригласил ее сюда, Алек ощутил странное сочетание возбуждения и нервозности. Но не мог же он просто так выпалить: «Как ты посмотришь на то, чтобы переехать сюда?» Они даже и заказ еще не успели сделать. Необходимо выждать. Дождаться благоприятного момента. А потом не торопясь перейти к этому щекотливому вопросу.

К сожалению, во время ужина нервозность Алека только возросла. Ему с огромным трудом удалось сохранить сосредоточенность, он едва мог следить за рассказом Кристин о том, как семья Эштонов путешествовала по Европе, когда она была еще маленькой. Глядя на Кристин, Алек думал о том, как сильно ему хочется, чтобы она осталась с ним навсегда. Жить вместе и вместе стареть. Боже! Он становится таким же сентиментальным, как и Уилл.

Когда принесли десерт и капуччино, Алек понял, что времени у него осталось совсем мало.

— Ты что-то притих, — сказала Кристин, наклоняя голову и пытаясь заглянуть ему в глаза. — Ты ведь не о параде сейчас думаешь, правда?

— Нет. Я... думал о... совсем о другом.

— Правда?

— Да.

Момент настал. Алек сделал глубокий вдох и накрыл ее пальцы своей ладонью.

— Я думал о том, какое удовольствие я получаю, проводя время с тобой.

Кристин улыбнулась, и Алек понял, что это хороший знак. Он очень надеялся на это.

— Мне тоже очень нравится встречаться с тобой. На самом деле я никогда раньше ни с кем не чувствовала себя так... уютно и спокойно.

— Я тоже.

Он почувствовал, как она сжала его пальцы.

— Я буду скучать по тебе.

— Да. Ну. Гм-м... — Он откашлялся. — Кстати, я хотел спросить... насколько серьезно это предложение о работе в Остине?

— Очень серьезно, я надеюсь. — Восторг, засветившийся в ее глазах, сделал ее еще красивее.

— Я спрашиваю потому, что... ну... — напряжение сдавило ему грудь, — дело в том, что и здесь есть больницы.

— Я знаю. Но ни одна из них не сравнится с больницей Святого Джеймса.

— Да, но если бы тебе удалось найти место где-то поблизости, ты могла бы остаться. — Алек увидел, как на лбу у нее собрались морщинки, словно она пыталась понять истинный смысл его слов. Он крепче сжал ее руку. — Я не рассчитываю, что ты примешь быстрое решение или что-то в этом роде. Ты будешь здесь еще неделю, но, понимаешь, мне бы хотелось, чтобы ты подумала о переезде сюда. И мы сможем продолжать встречаться.

Алек наблюдал за тем, как до нее доходил смысл его слов. Ее глаза широко раскрылись от изумления.

— Я понимаю, что мы познакомились только две недели назад, но дело в том, что... — он поднял ее руку и коснулся губами ее пальцев, — ты меня просто сразила наповал.

Ему хотелось сказать Кристин, что он ее любит, обрушить на нее все свои эмоции, но ее ошеломленный взгляд остановил его. Его сердце бешено колотилось, а она продолжала молча смотреть на него.

Потом Кристин издала хрипловатый смешок, откинулась на спинку диванчика и повернулась к окну.

— И это происходит со мной! Я не могу в это поверить!

От этих слов внутри у него возникло ощущение страха. Оно усилилось и превратилось в панику, когда Кристин повернулась к нему с выражением сожаления в глазах.

— Алек, я... я действительно буду скучать по тебе, но эта работа очень важна для меня.

— Если тебе нужно время, чтобы все обдумать...

— Нет, — прервала она его. — Мне не нужно ничего обдумывать. Ничто в мире не заставит меня отказаться от этой работы. Пожалуйста, пойми, здесь нет ничего личного.

— Как это — ничего личного? — Его голос зазвучал чуть громче, он вдруг осознал, что она отвергла его, вот так, без секундного колебания. — Я говорю, что хотел бы продолжать встречаться с тобой, а ты даже не хочешь об этом подумать? Что это, если не личное?

— Это... — Кристин попыталась найти слова, потом передумала. — Знаешь, не обращай внимания. Тебе не понять, поэтому давай просто оставим эту тему.

— Нет уж, черт возьми! — Алек наклонился вперед, не давая ей отвести взгляд. — Поговори со мной. Попытайся мне объяснить.

— Алек, — она твердо посмотрела ему в глаза, — если бы мне предоставили право выбрать из всех больниц мира, я бы выбрала больницу Святого Джеймса.

— Почему?

— Потому что... — на ее лице проступило выражение неудовлетворенности, — всю свою жизнь я хотела доказать отцу, что я чего-то стою. Заставить его гордиться мною. — Кристин взяла его ладони в свои и с мольбой посмотрела на него. — Если я получу это место, у меня появится шанс. Я буду работать с людьми, которых очень ценит мой отец. У меня появится шанс доказать, что я хороший специалист. Действительно хороший. Такой же хороший, как Робби.

Алек смотрел на нее в замешательстве.

— Ты соглашаешься на эту работу только для того, чтобы произвести впечатление на своего отца?

Кристин отвела взгляд.

— Я же сказала, что ты не сможешь этого понять.

— Кристин... — Алек приподнял пальцами ее подбородок и снова заглянул ей в глаза. — Возможно, я лезу не в свое дело, но, похоже, желая получить эту работу, ты преследуешь неверную цель. Ты ведь знаешь, что это положение никогда не изменится. Этот роковой треугольник — ты, твой отец и брат — будет существовать всегда.

— Нет, положение уже меняется! — К Кристин вернулась некоторая доля прежнего возбуждения. — Разве ты не видишь? Сегодня утром, после того как отец рассказал мне о Кене Хатченсе и о том, какие лестные отзывы он услышал обо мне, он совершенно искренне заявил, что услышанное произвело на него большое впечатление.

— Большое впечатление, — сердито произнес Алек. — Неужели этого достаточно?

— Ты шутишь? Это великолепно!

— Значит, ты собираешься уехать в Техас, устроиться там на работу, и все это ради того, чтобы произвести впечатление на отца? И ты даже подумать не хочешь о том, чтобы поискать работу здесь? Разве ты не сможешь произвести на него впечатление, работая где-нибудь в другом месте?

— Это не одно и то же.

— Но...

— Нет. Никаких «но». Я соглашусь на эту работу, чего бы мне это ни стоило. — Кристин отвернулась и с плохо скрываемым раздражением начала ковыряться в десерте. — Дискуссия закончена.

Алек смотрел на нее, не веря своим ушам.

— Значит, я должен оставить эти разговоры?

— Да.

— Но...

Кристин бросила на него раздраженный взгляд:

— Хочешь, чтобы мы поссорились?

Да, подумал он. Ему хотелось спорить, настаивать на своем и в конце концов заставить ее быть откровенной с ним. Но вместо этого он откинулся на спинку дивана и уставился в окно, размышляя о том, какой у него есть выбор. Они могут довести этот спор до конца сейчас, или же он может дать ей несколько дней на обдумывание, а потом вновь вернуться к этой теме. Возможно, ей нужно время, чтобы их отношения окрепли.

Время, чтобы она полюбила его.

А если этого никогда не произойдет? Если у нее никогда не возникнет это волнующее, захватывающее чувство, которое он испытывает к ней?

В его распоряжении есть неделя, чтобы завоевать... или окончательно потерять ее.

Все внутри его кипело, когда он, кивнув, сдержанно произнес:

— Хорошо. Оставим это. Пока оставим.

Глава 15

Легче говорить об общении, чем общаться.

«Как сделать свою жизнь идеальной»

Когда они шли к дому Алека, Кристин чувствовала, как ощущение некоторой неловкости встает между ними. Они не разговаривали, не держались за руки и даже не шли под руку, как это обычно бывало. Алек шел ссутулившись, глядя прямо перед собой и засунув руки в карманы черной кожаной куртки, словно ему было холодно. На самом деле ночь была мягкой, повсюду, любуясь рождественскими огнями и рассматривая украшенные витрины магазинов, прогуливались люди.

Кристин задела его чувства. Но что она сказала? Как она все объяснила?

Даже когда они поднялись в его квартиру, неловкость не исчезла. Алек пробормотал, что ему надо вывести Бадди, и оставил ее одну. Кристин повесила на вешалку у двери свое пальто и включила огоньки на маленькой рождественской елочке, которую они вместе покупали и украшали. Алек сказал, что это первая елка в его взрослой жизни, потому что ему никогда не приходила в голову мысль купить елку только для себя.

Кристин было даже веселее наряжать эту елку, чем ту, которую Натали и Робби тайком притащили для детей. Они с Алеком сами сделали украшения, изготовив гирлянды из поп-корна и повязав красную ленточку вокруг палочек с леденцами. Из фольги они сделали оригами — фигурки животных, и теперь в них отражались разноцветные огни, создавая празднично-волшебный эффект.

Теребя рукой лягушку из фольги, Кристин вспоминала, как они дурачились прошлым вечером, как смеялись до коликов и как занимались любовью при свете елочных огоньков. Эти воспоминания потускнели, когда она вспомнила о сцене в ресторане, которая оставила ее в состоянии полушока. Алек хотел, чтобы она переехала в Колорадо. Он говорил и смотрел на нее, и от его взгляда все у нее внутри бурлило от радости, а потом это чувство исчезло, и из нее словно выпустили воздух.

Кристин в оцепенении обводила взглядом небольшую гостиную-столовую. Его квартира была ненамного меньше, чем ее квартира в Остине, но обставлена она была подержанной и разномастной мебелью и вместо картин в рамах на стенах висели плакаты с изображением сноубордистов и лыжников. Все в этой квартире было настолько в духе Алека, что ей нравилось бывать здесь. За это короткое время здесь у них было столько приятных и забавных моментов.

Если бы она переехала в Колорадо, предложил бы он ей жить вместе с ним? От этой мысли в ее сердце возникло страстное желание.

Ну почему жизнь так жестока? Неужели Парки* получают удовольствие, играя людьми? Соблазняют испол-

* Парки — три богини в греческой мифологии, предопределяющие ход развития человеческой жизни.

нением самых потаенных желаний, а потом назначают за это непомерную цену.

Как раз в это утро Кристин узнала, что, возможно, сбудется мечта всей ее жизни. Воодушевленная, она летала весь день, и вот теперь Парки говорят ей: «Погоди, есть одно «но». Как быть с твоей второй мечтой — о хорошем мужчине, которого бы ты любила и который любил бы тебя? Исполнение этой мечты может быть или не быть во второй шкатулке. И единственный способ узнать это — отказаться от приза в первой шкатулке. Что ты теперь будешь делать? Что выберешь?»

Словно озябнув, Кристин обхватила себя руками, думая, стоит ли возможная любовь такой большой жертвы. Она не могла знать, как сложатся ее отношения с Алеком. А если она откажется от цели всей своей жизни, а потом окажется, что Парки сыграли с ней свою самую злую шутку?

Кристин охватил страх, сейчас ей казалось, что именно так все и произойдет. Когда дело касалось мужчин, она не очень-то была способна сделать правильный выбор. И ей так легко было представить, что, жертвуя чувством ответственности, уважением семьи и всем остальным, она остается с мужчиной, который способен заставить ее смеяться.

Неожиданно глаза ее наполнились слезами.

Услышав звук открывающейся двери, Кристин отвернулась к окну. Она слышала, как вошел Алек, и видела в отражении оконного стекла, что он остановился и смотрит на нее. Постояв минуту, он направился в угол комнаты, где была оборудована небольшая кухня.

— Я заранее купил вино, — сказал он совершенно бесстрастным голосом. — Джефф посоветовал мне выбрать эту марку, так что оно должно быть хорошим. Я думал, что, возможно, нам захочется выпить после ужина.

Кулак, сжимавший ее сердце, сжался еще сильнее, когда она поняла, что он купил это вино, чтобы отпраздновать ее согласие на переезд.

— Хочешь стаканчик? — спросил Алек.

— Было бы неплохо, — ответила Кристин, не оборачиваясь. Как теперь она сможет снять возникшее между ними напряжение?

Пока Алек открывал бутылку, к ней подошел Бадди, и Кристин ласково погладила пса. Когда, держа в руке два бокала, он направился к дивану, она выпрямилась и, секунду поколебавшись, пошла за ним.

Кристин подошла к нему и, взяв стакан, села, по-прежнему избегая смотреть на Алека.

— Алек, я... — неуверенно начала она. — Думаю, я должна объяснить тебе.

— Похоже, у тебя появилось желание поговорить об этом?

Она подняла глаза и увидела выражение боли на его лице.

— Нет, желания нет, но мне необходимо, чтобы ты понял, потому что я до смерти боюсь, что ты уговоришь меня сделать нечто такое, о чем я позднее буду жалеть.

Алек отвел взгляд, и Кристин поняла, что сделала ему еще больнее.

— Пойми, мне нелегко говорить об этом. Поэтому, если я буду говорить не слишком складно, пожалуйста, попытайся... — У нее перехватило горло, и она сделала глоток ароматного красного вина, чувствуя на языке его благородный дымный привкус. — Ладно, я просто скажу, и все. — Она сделала глубокий вдох. — Они не хотели меня.

— Что? — Алек повернулся к Кристин.

— Мои родители, — пояснила она, крепко сжимая ножку бокала. — Я была нежеланным ребенком.

— Пусть так, — тихо произнес он. — Но как это связано с твоим нежеланием переехать сюда и дать нам шанс?

— Потому что именно по этой причине мне нужна работа в больнице Святого Джеймса. Мне всегда приходилось прикладывать больше усилий, чем большинству других детей, чтобы меня любили и гордились мною, чтобы я не чувствовала себя помехой в их жизни. Незваным гостем, который слишком задержался в доме.

Алек смотрел на нее, явно потрясенный.

— Я... — Кристин сделала еще глоток. — На самом деле я думаю, что мама вообще не хотела иметь детей. Я наблюдаю, как она общается с моими племянниками, и мне начинает казаться, что материнский ген у нее просто отсутствует. Я в какой-то мере могу это понять, потому что, честно говоря, у меня его тоже нет.

Кристин тяжело было признаваться в том, что она боялась, что будет столь же холодной, как ее мать, и что у ее детей может возникнуть такое же острое чувство несоответствия требованиям, какое испытывала она сама.

— Не пойми меня превратно. Я люблю детей, мне нравится общаться с чужими детьми, но я никогда не хотела иметь своих.

— И в этом мы с тобой похожи.

— Правда? — Кристин посмотрела на Алека, на мгновение расстроившись. — Это меня удивляет. Мне показалось, что ты очень любишь детей.

— Попробую угадать. Это оттого, что я сам все еще ребенок, верно?

— Что-то в этом роде. — В другой момент она бы улыбнулась его шутке. — Так почему же ты не хочешь иметь детей?

Он пожал плечами:

— Мои брат и сестра перевыполняют свою норму по перенаселению этой планеты. Кроме того, гораздо веселее играть с чужими детьми, а потом, когда понадобится поменять подгузники, передавать малюток их родителям.

— Точно. Вот почему я могу понять чувства моей матери и представить, что произошло.

— И что же?

Кристин откинулась на спинку дивана — теперь, когда она начала говорить, ей было легче находить слова.

— Мама была молодой, избалованной и абсолютно счастливой в своем блаженстве новобрачной. Но отец настаивал на том, чтобы завести детей. Думаю, она согласилась, не зная, что за этим последует. Я представляю себе женщину, хорошо устроенную, ведущую светский образ жизни и мечтающую о прелестных малютках, красивой детской одежде с ленточками и кружевами и крошечных пинетках. А потом — бац! — утренняя тошнота, отечность и — ребенок! Он вопит, плачет, пускает слюни и писается.

— Да, дети имеют обыкновение это делать, — согласился Алек.

— Они также требуют много внимания. Внимания, которое, как она рассчитывала, будет сосредоточено не на них, а на ней, новоиспеченной мамочке. К этому нужно прибавить то, что отец тогда был очень упрямым. Эштоны всегда были хорошо обеспеченными и уважаемыми людьми, но отец матери, дедушка Ханикатт, выбился из низов и, по сути, «сделал себя сам». Думаю, дедушка сказал что-то, что задело самолюбие отца и заставило его постоянно доказывать, что он имеет право поступать так, как считает нужным. Он решительно отказался принимать какую-либо финансовую помощь как от ее родителей, так и от своих. Сейчас все по-другому, но тогда, когда отец проходил резидентуру, в нашей семье не было ни денег, ни даже лишней комнаты для няни.

— Какой ужас! — Алек поежился. — Как же она выжила?

— Можешь смеяться, сколько тебе угодно, но это было очень мучительно для такого человека, как моя мать. Откровенно говоря, я даже не понимаю, как из-за этого не развалился их брак. Могу только представить ее облегчение, когда с первого раза все получилось правильно.

— Получилось правильно?

— Да, когда она родила мальчика. Подарила своему мужу сына. Теперь ей не нужно было вновь проходить через все это. Затем Робби подрос и пошел в школу. Она, вероятно, думала: «Слава Богу. Снова почти нормальная жизнь». И вдруг как гром среди ясного неба появляюсь я и снова ломаю всю ее жизнь.

— Она тебе так и сказала? — Алек пристально смотрел на Кристин.

Она пожала плечами:

— Ей не нужно было ничего говорить. Вопреки мнению большинства людей, дети не такие глупые и многое могут понять из разговоров взрослых.

— Это ужасно! — Алек со стуком поставил бокал на кофейный столик. — Не могу даже представить, как это больно. Пусть я никогда не был без ума от своей семьи, но я никогда не ощущал себя нежеланным.

— А я это чувствовала. — Кристин смотрела на свой стакан, не в силах поднять на Алека глаза. — Внутри меня всегда сидела маленькая девочка, которой отчаянно хотелось стать гордостью и радостью своих родителей. Я рано поняла, что для мамы никогда не стану такой. Впрочем, так же холодно она относилась и к Робби. — Кристин подняла глаза. — Но я не могу простить отцу... его элементарного невнимания. — В ее глазах появились слезы. — Я не могу его простить за то, что он, только потому что я девочка, просто не обращал на меня внимания. И поэтому для меня это было очень важно услышать сегодня утром, что он «впечатлен».

— Но разве этого достаточно? — мягко спросил Алек.

— Нет, — ответила Кристин. — Недостаточно, но в этом-то все и дело. Если я буду работать в больнице в другом конце страны, он, возможно, услышит о моих успехах, но совсем другое дело, если об этом ему будут говорить люди, которых он знает. Совсем другое дело, если он своими глазами увидит, что я чего-то стою. — Искреннее страдание буквально захлестывало ее. — Так или иначе, я хочу заставить его замечать меня и заставить его признать, что я, так же как и Робби, достойна его гордости.

Алек внимательно посмотрел на Кристин:

— И ты не находишь в этом ничего нравственно нездорового — посвятить всю свою жизнь одной этой цели?

— Я думаю, что если я могу этого добиться, это совершенно необходимо, причем не только мне.

— А если этого никогда не произойдет?

— Произойдет. Если я получу место в больнице Святого Джеймса. А я сделаю все, чтобы его получить. — Кристин взяла ладонь Алека в свою. — Вот почему я прошу тебя не воспринимать мое решение как оскорбление. Мне бы хотелось продолжать встречаться с тобой, но я ни за что не хочу упускать этот шанс.

— Понятно. — Алек невидящим взглядом окинул комнату, явно пытаясь принять ее решение.

— А знаешь, — рискнула предложить Кристин, — альтернативой этому может быть твой переезд в Остин.

Алек громко рассмеялся:

— Поверь мне, такого не может случиться.

— А почему нет? Там тоже есть поисково-спасательная служба.

— Но не горная поисково-спасательная служба. Нет гор, нет снега, нет катания на лыжах. — Он мельком взглянул на висящие на стене постеры, потом покачал головой. — С таким же успехом ты могла бы предложить мне отрезать руку или ногу.

Кристин охватило разочарование.

— В таком случае, полагаю, мы зашли в тупик.

— Еще нет. — Алек поднял бровь. — У меня есть еще неделя, чтобы заставить тебя изменить свое мнение.

— Говорю тебе, у тебя ничего не выйдет.

— А я говорю — посмотрим.

В ответ на его слова Кристин молча покачала головой.

— Ты когда-нибудь отступал перед возникшим препятствием?

Алек наклонился вперед и прижался губами к ее губам.

— Никогда.

Все следующие дни Алек словно слышал, как тикают часы у него над головой. После откровенного рассказа Кристин о своей семье она закрыла эту страницу жизни и повесила большую табличку «Не беспокоить». Насколько было возможно, Алек старался игнорировать этот знак и осторожно, но настойчиво продолжал убеждать Кристин, что переезд в Колорадо был бы лучшим решением для них обоих. Он вынужден был это делать, поскольку каждый день, каждый час, каждая минута приближали тот момент, когда она, сев в самолет, улетит из его жизни.

Как нарочно, их последняя ночь пришлась на канун Нового года, в эту ночь уже весь мир отсчитывал секунды.

Они танцевали в пабе, Алек крепко прижимал к себе Кристин, и их тела словно единое целое покачивались в такт музыке. Им казалось, что вокруг абсолютная тишина, хотя люди вокруг смеялись слишком весело, кружились слишком оживленно, а музыка играла слишком громко. Алек мог бы поклясться, что Кристин точно так же, как и он, хочет, чтобы стрелки часов просто остановились.

Кто-то крикнул, и оркестр перестал играть. Кристин подняла голову, лежавшую на плече Алека, и они повернулись к телевизору, встроенному в стенку бара. Публика притихла, все сосредоточились на репортаже из столицы штата Колорадо Денвера, где проходило празднование на центральной площади — аналог нью-йоркской Таймс-сквер. Когда пошел отсчет последней минуты, люди на площади оживились, криком прощаясь с каждой секундой уходящего года.

Десять, девять, восемь, семь, шесть, пять, четыре, три, два, один. С Новым годом!

Когда они с Кристин одновременно посмотрели друг на друга, комок встал у Алека в горле. Вокруг раздавались тосты и просто крики восторга, звучали рожки и сыпались конфетти. Он взял ее лицо в свои ладони и, наклонившись, поцеловал Кристин, желание тут же вспыхнуло внутри его. Наткнувшаяся на них подвыпившая пара заставила Алека вспомнить, где они находятся. Он поднял голову и заглянул Кристин в глаза, слова были не нужны. Когда оркестр заиграл «Доброе старое время», они начали пробираться сквозь толпу. У выхода Алек забрал их куртки, и они вышли на улицу. Держась за руки, они пошли по заснеженной улочке, удаляясь от шума пирушки.

Кристин была рада, что Алек молчит. Всего одно слово могло прорвать плотину чувств, которые она сдерживала не один день. И только войдя в его квартиру, они слились в ощущении щемящей нежности, обострившей их чувства.

Помогая друг другу, они разделись и легли в постель, стараясь запомнить каждое прикосновение, каждый поцелуй. Кристин чувствовала, что Алек сдерживает себя, сдерживает для того, чтобы запомнить эти минуты, их последние минуты.

Когда наконец он вошел в нее и их тела соединились, сладкое, пульсирующее желание захлестнуло ее. И с каждым прикосновением, с каждым толчком это желание перерастало в безысходность.

Плотина, сдерживающая ее эмоции, грозила прорваться под напором страсти. И она прорвалась с потрясающим выбросом удовольствия и боли. Кристин постанывала, обмякнув в объятиях Алека. Он же, крепко прижав ее к себе, полностью отдался собственной страсти, содрогаясь над ней всем телом.

А потом они лежали рядом, Алек прижимал Кристин к своей груди, а она лежала, всхлипывая и даже не пытаясь сдержать невесть откуда взявшиеся слезы.

— Ш-ш-ш, — успокаивал он ее, ласково гладя по голове. — Все в порядке. Я с тобой.

— Прости. Не знаю, что со мной такое.

— Все хорошо. Все в порядке. — Он шептал эти слова, прижимаясь губами к ее лбу.

— Нет, не в порядке. — Кристин импульсивно сжала ладонь в кулак и слегка ударила его в грудь. — Мне будет тебя не хватать, черт возьми!

— Этого можно избежать. — Алек взял ее кулак в свою ладонь. — Не уезжай, Крис. Не покидай меня. Останься здесь.

— Перестань! — Она села и, обхватив колени руками, заплакала.

Алек сел позади нее и, успокаивая, стал гладить Кристин по спине. Когда ее дыхание стало ровнее, она положила подбородок на колени и улыбнулась ему, хотя в ее глазах по-прежнему стояли слезы.

— Я не хотела, чтобы наша последняя ночь была такой. Я дала себе обещание, что буду контролировать свои чувства.

— По крайней мере теперь я знаю, что не я один переживаю из-за этого.

— Жаль, что не может быть по-другому.

— Может.

— Не надо...

Кристин попыталась выскользнуть из его объятий, но Алек удержал ее. Глядя ей прямо в глаза, он, стараясь вложить все свои чувства в эти слова, произнес:

— Кристин, я не могу сказать тебе, как мне хочется, чтобы ты осталась. Останься со мной. — Он поднес ее ладони к своим губам. — Будь моей радостью и гордостью.

— Алек, прошу тебя, не надо. — Она чувствовала, что ее сердце разрывается. — Я же сказала тебе, что не передумаю, и это так. Прошу, не делай наше расставание еще более тяжелым.

— А что же я должен делать? — В его голосе звучало разочарование. — Проводить тебя домой, пожать тебе руку и сказать: «Что ж, это было здорово. Счастливого полета»? Если ты еще не поняла этого — я тебя люблю.

Кристин затаила дыхание, впервые услышав от Алека эти слова.

— Ты... что?..

— Ты слышала, что я сказал. — Он крепче сжал ее ладони. — Я сказал, что люблю тебя. Именно эти слова люди говорят, когда влюбляются. Они прикладывают все усилия, чтобы быть вместе. Они не сдаются, они не уходят и не позволяют уходить любимым, сказав: «Ну ладно». Они находят способ быть вместе.

— Ты готов переехать в Остин?

— Нет.

— Значит, нет способа быть вместе.

— Я не хочу переезжать, но у меня по крайней мере есть серьезное основание для отказа.

— Я не хочу это обсуждать.

Кристин спустилась с кровати.

— Вот как? — Алек смотрел, как она собирает одежду. — Я говорю, что люблю тебя, а ты говоришь, что не можешь обсуждать. И не говори мне, что я необъективен.

— Я... я не знаю! Я, наверное, действительно не умею любить.

— И что это значит?

— Это значит, что я бестолочь в этих делах. — Кристин одевалась, стараясь хоть немного сдержать внутреннюю дрожь. Ну как ему объяснить то, что она и сама-то толком не понимает? — Я принимаю ужасные решения, когда влюбляюсь.

— И как часто такое случалось?

— Слишком часто.

— Замечательно! — Алек горько рассмеялся. — Приятно узнать, что я один из многих.

— Нет! Господи! — Она села в кресло у окна и закрыла лицо ладонями. — Это совсем не так. У меня никогда не было таких отношений раньше.

— Каких?

— Когда я чувствую себя... счастливой, защищенной и свободной.

— Что?

— Я не знаю!

Она бросила на него сердитый взгляд. Как она может говорить ему такое, зная, что он постарается использовать каждое ее слово, чтобы уговорить ее остаться?

— Что мы обсуждаем? Завтра я улетаю. У меня есть билет на самолет. Через несколько дней мой выпускной аттестационный экзамен и собеседование в больнице Святого Джеймса. Я не собираюсь менять столь серьезные планы из-за двух недель великолепного секса.

— Вот чем это было для тебя? — В глазах Алека сверкнуло раздражение. — Великолепным сексом?

— Я не это имела в виду. Я имела в виду...

Боль, которую она увидела в его взгляде, испугала ее. Как она могла причинить боль этому замечательному человеку, которого так любит? Нет, не любит. Который ей нравится. Это не может быть любовь. Она не может допустить, чтобы это была любовь.

— Я не знаю, что я имею в виду. Господи, ну зачем ты так?

— Потому что я хочу, чтобы ты осталась.

— Боже. Алек, я тебе сказала... Я должна уехать. Должна. Действительно должна.

— Нет, ты не должна. — Его голос стал убийственно спокойным.

— Давай не будем расставаться так. — Кристин посмотрела на Алека умоляющим взглядом, ее сердце разрывалось от боли к нему и к себе. — Я чудесно провела с тобой время. Это были три лучшие недели в моей жизни. Давай не будем заканчивать их ссорой.

Алек спокойно смотрел на нее, смотрел прямо в глаза.

— А может, мы вообще не будем их заканчивать?

Она ответила ему таким же прямым взглядом.

— А может, ты проводишь меня домой? Если хочешь.

— Нет, не хочу!

— Прекрасно! — Она встала. — Тогда простимся здесь.

— Я не это хотел сказать, и ты это знаешь.

Он встал и схватил с пола свою одежду.

— Тебе не нужно провожать...

Он так сурово посмотрел на нее, что она замолчала и стала ждать, пока он оденется.

Они шли к ее дому в хрупком молчании. Все это время Алек раздраженно прокручивал в голове сотни разных мыслей, больше всего его волновало то, что она замыкалась и не пускала его в свою жизнь. В свою душу. И ведь на самом деле в течение этих двух недель, когда ее семья находилась в Силвер-Маунтин, она ни разу не пригласила его в квартиру родителей, не говоря уже о приглашении на семейный обед. Уже одно это должно было сказать, что ему не на что надеяться. И хотя Кристин клялась, что деньги и общественное положение не имеют для нее никакого значения, Алек готов был поспорить, что для ее семьи имеет значение и то и другое. А мнением своих близких Кристин дорожит.

Когда они вошли в холл, раздражение Алека вновь сменилось замешательством и душевной болью. Вот и пришло время прощаться.

— Я хочу, чтобы ты позвонила мне, когда доберешься до Остина, — сказал он, когда она нажала кнопку вызова лифта.

— Не уверена, что это хорошая идея. — Кристин даже не смотрела на него.

— Мне наплевать. — Он взял ее за руку и развернул, чтобы видеть ее глаза. — Я хочу знать, что ты долетела благополучно.

Она долго смотрела на него, потом кивнула:

— Ладно. Если ты хочешь, я тебе позвоню.

— Да. — Он сжал ладонями ее щеки. — Я хочу.

Мучительное желание охватило Алека, когда он прикоснулся к ее губам, вкладывая в этот поцелуй всю свою страсть.

Напоследок Кристин нежно обняла его.

— Ладно, — сказала она, уткнувшись лицом ему в грудь. Двери лифта открылись. Кристин отстранилась и быстро вошла в кабину, там она повернулась к Алеку, и он увидел, что ее лицо залито слезами. — До свидания, Алек Хантер.

Двери лифта закрылись, и он остался стоять, уставившись на свое отражение, размытым пятном светившееся на шлифованном металле. Ему было странно, что отражение не кровоточило, хотя, и он это чувствовал, у него только что вырвали сердце.

— Да, я определенно этого хочу.

Глава 16

Некоторое расстояние часто помогает лучше сфокусироваться на объекте.

«Как сделать свою жизнь идеальной»

— Да, Хантер слушает.

— Привет, Алек.

— Крис? Это ты? Подожди! Я отойду туда, где потише. Я ждал, что ты позвонишь, как только доберешься. Я себе места не находил эти две недели.

— Я знаю. Прости. Просто когда я летела домой, я начала думать, что для нас обоих будет легче, если я не стану звонить. Но потом, не знаю, наверное, мне захотелось услышать твой голос.

— Как ты там? Все в порядке?

— Все хорошо. Откровенно говоря, я все еще не уверена, что это хорошая идея.

— Крис, не смей вешать трубку! Расскажи мне обо всем.

— Я сдала аттестационный экзамен.

— Я и не сомневался. Могу поспорить, ты это сделала блестяще.

— В общем-то да.

— И это означает... Полагаю, тебя приняли в больницу Святого Джеймса.

— Они предложили мне очень выгодный контракт на пять лет.

— На пять лет? Да... Это замечательно. Мои поздравления. Я говорю это искренне. Я действительно рад за тебя. Правда. Я просто... Не важно. Расскажи мне о работе.

— Я начинаю на следующей неделе. Ты бы видел, какое там отделение «Скорой помощи»! У них потрясающее оборудование и достаточно большой штат, чтобы на самом деле обеспечить хорошее лечение. Мне не терпится приступить к работе.

— Знаешь, я на самом деле рад за тебя. Я просто... скучаю по тебе.

— Я тоже по тебе скучаю. Я...

— О черт! Пищит моя рация, похоже, меня вызывают. Мне надо идти. У меня определился твой номер, так что я тебе перезвоню!

— Крис, привет, это я.

— Привет, Алек. Ну конечно, это ты. Сейчас у вас ровно пять, а значит, ты направляешься в паб, выпить чашку кофе, ну и конечно, позвонить Кристин.

— Я становлюсь настолько предсказуемым?

— Есть немного. Так что у вас там нового?

— У Джеффа и Линды будет еще один ребенок. Да, у нашего Брайена любоф-ф.

— Правда? Замечательные новости. Только постарайся не очень доставать бедняжку Брайена.

— Ну, док, парни без этого не могут.

— Ты прав. Как я могла забыть?

— А как ты? Еще один безумный день в отделении «Скорой помощи»?

— Ну что ж, могу рассказать...

— Привет, Крис. Это снова я.

— Алек? Ты сегодня очень поздно.

— Да, понимаешь, я сейчас лежал в постели и думал о тебе.

— Я тоже о тебе думала.

— Хорошо. Это хорошо. Потому что я хотел спросить... у тебя был когда-нибудь секс по телефону?

— Алек! Ты иногда ведешь себя просто возмутительно. Никогда не могу понять, когда ты шутишь, а когда говоришь серьезно.

— Тогда буду откровенен. Я не шучу.

— О Господи! Ты этим раньше занимался?

— Нет.

— И я нет!

— Круто. Значит, мы оба девственники. Давай подумаем, как это делают. Наверное, я должен спросить, что на тебе надето.

— Нет, я не могу. Это отдает чем-то ненормальным.

— На мне ничего нет. Хотя простыня в одном месте больше напоминает палатку. Ты тоже в постели?

— О Боже! Подожди, а то я задохнусь от смеха, и, по-моему, я сейчас жутко покраснела, пожалуйста, дай мне хоть минуту, чтобы я перестала смеяться и краснеть.

— Покраснела — это хорошо.

— Ладно. Ладно. Да, я в постели.

— Что на тебе надето?

— Ты помнишь те красные трусики, которые носит моя маленькая дьяволица? Как ты посмотришь, если я тебе скажу, что у меня есть такие же и они сейчас на мне...

— Алло, говорит доктор Эштон.

— Это я.

— Алек! Куда ты пропал? Ты не звонил три дня. Я страшно беспокоилась.

— Я был на вызове. Очень сложный.

— Мне очень жаль, Алек. Может, расскажешь?

— Да...

* * *

— Алло. Слушаю. Боже, который час?

— Алек, это я. Извини, что звоню так поздно.

— Кристин? В чем дело? У тебя расстроенный голос. Что-то случилось?

— Нет. Просто после нашего сегодняшнего разговора я подумала... Вообще-то я давно об этом думаю.

— Мне это не понравится, верно?

— Мы должны это прекратить.

— Прекратить что? Ты плачешь?

— Мы должны прекратить звонить друг другу каждый день. Это ненормально. Когда я уезжала из Силвер-Маунтин, мы понимали, что у наших отношений нет будущего...

— Эй, погоди! Это ты так думала. А я по-прежнему хочу, чтобы ты переехала сюда.

— И это нечестно по отношению к тебе. Жизнь не должна стоять на месте...

— Алек?

— Я думал, ты решила больше не звонить.

— Пожалуйста, не сердись.

— Я не сержусь. Честно говоря, я просто в легком замешательстве.

— Я понимаю. Мне не следовало звонить.

— Так почему же ты позвонила?

— У меня был очень тяжелый день, и я просто... мне необходимо было поговорить с тобой. Боже мой!

— Хорошо, сделай глубокий вдох, милая. Все в порядке. Я здесь. Расскажи мне, что случилось. Ты потеряла больного?

— Д-да. Маленькую девочку. Конечно, случается, когда теряешь больного, но когда это дети, я очень переживаю. А потом мой отец увидел, что я плачу в ординаторской, и сказал, что я должна «сохранять профессиональную отстраненность», и... я не знаю! Мне просто необходимо было поговорить с тобой! Мне тебя так не хватает!

— Господи Иисусе! Крис, что ты со мной делаешь?

— Прости. Мне не следовало звонить.

— Нет, все в порядке. Тебе нужен друг, и я с тобой. Расскажи мне, как это произошло.

Силвер-Маунтин, штат Колорадо
Начало февраля

Алек выключил телефон и уронил руку на колено. Он сидел в пабе «Сен-Бернар» и в оцепенении смотрел на пляшущие в камине языки пламени. Снаружи бушевал буран, заперевший в четырех стенах и лыжников, и спасателей.

— Привет, дружище. — Стряхивая снег с ботинок, к Алеку подошел Трент. В помещении звучали громкие голоса и музыка, все старались развлечься, поскольку не было возможности отправиться на склоны. Трент опустился в кресло рядом с Алеком, поставив ноги на каменную плиту перед камином. — Когда стихнет метель, нам придется сдерживать целую толпу этих «снежных шизиков».

— Да, — с кислым видом ответил Алек.

Трент посмотрел на него и нахмурился:

— Да что с тобой?

Алек бросил телефон на стол между двумя креслами, аппарат недовольно пискнул, крутнулся на гладкой поверхности и замер.

— Ничего.

— Мне только не говори. — Трент взглянул на телефон, потом на Алека. — Кристин звонила. Опять.

— На самом деле это я ей позвонил. Доложил об этой чертовой погоде. — Он говорил и злился на самого себя.

— Черт побери, Хантер! — Трент округлил глаза. — Я думал, что вы разбежались. Опять.

— Так оно и есть. — Алек потер щеку и понял, что забыл побриться.

— Я вас не понимаю. — На лице Трента отразилось сочувствие и замешательство. — Если вы решились забыть, то забудьте и перестаньте звонить друг другу.

— Не думаю, что мы можем это сделать. — Алек рад был, что в баре было достаточно шумно, чтобы их разговор никто не мог услышать, и в то же время не слишком шумно, так что они могли разговаривать. — Это как наркотик. Это меня убивает, и я точно знаю, что ее убивает тоже, но мы просто не можем прекратить перезваниваться.

— Харви! — Трент оглянулся, окликая бармена. — Принеси Хантеру пиво.

— Нет, достаточно кофе. — Алек бросил сердитый взгляд на кружку и понял, что кофе уже остыл.

— Приятель, ты не похож на человека, которому достаточно кофе. Ты похож на человека, которому необходимо крепко выпить.

— Как будто это что-нибудь решит.

— У тебя есть идея получше? Например, как действительно сделать что-то с вашей несчастной любовной историей? Знаешь, если вы оба не можете порвать и порвать окончательно, может, и пытаться не стоит?

— И что делать? — К раздражению примешалось отчаяние. — Продолжать «телефонные отношения»?

— А как насчет того, чтобы найти способ быть вместе?

— Я же говорил тебе, что ее переезд сюда даже не обсуждается, поскольку она подписала контракт с этой больницей.

— Так, может, тебе следует переехать туда?

— Уехать подальше от гор и всю оставшуюся жизнь чувствовать себя жалким подобием человека? Бросить работу, о которой я мечтал и без которой не представляю жизни?

— Мне кажется, что ты не слишком-то счастлив в горах. Кроме того, как там говорил Уилл перед женитьбой на Лэйси и переездом в Огайо? Когда это делается ради правильной женщины — это не жертва.

Алек вспомнил, как содрогался при мысли об Огайо. И вот теперь он сам стоит перед выбором: потерять Кристин или вернуться обратно в Техас — туда, куда он поклялся никогда не возвращаться.

— Дело в том, что работа в поисково-спасательной службе не падает с неба. А что, если я все брошу, перееду туда, а у нас с Кристин ничего не получится?

Трент поднял бровь:

— А разве ты не просишь, чтобы она то же самое сделала ради тебя?

Алек хмуро смотрел на огонь, поленья потрескивали, разбрасывая искры. Трент прав, черт возьми!

Остин, штат Техас
Неделю спустя

Когда Кристин на своем серебристом «мерседесе» с откидным верхом подъехала к обочине тротуара перед старым домом Мэдди, она заметила, что неподалеку на подъездной дорожке стоит желтый «жук» Эйми. Прелестный двухэтажный дом из известняка, расположившийся в элитном пригороде к западу от Остина, был окружен отличным газоном, за которым обеспечивался явно профессиональный уход. К старой табличке со словом «Продается» была прикреплена новая, на ней красовалась крупная надпись «Продано». Рядом виднелось объявление о распродаже имущества, назначенной на ближайшие выходные. Мэдди прилетела вчера, чтобы упаковать свои вещи, распродать мебель и окончательно переехать в Санта-Фе.

Конец целой эпохи, подумала Кристин, глядя на дом. Сколько радости и печали, смеха и слез делила она вместе с Мэдди и Эйми в этом доме!

Мэдди и ее первый муж Найджел въехали в этот дом сразу же после свадьбы. Они мечтали, как этот дом наполнится детьми, как они в этих стенах встретят старость. Но потом, после двух лет их совместной жизни, у Найджела обнаружили рак, и через пять лет он скончался.

Кристин и Эйми поддерживали Мэдди в течение всего этого трудного времени и теперь радовались от всей души, что Мэдди во второй раз встретила любовь. Вообще-то они были бы еще счастливее, если бы замужество Мэдди не было связано с переездом, но подруги не могли не признать, что Джо Фрейзер делает Мэдди счастливой, и это было самое главное.

Жаль, что жизнь не преподнесла такой же счастливой развязки и отношениям Кристин и Алека.

Кристин посмотрела на сумочку, лежащую на пассажирском сиденье, телефон молчал, мирно покоясь между косметичкой и перчатками. Алек не звонил с прошлой недели, и у Кристин вновь возникло желание услышать его голос.

Но нет, она не сделает этого. Кристин опасалась, что он предложит ей купить трехдневную путевку и приехать, чтобы вместе с ним насладиться снегом. Эта мысль пугала ее, потому что она не была уверена, что у нее хватит силы устоять перед таким предложением.

Все это нужно прекратить. Попытка отсрочить неизбежное не делает разрыв менее мучительным. Особенно теперь, когда они договорились, что постараются завести новые романы. Ну вообще-то это было ее предложение, Алек тогда страшно рассердился и повесил трубку. А когда он позвонил на следующий день, они больше не говорили об этом, так что можно считать, что Алек согласился с ее предложением.

Но что она будет делать, если, позвонив ему сейчас, узнает, что у него новый роман?

От этой мысли Кристин стало настолько плохо, что она, подхватив сумочку, чуть не бегом направилась к дому; сейчас, чтобы отвлечься от этих мыслей, ей срочно нужны были подруги. Когда Кристин нажала кнопку звонка, внутри раздался торжественный звон и тут же послышалось шлепанье босых ног.

— Кристин! — Дверь распахнулась, и на пороге возникла Мэдди, ее внешний вид резко контрастировал не только с домом, но и со всем этим прилизанным районом — ярко-рыжие волосы и дерзкая усмешка. Щедрые формы девушки были втиснуты в замызганные джинсы и «вареный» топик. С радостным визгом Мэдди бросилась обнимать Кристин. — Как я рада тебя видеть!

— Я тоже очень рада. — Кристин стиснула ее в объятиях, только сейчас осознав, насколько она соскучилась по подруге. Электронные письма и звонки все-таки не в состоянии заменить личное общение.

Мэдди схватила ее за руку и потащила в комнату.

— Эйми уже здесь.

— Да, я видела ее машину. — Кристин осмотрелась и увидела, что обеденный стол завален безделушками, а с абажуров свисают ярлычки с ценами. — Вижу, что вы уже начали без меня.

— На твою долю работы хватит, поверь мне. — Упершись руками в бедра, Мэдди обвела взглядом загроможденную комнату. — Как мы с Найджелом умудрились так обрасти вещами?

— Наверное, никогда и ничего не выбрасывали?

— Это на меня похоже. — Мэдди засмеялась. — Но теперь избавлюсь от всего разом.

— Ты действительно хочешь распродать все?

— Почти все. Пора начинать новую жизнь. Через пару дней Джо подгонит грузовик и увезет те вещи, которые я решила оставить.

— Значит, тебе придется разбираться со всем этим одной? — Кристин нахмурилась.

— На самом деле я сама на этом настояла. — Мэдди оглядела все вокруг. — Мне нужно было время, чтобы проститься со своим прошлым, если в этом есть какой-то смысл.

— В этом огромный смысл. — Кристин обняла ее. — Ты как, держишься?

— Стараюсь. — Мэдди улыбнулась, но глаза ее подозрительно поблескивали.

— Привет, Кристин. — В сводчатом пролете, ведущем на кухню, появилась Эйми. Кристин подавила вздох, увидев, что на подруге мешковатые брюки «капри» и огромного размера футболка. За последние два года Эйми сбросила сорок фунтов, но все равно отказывалась носить вещи по фигуре, а темные вьющиеся волосы заплетала в длинную косу. — Ты как раз вовремя, поможешь мне оценить посуду?

— Оставь это, — сказала Мэдди. — Объявляю перерыв. Кто хочет посидеть у бассейна и выпить «Маргариту»?

— Я! — Эйми тяжело вздохнула и посмотрела на Кристин. — Эта женщина настоящий надсмотрщик на плантации.

Через несколько минут подруги уже сидели за столом под навесом в патио, следя, как солнечные лучи отражаются от водной глади бассейна. Компания, ухаживающая за газоном, подстригала траву и подравнивала изгороди, но клумбы уже не взрывались буйством красок, как это было год назад. Еще один признак перемен, подумала Кристин, и свидетельствует о том, насколько грустно им станет, когда Мэдди уедет.

— Я и забыла, как тепло в Техасе даже в феврале, — сказала Мэдди, стягивая с себя футболку. — Кажется странным, что в Нью-Мексико сейчас в горах лежит снег.

— Да, я слышала о буране, который прошел в Скалистых горах на прошлой неделе, — сказала Кристин и тут же замолчала, надеясь, что подруги посчитают, что она узнала об этом из выпуска новостей. Они обе ругали ее за то, что она приняла «неправильное» решение по поводу Алека, потом еще больше терзали ее за то, что она продолжала поддерживать с ним связь, заявляя, что таким образом мучает и его, и себя. Поскольку они были абсолютно правы — по крайней мере в отношении второго, — Кристин перестала делиться с подругами своими переживаниями, а раньше такого за ней никогда не водилось. Они всегда были очень откровенны друг с другом.

— Так как идет подготовка к свадьбе?

— О, теперь, когда Джо взял это дело в свои руки, полным ходом. — Мэдди через соломинку потягивала «Маргариту». — Можешь себе представить, он «уволил» меня как устроителя!

— Мэдди, — Кристин рассмеялась, — ты поход в парикмахерскую толком не можешь спланировать, так что я очень хорошо могу это представить.

— Это очень мило, — улыбнулась Эйми. — И то, что он проявляет такую активность, так романтично.

— Посмотрим, как все это будет романтично, когда наступит день свадьбы. Бывший армейский рейнджер занимается подготовкой к свадьбе! — Мэдди изобразила на лице ужас. — Мне представляются фата из камуфляжной сетки и священник, рявкающий заповеди о любви голосом солдата, муштрующего новобранцев.

— Когда свадьба? — спросила Кристин.

— Вторая суббота апреля, здесь, в Остине, чтобы могла присутствовать моя семья. Надеюсь, вы будете подружками невесты?

Кристин и Эйми переглянулись и кивнули.

— Замечательно, — просияла Мэдди. — Мне этого очень хочется, тем более что истекает срок нашего пари.

— Ты права. — Кристин повернулась к Эйми. — А ведь одна из нас не выполнила свою задачу.

— Вот так так! — Мэдди тоже посмотрела на Эйми. — Кто бы это мог быть? Я, например, отнесла свои работы в галерею.

— И они там пользуются огромным успехом, — кивнула Кристин.

— А ты ездила кататься на лыжах, — добавила Мэдди.

— Ездила.

— Так кто же не отправился в путешествие, чтобы преодолеть свой страх потеряться? — Мэдди легко постучала себя по подбородку.

Эйми улыбнулась им в ответ с самодовольным видом.

— Пока вы тут окончательно не загордились, я хочу сделать одно заявление.

— Интересно. — Мэдди подняла бровь.

Эйми расплылась в улыбке:

— Я отправляюсь на Карибы!

— Вот это да! — Кристин захлопала в ладоши. — И когда возникла такая идея?

— Вчера в агентство зашла пожилая пара. Они искали няню для своих внуков на время круиза. Именно такого случая я и ждала.

— Погоди-ка. — Мэдди повернулась к Кристин. — По-моему, мы решили, что круиз не подходит, это будет нечестно, поскольку трудно потеряться на корабле.

— Да, верно, — подтвердила Кристин.

— Но все дело в том, — продолжила Эйми, — что пара не хочет покидать корабль, поэтому я должна буду сопровождать детей на берегу, во время экскурсий. — В ее глазах мелькнула паника. — Я должна буду проехать с детьми на катере по всем островам.

— М-м-м... — Кристин посмотрела на Мэдди. — Звучит жутковато. Как тебе кажется?

— Да. Пугает уже то, что это связано с детьми.

— Но следует учесть, что Эйми обожает детей точно так же, как они обожают ее.

— Правда, — признала Мэдди. — Ну ладно, я за то, чтобы одобрить этот вариант. — А как ты?

— Я — за. — Кристин посмотрела на Эйми. — И когда ты отправляешься?

— Через неделю. — Неожиданно на лице Эйми появилось испуганное выражение. — А мне еще так много предстоит сделать! И купальник еще надо купить. — Она прижала руку к груди. — И о чем я только думала, соглашаясь на этот круиз? Нужно было выбрать путешествие по горам. Тогда я могла бы носить мешковатые свитеры и не выставлять напоказ свои толстые бедра.

— Эй, поосторожней! — Мэдди нахмурилась. — Сейчас у нас с тобой почти одинаковый размер.

— Только ты при этом выглядишь по-другому, — возразила Эйми.

— Вовсе нет. — Мэдди вытянулась, изображая супермодель. — Самое главное в этом деле — сексуальность.

— Мэдди права. — Кристин положила руку на плечо Эйми. — Не бойся, я пробегусь с тобой по магазинам, и обещаю, мы найдем и купальник, и такие наряды, в которых ты будешь чувствовать себя на высоте. Договорились?

— Спасибо. — Эйми робко улыбнулась ей. — Вы у меня просто замечательные! Не знаю, что бы я без вас делала!

— Мы тебя тоже очень любим. — Мэдди сжала руку Эйми и посмотрела на Кристин. — Мы разобрались с моей свадьбой и с задачей Эйми. А как обстоят дела у тебя? Ты нашла кого-нибудь, кто помог бы тебе забыть Алека?

Кристин непроизвольно закусила губу.

— Кристин! — Мэдди уперла руки в бедра. — Только не говори мне, что вы продолжаете звонить друг другу.

— Некоторое время уже не звоним. Честное слово.

— Нельзя ли уточнить, что значит «некоторое время»? — потребовала Мэдди.

— Целую неделю. Ну, почти. И в последний раз он сам звонил мне.

— И все эти дни ты пыталась придумать повод, чтобы позвонить ему. — Мэдди состроила гримасу. — Я думала, что вы с ним окончательно обо всем договорились.

— Мы договорились, но это все очень тяжело, понимаете? Нам доставляет удовольствие говорить друг с другом. Ну что в этом плохого?

— Хотя бы то, что это мешает тебе завести новую интрижку, — настаивала Мэдди.

Эйми сжала руку Кристин.

— Неужели нет никакой возможности быть вместе?

— Если только он переедет в Техас, а он этого не хочет. — При этих словах плечи Кристин безвольно опустились. — Почему я должна переезжать? Почему он не может этого сделать?

Мэдди посмотрела на нее строгим взглядом:

— Потому что здесь нет гор, а больницы есть и в Колорадо.

— Чудесно, давайте защищайте его, — проворчала Кристин, понимая, однако, что подруги правы. — Проблема в том, что я подписала контракт с больницей Святого Джеймса. Если я разорву его, я не только испорчу свою репутацию, но и поставлю отца в неловкое положение, потому что именно он дал мне рекомендацию.

— Я тебе сочувствую, — сказала Мэдди.

Эйми с задумчивым видом покусывала ноготь большого пальца.

— Может, вам ездить друг к другу? А когда закончится срок контракта, ты переедешь туда?

— Летать туда-сюда в течение целых пяти лет? — спросила Кристин. — Даже давно женатые пары с трудом могли бы сохранить отношения в таких условиях.

— Я понимаю. — На лице Эйми было выражение сочувствия. — Это просто ужасно, ты наконец-то встретила человека, который, казалось бы, идеально тебе подходит, и ты должна расстаться с ним только потому, что вы живете в разных штатах.

— Это действительно ужасно. — Боль в груди Кристин стала сильнее. — Я не представляла, что мне так будет не хватать его. Мы были знакомы только три недели. Ну скажите мне, как все могло измениться всего за три недели? Я думала, что вернусь сюда и все будет по-прежнему. Но сейчас внутри меня пустота, которой раньше не было и в помине. Почему она появилась?

Мэдди внимательно посмотрела на нее:

— Что ты собираешься делать?

— Не знаю! — Кристин закрыла лицо руками. — Думаю, перестану ему звонить. И перестану отвечать на его звонки, слава Богу, с определителем номера это возможно.

От этой мысли у нее перехватило дыхание.

— Ох, Кристин! — Мэдди обняла подругу, и та, чуть не плача, уткнулась носом ей в плечо. — Мне так жаль.

— Мне тоже. — Эйми погладила ее по спине.

— Мэдди. — Кристин крепко прижалась к подруге.

— Да?

— Это ощущение пустоты в конце концов проходит, правда?

Мэдди промолчала.

Глава 17

Нет смысла зацикливаться на ошибках.

«Как сделать свою жизнь идеальной»

Несколько дней спустя Кристин сидела в ординаторской, пытаясь сосредоточиться на папках с историями болезней. Но все ее мысли были заняты Алеком. Не помогало даже то, что это был День святого Валентина. С момента последнего звонка прошло десять дней, и Кристин задавалась вопросом: неужели действительно все закончилось? Не может ведь Алек так долго находиться на вызове, или может?

Она бросила взгляд на часы и увидела, что в Силвер-Маунтин сейчас без десяти пять. Если уж и сегодня Алек не позвонит, то звонков больше вообще не будет.

Наверное, это к лучшему. Мэдди и Эйми правы: они должны прекратить мучить друг друга. Но при мысли о том, что больше не будет этих разговоров, у Кристин появилось ощущение, будто внутри что-то начинает рваться. Может быть, ей следует позвонить самой? Хотя бы просто для того, чтобы попрощаться. В их последнем разговоре точка не была поставлена. И даже если на самом деле все закончилось, попрощаться им, наверное, все-таки следует.

Кристин сунула руку в карман своего хирургического костюма и кончиками пальцев осторожно коснулась холодного пластика телефона.

Повинуясь безотчетному порыву, Кристин достала плоский фонарик, который как напоминание об Алеке в последнее время носила с собой в качестве талисмана. Но сейчас этот фонарик не вызвал на ее лице улыбки.

Наоборот, пустота внутри ее стала расти, превращаясь во всепоглощающую боль. Кристин так легко могла представить Алека, его живую улыбку, зеленые смеющиеся глаза и полный страсти и нежности взгляд в минуты любви.

Его глаза, молившие ее остаться.

Если бы она могла повернуть время вспять, сделала бы она другой выбор? Нет, в любом случае такой возможности не было, так что толку гадать? Она приняла решение, и изменить ничего нельзя. Глаза защипало от близких слез.

Кристин подняла крохотный фонарик и посветила себе в лицо. «Вторая звезда справа, горит до самого утра».

В открытую дверь ординаторской постучали.

— Доктор Эштон? — раздался голос медсестры.

Кристин вздрогнула и постаралась придать своему лицу спокойно-доброжелательное выражение, от всей души надеясь, что глаза у нее не покраснели. Как неловко оказаться застигнутой в тот момент, когда ты плачешь и разговариваешь сама с собой.

— Да.

Лицо медсестры медленно расплывалось в улыбке.

— Вас ожидают в приемной.

— Да? — Что-то в выражении лица медсестры возбудило любопытство Кристин. — И кто же это?

— Вам следует подойти. — Улыбка на лице медсестры стала еще шире.

Замирая от страха и от предчувствия, Кристин шла по коридору мимо смотровых кабинетов. Когда, миновав большую двойную дверь, она вошла в приемный покой, сердце у нее остановилось.

Там, слегка склонившись к регистрационной стойке, стоял Алек и вовсю заигрывал с пожилой медсестрой, которая хихикала, как молоденькая девочка. Пустота тут же исчезла, уступив место радости, которая, казалось, была готова взорвать ее. Алек показался Кристин вытянувшимся и похудевшим, но прекрасным в своих выцветших старых джинсах и темно-синей футболке с надписью «Ски силвер». У его ног послушно сидел Бадди в своем красном жилете, вид у пса был настолько строгий и официальный, что его пропустили бы не только в приемный покой больницы, но, пожалуй, и в операционную.

Бадди первым заметил Кристин и сразу же завилял хвостом от радости.

Алек взглянул на пса, потом поднял глаза. Весь мир замер, когда их взгляды встретились. В голове Кристин была только одна мысль: он здесь. Он на самом деле здесь.

Потом на лице Алека медленно появилась улыбка, которая постепенно превращалась в одну из его озорных усмешек. От переполнившего ее счастья у Кристин перехватило горло, и она испугалась, что разревется. Она просто стояла и смотрела на Алека, и его улыбка начала таять. Он опустил голову и робко поднял со стойки букет красных роз.

— Бадди напомнил мне, что приближается День святого Валентина, и сказал, что было бы неплохо преподнести тебе цветы.

Ее первым порывом было броситься к нему, обхватить его за шею и покрыть его лицо поцелуями, но Кристин сдержалась, напомнив себе, где они находятся. Быстрый взгляд по сторонам подтвердил, что несколько сотрудников наблюдают за этой сценой, не скрывая улыбок. Как быстро разговоры о таком непрофессиональном поведении дойдут до Кена Хатченса и до всего больничного совета, включая ее отца?

Кристин сунула руки в карманы своей куртки, чтобы никто не заметил, как они дрожат.

— Алек. — Ее голос звучал на удивление спокойно. — Какой сюрприз! Нам, наверное, лучше пройти в ординаторскую, и я предложу вам чашечку кофе.

Сознавая, что все на нее смотрят, она развернулась и направилась обратно через вращающиеся двери.

Столкнувшись с такой бесстрастностью Кристин, Алек потерянно пошел за ней по ярко освещенному коридору, Бадди трусцой бежал рядом. Три дня Алек гнал машину, постоянно задавая себе вопрос, не совершает ли он ошибку. Что ж, он получил ответ.

Совершает.

Колоссальную, идиотскую ошибку.

Ну что ж, возможно, это наконец поставит точку в их отношениях и позволит ему расстаться с Кристин. Но все равно, черт возьми! Это хуже, чем нож в грудь! А то, что она выглядела чертовски сексапильной в этом зеленом хирургическом костюме, лишь добавляло клинку пару лишних дюймов.

Кристин остановилась у двери, на которой висела табличка с надписью «Ординаторская». Изнутри доносились мужские голоса. Она оглянулась вокруг и направилась к другой двери.

— Сюда. — Она открыла дверь, пропуская их с Бадди вперед, окинула взглядом коридор и только потом последовала за ними в смотровую.

— Послушай, — начал Алек, не дожидаясь, пока Кристин начнет ругать его за то, что он заявился к ней на работу, — наверное, мне следовало...

— О Боже мой! — Она бросилась к нему на грудь, обхватив руками за шею. Алек даже покачнулся и едва устоял на ногах. — Алек! Алек! — Кристин покрывала его лицо поцелуями. — Я не могу поверить, что ты здесь. Ты действительно здесь!

Она взяла его лицо в свои ладони и крепко поцеловала.

Опомнившись только когда она языком раздвинула его зубы, Алек обнял ее. Слишком ошарашенный, чтобы думать, он, продолжая держать розы, свободной рукой прижал к себе ее поднятое бедро. И только тогда он смог поднять голову и посмотреть в ее сияющие глаза.

— Насколько я могу понять, ты рада меня видеть?

Вместо ответа Кристин обхватила рукой его затылок и притянула к себе для долгого жадного поцелуя. Его тело среагировало моментально, и Алек прижался своим напрягшимся естеством к ее бедрам. Кристин еще плотнее прижалась к нему, ее жадные руки, чуть не порвав тонкую ткань, скользнули под его футболку, оглаживая разгоряченную кожу.

Безумная идея использовать смотровой стол пришла Алеку в голову, но тут Бадди начал повизгивать и хватать его за ногу, пытаясь втиснуться между ними, чтобы тоже поздороваться с Кристин. Продолжая целовать Кристин в шею, Алек пытался оттолкнуть пса.

— Найди себе собственную подружку, приятель. Эта — моя.

Бадди заскулил сильнее, и Кристин рассмеялась. Из коридора донеслись голоса, и кто-то прошел мимо двери.

— Подожди. Остановись. — Кристин отстранилась, чтобы видеть лицо Алека, хотя ее нога продолжала обвивать его бедро. — Бадди прав.

— Бадди кастрирован, он не считается. Что он может в этом понимать?

Отстраняясь, она уперлась рукой ему в грудь и настолько отклонилась назад, что они стали походить на танцующую какой-то страстный танец пару.

— Он сейчас разумнее нас.

Алек улыбался, глядя на Кристин сверху вниз.

— Я скучал по тебе.

— Я тоже по тебе скучала. — Она улыбалась ему в ответ. — Только попробуй меня бросить!

— Ты имеешь в виду вот это?

Она взвизгнула, когда он притворился, что собирается разжать руки, но Алек легко приподнял ее и с новой силой прижал к себе.

— Я тебя никогда не брошу. — Он выпрямился, с явной неохотой отпуская ее ногу. — Давай отправимся куда-нибудь, где мы сможем раздеться.

— Мое дежурство заканчивается через час. — Кристин пригладила волосы и привела в порядок костюм.

— Это целая вечность. — Алек протянул ей цветы. — Бадди настоял на розах. Он парень традиционных вкусов.

— Спасибо. — Слезы умиления навернулись на глаза, и, чтобы скрыть их, Кристин опустила лицо к крупным красным бутонам.

Алек тронул губами ее шею и прошептал:

— Не хочешь запереть дверь и поиграть в доктора и пациента?

— Заманчивая идея. — Кристин улыбнулась, не поднимая глаз. — Но мне надо работать.

— Кайфоломщица.

Она покачала головой, словно не верила своим глазам:

— Все еще не могу поверить, что ты здесь. Почему ты не сообщил о своем приезде?

— Потому что если бы я сообщил, ты бы произнесла целую речь о том, что наши отношения не имеют будущего и что нам надо покончить с этим раз и навсегда.

— Возможно. Где ты остановился? Сколько времени ты пробудешь здесь?

— Не знаю ни того ни другого. Это зависит от тебя.

— Да?

— Я мог бы найти гостиницу недалеко от твоего дома.

— Или... ты мог бы остановиться у меня.

— Я надеялся, что ты это скажешь.

Он привлек ее в объятия.

— Все равно ты будешь ночевать у меня, так зачем терять время и деньги?

— Мне нравится твоя практичность.

— Противоположности притягиваются.

Кристин потерлась носом о нос Алека, засмеялась и чмокнула его.

— Сейчас возьму из шкафчика сумку и дам тебе ключ. Можешь пока устраиваться, а я скоро буду. — Она собралась идти, но вместо этого снова обняла его. — Я рада, что ты приехал. Это, наверное, ужасно, но мне плевать. Я безумно рада тебя видеть!

Кристин казалось, что последний час ее дежурства никогда не закончится. Когда он все же подошел к концу, в уже сгущающихся сумерках она помчалась домой. Подпевая какой-то песенке, ненавязчиво льющейся из динамиков, она свернула на дорогу, ведущую к ее дому, в северо-западную часть города.

Удивительно потрепанный джип стоял на ее парковочной площадке. Интересно, Алек его одолжил у кого-то или купил специально для этой поездки? Кристин знала, что он не мог поехать на служебной машине. Хотя, насколько ей было известно, тот вездеходный монстр, по сути, был в его личном распоряжении. Кристин улыбнулась, припарковалась за джипом и поспешила по крытому проходу к своей входной двери. День сменялся ночью, и в отдалении уже сверкали огни вечернего города.

Дверь была заперта, и она постучала.

— Алек! Открой, у меня нет ключа.

Он открыл дверь с игривой улыбкой на лице и произнес фальцетом:

— Привет, дорогой. Добро пожаловать домой. Как прошел твой день?

— Ты кто? Люси?

— Нет. — Он нахмурился. — Лаура Петри. Помнишь «Шоу Дика ван Дайка»*?

— Черт возьми! — Кристин чмокнула Алека в щеку. — Тогда я не смогу ответить: «О, Люси! Я дома! Я вернулся!» — Она наклонилась и потрепала Бадди за ухом. — Это гораздо лучше, чем возвращаться домой в пустую кварт... — Она прервала себя на полуслове, увидев гостиную своей небольшой двухкомнатной квартирки.

В гостиной на кофейном столике стояло ведерко со льдом, по краям — две зажженные свечи. Небольшой обеденный стол перед выходящими на балкон раздвижными стеклянными дверьми был покрыт скатертью, на нем стояли свечи и подаренные Алеком розы, которые Кристин попросила его поставить в воду.

— О Алек! — Она подошла поближе, чтобы полюбоваться цветами. — Ты времени даром не терял.

— Я надеюсь, ты простишь меня за то, что я похозяйничал у тебя на кухне?

---

* «Dick Van Dyke Show» — один из классических американских телевизионных ситкомов.

— Конечно.

Кристин заметила, что Алек переоделся, и хотя он остался в джинсах, сейчас на нем была белая рубашка, кроме того, он был свежевыбрит. Из кухни, отделенной от гостиной небольшой стойкой с гранитным покрытием, доносился запах стряпни.

— Ты что-то готовишь?

— Не уверен, что это можно назвать готовкой. Я заскочил на рынок, купил жареного цыпленка, салат «Цезарь» и банку соуса «Альфредо» для спагетти, а на десерт — клубнику в шоколаде. — Он поднял бутылку шампанского из ведерка со льдом. — А по случаю Дня святого Валентина я купил вот это.

Кристин широко открыла глаза.

— Да ты и в самом деле знаешь, как соблазнить девушку!

— Вижу, что ты разгадала мой страшный замысел. — Алек хищно изогнул бровь. — Ну что, может, все-таки выпьем перед ужином по бокалу.

— Дай мне сначала переодеться. Если мы будем праздновать День святого Валентина, мне бы хотелось надеть что-нибудь понаряднее, чем костюм хирурга.

— Помощь нужна? — живо отреагировал Алек.

Кристин засмеялась и поцеловала его.

— Как ты смотришь на то, чтобы позднее помочь мне раздеться?

— Можешь на меня рассчитывать.

Войдя в спальню, она заметила стоящий в углу комнаты чемодан и снова улыбнулась. В течение последнего часа улыбка не сходила с ее лица, она все время помнила, что, для того чтобы увидеть ее, Алек не побоялся преодолеть на старой машине весь путь от Силвер-Маунтин. Она надела короткое облегающее черное платье, вдела в уши серьги с жемчугом, надела ожерелье с бриллиантовой крошкой и освежила косметику. Туфли, как и колготки, она решила не надевать.

Когда она вышла из спальни, то увидела, что Алек сидит на диване и сквозь стеклянную раздвижную дверь задумчиво смотрит на улицу. На его лбу залегла глубокая складка, словно он пытался разрешить стоящую перед ним дилемму. Само его присутствие наполняло ее сердце радостью.

— Не могу поверить, что ты и в самом деле здесь.

Алек обернулся, услышав ее голос, и складка моментально разгладилась. Он окинул ее восхищенным взглядом и поднялся с дивана.

— Вот это да! Ты выглядишь великолепно!

— Спасибо. — Она увидела блеск желания в его глазах, и по ее телу прокатилась теплая волна. — Теперь я могу получить обещанный бокал шампанского?

— Сию секунду, мэм!

Так же стоя он снял фольгу и раскрутил мягкую проволочку. Пробка выстрелила, и от неожиданности они рассмеялись.

Шампанское вспенилось, и Кристин, смеясь, подставила бокалы.

— Наливай скорей.

— Надо же, получилось. — Алек сумел наполнить высокие тонкие фужеры, не пролив ни капли благородного напитка. — Видишь, сказались навыки открывания банок с содовой на большой высоте.

— Наверное, надо сказать тост?

Алек посмотрел ей прямо в глаза:

— Может, за то, чтобы прислушиваться к голосу своего сердца, а не к доводам рассудка?

Они чокнулись.

— Если это привело тебя сюда, я за это выпью. Очень вкусно. Люблю шампанское. Почти так же, как я люблю хорошее холодное пиво.

Алек засмеялся, и они уселись на диван. Кристин позволила ему подтянуть свои ступни ему на колени и просто таяла от удовольствия, когда он начал массировать их.

— Боже мой, ты действительно хочешь меня избаловать.

— Я просто подготавливаю тебя к новости, которую собираюсь сообщить.

— К новости? — Кристин слегка наклонила голову и заметила, что на лбу у него вновь появилась морщинка.

— Сначала выпей еще немного. — Он подал ей бокал.

— Надеюсь, что это будет хорошая новость. — Кристин сделала глоток.

— Я тоже на это надеюсь. — Алек так внимательно смотрел на нее, что внутри у нее все сжалось.

— Ты начинаешь меня слегка пугать.

— Я и сам немного напуган. — Складка между бровями стала глубже. — Я собирался дождаться конца обеда, но ожидание слишком мучительно, поэтому я все выложу прямо сейчас. — Алек сделал глубокий вдох. — Ты помнишь, как в день парада мы говорили, что окончание истории Питера Пэна — полная ерунда? Что было бы гораздо лучше, если бы он повзрослел и стал жить с Венди в реальном мире?

— Да. — Кристин начало трясти, и внутри у нее расцветала надежда.

— Тогда... как ты отнесешься к тому, что я вернусь обратно в Техас?

— Ты это серьезно?! — От счастья у Кристин перехватило дыхание, и она с трудом могла говорить. — Ты бросишь свою работу?

— Надеюсь, что мне не придется этого делать. Сейчас у меня две недели отпуска. Если отнять время на дорогу, у меня остается восемь дней, чтобы поискать работу здесь. Я надеюсь, что в одном из округов вблизи Остина есть вакантная оплачиваемая должность. Конечно, это будет не горная поисково-спасательная служба, но хоть что-то вроде того.

— А как же горы? Лыжи, снег, твои друзья? Ты ведь любишь эту жизнь в Силвер-Маунтин.

Алек смотрел на Кристин, не отводя взгляда.

— Но тебя я люблю больше.

— О Господи, даже не могу сообразить! — В голове у нее крутилась мысль, что на этот раз жизнь дает ей то, чего ей хочется, и при этом не требует за это непомерную цену. Она может получить все, чего так желает, и при этом ей не придется ни от чего отказываться. — Я не могу... не могу... в это... поверить.

— Эй. — На лице Алека появилось озабоченное выражение, и он забрал у Кристин стакан. — Ну-ка наклонись вперед. — Он снял ее ноги с колен, опустил их на пол и заставил ее пригнуть голову к коленям. — С тобой все в порядке? — Одной рукой он вращательными движениями начал растирать ей спину. — Я думал, тебе понравится эта идея.

— Мне нравится! — В глазах у нее появились слезы. Она плакала и смеялась одновременно. — Мне очень нравится эта идея!

— Сделай глубокий вдох. — Алек массировал ей шею.

— Со мной все в порядке. — Кристин выпрямилась и улыбнулась ему. — Алек, ты хорошо подумал? Ты готов столькими пожертвовать, почти всем, и только ради того, чтобы мы могли встречаться.

— Вот. Вот в этом-то и загвоздка. — При этих его словах Кристин замерла от испуга. — Я не собираюсь с тобой встречаться.

— Ты не собираешься что?..

Алек таинственно улыбнулся.

— Я хочу жениться на тебе.

— О Боже мой!

Он нахмурился:

— Я надеюсь, что это утвердительно-положительное «Боже мой»?

— Это очень утвердительно-положительное «Боже мой»! — Кристин сжала его руку. — Ты действительно, действительно уверен в этом?

— Ты насчет женитьбы? Абсолютно уверен.

— И поэтому от многого готов отказаться? А если ничего не выйдет? А если я не смогу сделать тебя счастливым? И ты станешь винить меня в этом?

— Погоди. — Алек прикрыл ей рот ладонью, и она поняла, что он смеется. — Все получится, потому что я тебя люблю. И хотя ты этого никогда не говорила, но я знаю, что ты тоже меня любишь. — В его оживлении мелькнуло сомнение. — Ты ведь меня любишь?

Не в силах вынести такой шквал эмоций, Кристин обмякла, когда Алек отнял ладонь от ее губ.

— Да, Алек, да. Я люблю тебя!

— Слава Богу.

На этот раз он закрыл ей рот поцелуем. Обхватив его за шею, Кристин, уже не сдерживая эмоций, ответила на поцелуй со всем переполнявшим ее счастьем и перехлестывающей через край радостью. Когда, чуть не задохнувшись, он наконец поднял голову, Кристин увидела в его глазах те же самые чувства.

— Значит, этот вопрос решен, — сказал он. — Теперь тебе осталось только сказать «да».

— Но что, если...

Он прервал ее слова еще одним поцелуем, на этот раз коротким.

— Ты не сказала «да».

— Но...

Он снова поцеловал ее, потом посмотрел на нее строгим взглядом.

— Ты должна сказать «да». Давай попробуем еще раз. — Алек прижал ее руку к своему сердцу. — Кристин, ты выйдешь за меня замуж?

Она улыбнулась, глядя ему в глаза:

— Да, Алек, я очень хочу выйти за тебя замуж!

— Слава Богу.

Он привлек ее к себе и снова поцеловал, на этот раз ласково и неторопливо.

Глава 18

Поставив цель, не сворачивай с пути.

«Как сделать свою жизнь идеальной»

— Не могу поверить, что я так сильно нервничаю, — сказала Кристин, когда они свернули к безумно переполненной парковке у техасского мексиканского ресторана рядом с Зилкер-парком.

— Постарайся не нервничать, потому что из-за этого я нервничаю еще больше. — Алек смотрел на Кристин в полумраке машины. — Я хочу сказать, что ведь это твои подруги и не тебе, а мне предстоит пройти их «контроль».

— Ты прав, прости. — Кристин попыталась успокоить и поддержать Алека. Она развернула машину и подъехала к входу. Как обычно, этот ресторан, похоже, был набит битком, но именно здесь Эйми решила устроить проводы, перед тем как отправиться в круиз. — Я постараюсь взять себя в руки.

— Ты не возражаешь, если я спрошу тебя, почему ты так нервничаешь? — Сидевший на пассажирском сиденье Алек развернулся, чтобы видеть лицо Кристин, в это время она пыталась втиснуть машину на свободное пространство у самого входа. — Если есть вероятность того, что я могу им не понравиться и ты, прислушиваясь к их мнению, решишь разорвать нашу помолвку, скажи сразу.

— Ты непременно им понравишься, Алек. Тебя все любят. Просто... — Она наконец остановила машину и посмотрела ему в лицо. Гирлянда цветных огоньков висела по фасаду старого здания, перестроенного под ресторан, и в их неярком свете Кристин увидела, что на лбу у него опять залегла знакомая ей складка. — Ладно, я не хочу, чтобы ты нервничал еще больше, но понимаешь, я очень плохо разбираюсь в мужчинах, и это заставляет моих подруг быть чересчур придирчивыми.

— Замечательно. — Алек с шумом выдохнул. — Всегда получал удовольствие, когда обед приправлен каплей риска. Это благотворно влияет на пищеварение.

— Все будет в порядке. Ты им непременно понравишься, не сомневайся.

Алек постарался не паниковать. Он помнил этот ресторан еще с тех времен, когда учился в старших классах школы, и рад был увидеть, что у входной двери заведения все еще висит барельеф Элвиса. Внутри самым причудливым образом смешались яркие краски интерьера, музыка, доносившаяся из музыкального автомата, и голоса людей, толпившихся у бара в ожидании свободного столика.

Кристин помахала подругам, сидевшим у дальнего конца барной стойки. Они с Алеком направились туда, проходя под свисающими с потолка сотнями раскрашенных в немыслимые цвета деревянных рыбок.

— Простите за опоздание. — Кристин обнялась с рыжеволосой девушкой, сидевшей на высоком табурете. — Еле вырвалась из больницы, да и на парковке, как всегда, не приткнуться.

— Ничего страшного. — Рыженькая с улыбкой посмотрела на спутника Кристин. — А это, как я понимаю, Алек?

— Да. — Кристин обняла его за талию и слегка потянула к себе, чтобы они смогли говорить в этом шуме. — Алек, познакомься с моими подругами. Это Мэдди Миллз и Эйми Бейкер. Мы жили вместе, когда учились в колледже.

Рыжеволосая Мэдди помахала ему кончиками пальцев, а Эйми, пухленькая брюнетка, застенчиво улыбнулась новому знакомому.

— А это жених Мэдди, Джо Фрейзер. — Кристин указала на солидного мужчину крепкого телосложения, с иссиня-черными волосами и смуглой кожей. Он походил на солдата войск специального назначения.

— Рад познакомиться. — Алек обменялся рукопожатием с Джо и с опаской посмотрел на девушек. — Думаю, лучше сразу откровенно признаться, что я буквально трясусь от страха.

Мэдди рассмеялась, а Джо извинился и пошел к администратору сообщить, что их компания в сборе. Вскоре их усадили за столик в зале, намеренно оформленном в стиле китч. На стене напротив портрета Элвиса на черном бархате висели задние панели трех «шевроле» старых моделей.

— Ну так как, Эйми, — спросила Мэдди, когда они сделали заказ, — ты нервничаешь или просто возбуждена завтрашним отъездом?

— И то и другое. — Эйми засмеялась. — Я сложила вещи и готова ехать, и, как я понимаю, пути назад нет.

— Тогда мы желаем тебе счастливого пути. — Мэдди подняла бокал с «Маргаритой», все последовали ее примеру и выпили. Потом Мэдди снова подняла бокал и посмотрела на Кристин. — А второй тост мне хотелось бы предложить в честь Кристин и Алека по случаю их помолвки.

Алек потихоньку вздохнул с облегчением, услышав эти слова. Тост — это хороший знак. Он на это надеялся. Но когда Мэдди и Эйми начали с пристрастием расспрашивать его о детстве и юношеских годах в Элджине и о его работе в поисково-спасательной службе, он понял, что поторопился со вздохом облегчения. Поскольку ему пришлось подробно отвечать на каждый вопрос, он едва смог попробовать стоявшую на столе еду.

Наконец в отчаянной попытке выбраться из-под «обстрела» Алек повернулся к Джо:

— Расскажи мне, как ты пережил эту «учебку».

— Только не это. — Мэдди округлила глаза. — Если он заведется, его не остановить. Думаю, я пойду в дамскую комнату. А ты, Кристин?

— Да, я тоже пойду. — Кристин проворно выскользнула из-за стола.

— Я с вами. — Эйми тоже поднялась, и девушки быстро удалились.

Когда они исчезли из виду, Алек буквально сполз на спинку диванчика.

— Черт возьми! Итак, присяжные удалились на совещание. — Его сердце мучительно колотилось, он посмотрел на Джо, сидевшего напротив него. — Интересно, сколько времени им потребуется, чтобы вынести приговор?

— Недолго. — Джо полил картофель фри мексиканским соусом. — Расслабься. Ты прошел испытание, и твоя кандидатура одобрена.

— Правда? — Алек выпрямился. — Откуда ты знаешь?

— Минут десять назад Мэдди подала мне знак. Ты принят.

— Боже! — Алек прижал руку к груди, потом медленно опустил ее. — Надеюсь, ты не ошибаешься. Похоже, у них не забалуешь?

— Да, и в связи с этим у меня появилась одна идея. Кристин упоминала, что я занимаюсь подготовкой к свадьбе?

— Да, она говорила. И это заставляет меня задуматься: ты невероятно храбр или абсолютно безумен?

— Иногда мужчина должен взять дело под свой контроль, конечно, если хочет, чтобы все прошло как надо. — В этот момент Джо снова превратился в крутого армейского рейнджера. — А пока наши дамы там ведут бурные обсуждения, я расскажу тебе о своей идее. Я хочу предложить Мэдди и Кристин устроить двойную свадьбу. Может, им это и не понравится, женщины ведь в таких делах абсолютно непредсказуемы, но, думаю, обсудить это стоит.

— А когда у вас свадьба?

— В середине апреля, здесь, в Остине, потому что здесь живет семья Мэдди.

— Меня это вполне устраивает. Меня вообще устраивает все, что поможет привести Кристин к алтарю, прежде чем она передумает.

— Хорошо, тогда спросим их, когда они вернутся.

— Это если Эйми и твоя невеста не скажут моей невесте отшить меня прямо сейчас.

— Говорю же тебе, ты принят.

— Ну как? — спросила Кристин, едва за ними закрылась дверь дамской комнаты.

— Кристин! — Мэдди обняла подругу. — Он замечательный!

— Правда?

— Да! — Мэдди сделала шаг назад, чтобы Эйми тоже могла обнять Кристин.

— Он идеально тебе подходит, — заявила Эйми.

— Ну слава Богу! — Кристин закрыла глаза и крепче обняла подругу. — Я так боялась, что вы не одобрите мой выбор. Да, он мог вам понравиться, Алек всем нравится, но я волновалась, что он покажется вам не слишком подходящим для меня. Конечно, он моложе меня, и мы из разных социальных слоев, но он такой... — Она попыталась отыскать подходящие слова, но не смогла. — Он такой, какой есть! Он Алек!

Мэдди лукаво взглянула на подругу:

— На самом деле он показался мне весьма сдержанным по сравнению с тем, как ты его описывала.

— Это только потому, что вы его вымотали своим перекрестным допросом, — рассмеялась Кристин. — Не хватало только лампы в лицо.

— Ну уж не настолько мы были страшными. — Мэдди засмеялась.

Кристин в ответ лишь скорчила гримаску.

— Ты его уже познакомила со своей семьей? — озабоченно спросила Эйми.

— Нет. — Это напоминание немного охладило всеобщую эйфорию. — Они в некотором роде познакомились с ним в Колорадо, но я еще не сказала им о нашей помолвке.

Мэдди нахмурилась, озабоченно глядя на подругу:

— Вы уже два дня как помолвлены, а ты еще не сказала своим?

— Если честно, — Кристин сжала девушкам руки, — я хотела сначала услышать ваше мнение и посоветоваться с вами, как лучше к этому подойти. Я действительно беспокоюсь, а вдруг они не одобрят мой выбор. По крайней мере сначала.

Мэдди фыркнула:

— Уверена, что не одобрят... вообще. Но я думаю, что здесь ты должна довериться своему сердцу и руководствоваться только тем, что чувствуешь сама. Не позволяй своей семье разбить вашу любовь, хотя они наверняка попытаются это сделать.

— Не знаю, хватит ли у меня духу.

Мэдди посмотрела на Кристин взглядом, который говорил: «Будь реалисткой».

— Хорошо, но что же мне делать? — спросила Кристин. — Как мне добиться их одобрения?

— Тебе и не нужно, — ответила Мэдди. — Просто не обращай на них внимания.

— Я не могу этого сделать.

Эйми крепко сжала ей руку.

— Хочешь дам совет?

— Ты еще спрашиваешь! — Кристин засмеялась. Эйми обладала такой интуитивной мудростью, словно прожила на свете уже много лет. — Мне просто необходим твой совет!

— Тогда слушай. — Эйми стала совершенно серьезной, даже суровой. — То, что делает Алека идеально подходящим для тебя — его живость, непосредственность и отсутствие лоска, — это может иногда раздражать тебя. Не допускай этого, Кристин. Не позволяй мелочам брать верх и не заводись из-за ерунды только потому, что ты озабочена тем, что подумает твоя семья. Если ты любишь его, люби его таким, какой он есть. Точно так же, как он любит тебя такой, какая ты есть.

— Ты правда считаешь, что он меня любит? — Сердце Кристин затрепетало от этих слов. — Он, конечно, говорит, что любит, и действительно создается такое впечатление, но...

— Дорогая, — Эйми улыбнулась ей, — да он просто сияет, когда смотрит на тебя.

— Но я ничего не сделала, чтобы он полюбил меня.

Мэдди рассмеялась:

— Если бы здесь была мамаша Фрейзер, она бы сказала тебе, что любовь не нужно заслуживать. Она или есть, или ее нет. И она не сопровождается условиями, типа: «Я полюблю тебя, если только...»

— Но что меня больше всего пугает, так это те жертвы, которые он приносит ради того, чтобы быть со мной, — призналась Кристин. — Я так и жду, что он посмотрит на меня и подумает: «В своем ли я уме? И это ради нее я всем пожертвовал?»

Мэдди недовольно уперла кулаки в бедра:

— Все, хватит, здесь нужна целая лекция. Но у нас нет времени, так что оставь это Алеку, пусть он тебе объяснит, почему ты достойна каких-либо жертв. А сейчас давайте вернемся за стол, а то, гадая, что мы тут о нем говорим, у твоего жениха случится нервный приступ.

Когда они вернулись к столу, Алек и Джо оживленно беседовали. Стоило Кристин лишь увидеть его, и в душе у нее все запело. Он поднял голову, увидел, что она улыбается, и заметно расслабился. Он все еще беспокоился, в его глазах читался вопрос, но, как заметила Эйми, он просиял, увидев ее.

— Привет, — сказала Кристин, войдя в кабинку и усаживаясь рядом с Алеком. Чем она заслужила любовь этого замечательного человека? А то, что он ее любит, было очевидно.

— Привет. — Алек улыбнулся ей в ответ.

Сидящий напротив них Джо повернулся к Мэдди:

— Мы с Алеком как раз говорили о свадьбе.

— Правда? — Казалось, Мэдди смутила мысль о том, что двое мужчин сидят и обсуждают подготовку к свадьбе.

— Да. — Джо кивнул. — Хотим подбросить вам идею. Если она вам не понравится, никаких проблем.

— Хорошо... — Мэдди с подозрением смотрела на Джо. — Что за идея?

— Как вы обе отнесетесь к двойной свадьбе?

— Двойной свадьбе? — Мэдди недоуменно склонила голову набок, но через секунду ее лицо засветилось радостью. — Я думаю, это замечательная идея! А ты, Кристин?

Кристин попыталась осмыслить услышанное. Всего лишь пару дней назад она дала Алеку согласие выйти за него замуж, и вот они уже строят реальные планы.

— Я... я не знаю. — Она посмотрела на Мэдди. — У тебя не возникнет чувства, что я «вмешиваюсь» в твой праздник?

— Нет, нет, я скорее подумаю, что ты разделишь со мной этот праздник. А ты?

— Пожалуй, да. У меня есть время подумать?

— Ну конечно, — заверила ее Мэдди.

Джо фыркнул:

— Думайте об этом сколько хотите. Но мы с Алеком сейчас же займемся подготовкой.

Мэдди, смеясь, округлила глаза.

— Когда Джо к чему-то готовится, лучше не вмешиваться.

— Ну, одно испытание пройдено. — Алек вздохнул с облегчением. Они с Кристин сидели в машине, собираясь отъехать от ресторана. — Осталось еще два.

— Еще два?

— Твое знакомство с моей семьей и моя встреча с твоей.

— Ах да. — Кристин представила себе, как ее семья встретит Алека, и в желудке возникло ощущение холодной пустоты. Ну, ведь не в такой же степени неодобрительно, как того опасалась Мэдди.

Алек тоже был погружен в свои мысли, и, направляясь к магистрали, они в молчании миновали Зилкер-парк.

— Думаю, что мы не сможем отказаться от первого.

— Ты думаешь, я не понравлюсь твоей семье? — Кристин посмотрела на Алека в полумраке машины.

— Понятия не имею, что они будут думать, и, честно говоря, мне это абсолютно безразлично. Меня гораздо больше беспокоит, какое впечатление они произведут на тебя.

— Брось, Алек. — Кристин напряженно улыбнулась. — Неужели ты считаешь, что я такой сноб, что брошу тебя только потому, что твоя семья...

— «Белые отбросы»?

— Из другого социального слоя.

Алек засмеялся:

— В наше время для всего нашли политкорректные термины.

Она вновь взглянула на него и заметила застывшую в его глазах обеспокоенность.

— Неужели ты действительно настолько их стыдишься?

— Если в двух словах, то... — Он сдвинул брови. — Да, черт возьми!

— Во-первых, это уже три слова, а во-вторых, я впервые слышу, как ты ругаешься.

— Я просто продемонстрировал свои корни.

— Я, между прочим, тоже ругаюсь.

— У тебя это забавная особенность характера. А моя семья разговаривает с помощью ругательств.

— Знаешь, если ты серьезно говоришь о нашей женитьбе, мне все равно в конце концов придется с ними познакомиться. Так, может быть, лучше сразу посмотреть, как я буду на них реагировать?

— Хорошая мысль. — Алек шумно вздохнул. — Я позвоню маме и скажу, чтобы они ждали нас в субботу к ленчу. Надеюсь, ты любишь барбекю?

— Обожаю.

Глава 19

В жизни нет легких дорог.

«Как сделать свою жизнь идеальной»

— Давай, Бадди! Гуляй, парень! — Алек спустил пса с поводка, и Бадди помчался по открытому полю за передвижным домом родителей Алека. Пес пронесся в высокой траве, мелькнул возле стоящего на кирпичах ржавого пикапа и со счастливым лаем метнулся к бежавшему неподалеку ручью. — Ну слава Богу, хоть один из нас повеселится.

— Похоже, он просто счастлив, — улыбнувшись, сказала Кристин, наблюдая, как Бадди носится по кругу, а его золотистая шерсть играет в солнечном свете.

Неторопливо следуя за собакой, Алек поглядывал на Кристин, пытаясь разгадать, о чем она думает. Но ничего, кроме умиротворения и радости, с которыми она наблюдала за шалостями Бадди, не читалось на ее лице.

— Знаешь, если ты это скажешь, то я пойму все правильно.

— Скажу что? — Она посмотрела на него с недоумением.

Алек бросил взгляд на прицеп, в котором жили его родители, на провисший брезентовый навес, на некогда белые, а теперь проржавевшие стены фургона.

— Скажешь, что они действительно такие ужасные, как ты себе и представляла. Возможно, даже хуже.

Этот день превратился в серию каких-то стоп-кадров, четко обозначивших причины, по которым Алеку так не хотелось приезжать сюда. Он подвигал плечами в тщетной попытке расслабиться.

— На самом деле, — Кристин взяла его под руку, — они не такие ужасные, как ты их описывал. И ты, кстати, не говорил, что твой брат и сестра такие красавцы. Боже мой! — Она с притворным ужасом оглянулась на фургон. — Твой брат одной своей потрясающей улыбкой может без труда соблазнить любую женщину.

Алек рассмеялся в ответ на слова Кристин и произнес, намеренно утрируя свой техасский акцент:

— Да, одно можно с уверенностью утверждать о Хантерах. Возможно, они нужны этому миру, как титьки хряку, но они умеют делать красивых детей.

— Прекрати. — Кристин шутливо шлепнула его.

— Правда, — настаивал Алек. — Ты ведь видела детей моей сестры.

— Они прелестны, — подтвердила Кристин.

Он только удивленно раскрыл глаза, сообразив, что она тактично опустила тот факт, что это были плохо воспитанные, практически неуправляемые дети, которые носились и вопили в течение всего ленча. Естественно, сестра криком и угрозами пыталась угомонить их, но все было без толку, потому что ребятня совершенно не боялась матери.

Когда Алек смотрел на Кристин и на сестру, сидевших за одним столом в тесной, беспорядочно загроможденной столовой, он видел разительный контраст между ними. Обе высокие красивые блондинки, но его сестра резкая, грубая, нетерпимая, и к тому же самовлюбленная.

То, что с момента их прибытия Кристин держалась очень доброжелательно, заставило его осознать, что его привлекала в ней не только и главным образом не столько внешняя красота, а то, что скрывалось под внешней оболочкой: умная, образованная женщина, терпимая, утонченная и в то же время хулиганисто-остроумная — женщина, которая не переставала удивлять и восхищать его. Иногда в ее голосе проскальзывали нотки самосомнения, и это трогало его до глубины души. Ну разве можно ее не любить?

— По-моему, ты говорил, что у твоего брата тоже есть дети?

— О да. — Алек презрительно фыркнул. — Судя по фотографиям, которые присылала мне мама, могу поклясться, что пятеро ребятишек Дуайта самые красивые и самые несносные негодники, каких только можно представить. Вероятно, такие же несносные, как дети Клары.

— Пятеро? — От удивления Кристин даже остановилась. Она стояла на залитом солнцем поле и смотрела на Алека.

— Плюс две бывшие жены, — добавил он. — Между вторым и третьим ребенком только шесть месяцев разницы.

— Ничего себе! — Кристин удивленно подняла бровь.

— Да. — Алек с раздражением покачал головой. — Конечно, «это не его вина». Женщины вешаются ему на шею каждый раз, когда он переступает порог бара, и «что ему остается делать»?

Она постучала пальцем по его губам.

— Это просто совет, но он мог бы попробовать не ходить в бары, когда дома его ждут беременная жена и ребенок.

— Ты думаешь? — сухо спросил Алек.

Бадди подлетел к ним и залаял, требуя, чтобы они не отставали. Алек и Кристин подчинились и вошли в прохладную тень деревьев, растущих вдоль берега неторопливого мутного ручья. Алек огляделся вокруг и нахмурился:

— В детстве это было мое любимое место, правда, тогда оно было намного симпатичнее.

— Ты живешь в горах уже одиннадцать лет. А на их фоне многие старые местечки тускнеют.

— Верно. — Алек следил, как Бадди входит в воду, ставя на повестку дня этого вечера слово «купание». — К тому же я убирал мусор, который скапливается по берегам после каждого дождя. Естественно, никто этим не стал заниматься после моего отъезда.

Оглянувшись на трейлер, он почувствовал, как в нем нарастает раздражение.

— Но почему меня это удивляет? Если отец давно уже не может поднять свою ленивую задницу, чтобы заделать дыру в крыше, так неужели он станет убирать мусор на берегу ручья? Ох, простите меня, он не ленив. У него просто «проблемы со спиной». Вот почему уже двадцать лет он не может работать на стройке. Господи, но ведь брат тоже работает на строительстве. Почему же он не может посвятить один день починке этой дурацкой крыши?

— Сапожник без сапог? — не то спросила, не то констатировала Кристин.

— Черт с ними. — Алек посмотрел на навес, под которым, как и много лет назад, стоял все тот же допотопный, промятый и полуразвалившийся диван, сидя на котором люди лениво потягивали пиво и смотрели на проезжающие по магистрали машины. — Думаю, что когда я перееду в Техас, мне придется приехать и самому кое-что здесь отремонтировать. Ради мамы. Если бы это касалось только отца, пусть бы он валялся на кровати и на него бы продолжало лить, но мама работает и она не заслуживает того, чтобы возвращаться в дом, где протекает крыша.

Кристин, чуть наклонив голову, внимательно взглянула на Алека:

— Похоже, что она тебе ближе всех.

Он пожал плечами и прислонился спиной к дубу.

— Она единственная, кто не смеялся надо мной, когда я начал усердно заниматься и стал получать хорошие отметки.

— А когда это было? — Кристин вплотную подошла к нему и обвила руками его шею, ей хотелось узнать о нем как можно больше. Как и когда он перестал походить на своих брата и сестру?

— Когда мне было двенадцать лет, я узнал, что существует поисково-спасательная служба, и все для меня изменилось. — Алек положил ладони ей на бедра. — Здесь пронесся торнадо. Если пройтись среди тех деревьев, то, вероятно, еще можно заметить его путь.

— Он прошел так близко? — Кристин повернула голову, глядя в том направлении, которое указал Алек. — Это, наверное, было очень страшно.

— Особенно если ты живешь в трейлере. Могу поклясться, что эти жестянки просто притягивают торнадо. — Бадди подбежал к ним и улегся рядом, тяжело дыша после пробежки. — Смерч не задел нас, но разрушил до основания несколько домов недалеко отсюда. Погибло восемь наших соседей, а несколько семей остались без домов.

— Боже, Алек! Как это, должно быть, было тяжело!

— Да, пришлось тяжело. Всей общине. — Он чуть подвинулся, чтобы Кристин могла плотнее к нему прижаться. — Думаю, это был единственный случай, когда я гордился своим отцом. Они с Дуайтом много часов добровольно отработали, восстанавливая разрушенные дома.

И постоянно насмехались надо мной, потому что я не помогал им.

— Ты не помогал? — Кристин нахмурилась. — На тебя это не похоже.

— Я не помогал со строительством, — пояснил Алек. — По крайней мере вначале. На следующий день после урагана для поиска тел прибыла поисково-спасательная команда Федерального агентства США по чрезвычайным обстоятельствам. Я лично знал некоторых пропавших. В такой маленькой общине все друг друга знают. И поэтому когда координатор стал искать волонтеров, я ухватился за эту возможность, думая, что... не знаю, конечно, я хотел помогать, но думал также, что это будет очень увлекательно. Как же я ошибался!

— Да?

Алек удивленно поднял бровь:

— Ты когда-нибудь видела, как работает поисковая команда в лесистой местности?

— Единственный раз, когда я участвовала в поисках после бурана.

— На равнине все происходит почти так же, даже полегче физически. Спасатели выстраиваются в линию на расстоянии вытянутой руки и очень медленно, все время глядя себе под ноги, двигаются вперед, прочесывая местность. Это не столько утомительно, сколько скучно. И мы занимались этим в течение нескольких дней. — Алек растянул последние слова. — По мнению моего отца, здесь он и брат занимались настоящей мужской работой, в то время как его младший сын бродил по лесу, словно какой-то изнеженный маменькин сынок.

Кристин стало обидно за Алека. Она знала, как больно ранит отцовская критика.

— И что ты сделал?

— Не обращал на него никакого внимания. — Алек пожал плечами. — И как ты думаешь, с кем я проводил вечера? С отцом и его сквернословящими пьяницами приятелями? Или с этими удивительными людьми, которые были словно... пришельцы в моем мире?

Кристин попыталась представить себе первую встречу Алека с волонтерами поисково-спасательной службы. Те, с которыми познакомилась она, работая в отделении «Скорой помощи», были чрезвычайно преданы своему делу и обладали хорошей подготовкой. Это были люди самого разного общественного положения, часто окончившие колледж и даже «белые воротнички». Они жертвовали очень многим и рисковали собственной жизнью, чтобы помочь людям, оказавшимся в беде, и Кристин восхищалась этими людьми.

— Думаю, что ты проводил время со спасателями.

— Я готов был часами слушать их рассказы, — сказал Алек. — Те поисковые работы, вероятно, были утомительными, но было много волнующих моментов. К тому же их вызывали действительно в серьезных случаях, и я был уверен, что занят важным делом. Именно тогда я решил, что среди них мое место. Даже после отъезда спасателей, когда я забивал гвозди, работая на стройке, я уже знал, что весь ход моей жизни изменился. Работа в поисково-спасательной службе могла вывести меня из этого жизненного тупика. И я готов был грызть землю, чтобы осуществить свою мечту.

— Знаешь, что я хочу тебе сказать? — Сердце Кристин переполняла любовь к Алеку. Она обхватила его лицо ладонями и поцеловала в губы. — Ты меня просто потрясаешь! Ты поразил меня еще в Колорадо, когда я увидела тебя во время спасательной операции, но теперь, когда я узнала, как ты начинал, на меня это произвело по-настоящему сильное впечатление.

— Спасибо. — Он обнял ее.

— И как тебе могло прийти в голову, что знакомство с твоей семьей заставит меня отказаться от тебя? — Она положила голову ему на плечо, наслаждаясь теплотой и умиротворением простого объятия.

— Ты осуждаешь меня? — Его рука скользила вверх и вниз по ее спине.

— Нет. Потому что мы должны завершить начатое.

— Ты о чем?

Кристин подняла голову, и Алек заметил, что выражение спокойствия на ее лице сменилось беспокойством.

— Мама настаивает на том, чтобы завтра я привела тебя на ужин.

— Я готов.

— Я знаю. — Кристин шагнула назад, выбравшись из его объятий. — Я надеялась, что мы сможем провести больше времени наедине.

И надеялась, что он найдет новую работу до того, как она представит его своей семье. Она посмотрела на неторопливо струившийся поток.

— Ты по-прежнему собираешься во вторник отправиться в Силвер-Маунтин?

— В выходные чаще всего происходят несчастные случаи в отдаленных районах, поэтому я не хотел пропускать больше одного уик-энда. Если я выеду во вторник, то уже в пятницу смогу пойти на работу. К тому же мне надо привести в порядок свои дела, например, подать заявление об уходе.

— Да? — Кристин посмотрела на него. — Я думала, что ты подождешь с этим, пока не определишься с новой работой.

— Да, ну... Гм...

Она наклонила голову.

— Ты что-то от меня скрываешь?

— Я собирался рассказать тебе об этом позже, когда вернемся к тебе. Вчера я был на собеседовании.

— Правда? — Кристин оживилась, потом заметила, что он не улыбается. — Ну и как? Почему ты не радуешься?

— В основном потому, что мне было отказано.

Алек тяжело вздохнул.

— Что?

Он с шумом выдохнул.

— Эта работа не связана с поисково-спасательной службой. Там нет оплачиваемых должностей, по крайней мере в районах, куда можно было бы добираться на машине, и в ближайшем будущем никаких изменений не предвидится.

— Так где же ты проходил собеседование?

— В пожарном отделении Остина. Они предложили мне работу в качестве парамедика. И... — Алек сделал глубокий вдох, словно пытался взять себя в руки. — В понедельник я собираюсь принять это предложение.

— Алек... нет. С таким графиком работы у тебя будет совсем мало времени, чтобы участвовать в поисково-спасательных работах в качестве волонтера, если вообще оно будет.

Он отошел от дерева и медленно побрел по берегу ручья, на скулах играли желваки.

— А что мне еще остается делать? Найти какую-нибудь «непыльную» работу и одновременно заниматься спасательными работами? Это было реально, когда мне было двадцать, но мне уже скоро исполнится тридцать и я собираюсь жениться. Я просто обязан относиться ко всему этому серьезно.

— Алек, я достаточно зарабатываю, и...

— Оставь! — Выражение его лица неожиданно стало жестким. — Даже не говори таких вещей. Во-первых, я не такой, как мой отец.

— Извини. Я совсем не то имела в виду.

— А во-вторых, это именно то, что пытались сделать с тобой твои прошлые бойфренды. Чем я буду лучше их, если превращусь в лентяя, живущего за твой счет?

— Никто из них не хотел на мне жениться.

— Не понимаю, что это меняет. — Глаза Алека сверкнули, и Кристин поняла, что действительно обидела его. — Кроме того, мне нравится работать, и работа парамедика меня вполне устроит. Правда.

— Правда?

Он притих.

— В основном.

— Тогда почему у тебя такой несчастный вид?

— Потому что... я просто... О Господи!

К ее удивлению, он повернулся к ней спиной. Почувствовав неладное, Бадди начал вопросительно поскуливать.

— Алек? — Кристин положила руку ему на спину и почувствовала, как напряжены его мышцы. Ее охватила тревога. — В чем дело?

— Меня просто убивает мысль о том, что мне придется расстаться с Бадди.

— Что?! — Обойдя Алека, она заглянула ему в лицо. Услышав свое имя, Бадди поднял голову, вопросительно поглядывая то на одного, то на другого. — Зачем тебе с ним расставаться?

— Это не домашняя собачка, Крис. Он даже не принадлежит мне. — Алек посмотрел на пса, и его глаза увлажнились. — Это отлично обученная поисковая собака, которая принадлежит округу. Если бы я получил должность здесь, я, возможно, уговорил бы моего нового менеджера округа выкупить его, и тогда он бы попрежнему был при мне, но если я стану работать парамедиком, то мне придется передать его тому, кто сменит меня в Силвер-Маунтин. Я никак не могу позволить себе купить собаку, которая стоит тридцать тысяч долларов.

Кристин изумилась, услышав эту цифру. Она знала, что собаки-спасатели стоят очень дорого, но не могла представить, чтобы так дорого.

— Я куплю его для тебя.

— Ты представляешь, как это заманчиво? — Алек сухо рассмеялся. — Но нет. Абсолютно исключено. И не изза денег, а потому что это будет неправильно. То, что я оставляю работу поисковика-спасателя, не может быть причиной для того, чтобы наша команда лишилась этой великолепной поисковой собаки, которая может спасти жизнь многим людям. И к тому же это будет нечестно по отношению к Бадди. — Словно понимая, о чем идет речь, пес заскулил, Алек нагнулся и ласково погладил Бадди. — Я не могу требовать от этого парня, чтобы он оставил работу, которую любит.

— А как же ты? — Кристин смотрела на них, и ей казалось, что сердце ее сейчас разорвется. Насколько же больнее Алеку? — Разве все это честно по отношению к тебе?

— Я сам сделал свой выбор. — Он поднял на нее глаза и грустно улыбнулся. — И в качестве компенсации у меня есть ты.

— Алек, я просто не знаю. — Кристин обхватила себя руками. — От тебя это слишком большие жертвы. Тебе придется оставить горы, и, как выясняется, ты не можешь забрать с собой Бадди. Как скоро ты начнешь раздражаться на меня из-за этого?

— А какая альтернатива? — Алек повернулся к Кристин и погладил ее по щеке. — Не жениться?

— Это просто... просто нечестно. — Кристин чуть не плакала. Обняв Алека, она уткнулась лицом ему в грудь. — Почему за все нужно платить?

— Потому что так устроена жизнь. — Успокаивая ее, Алек гладил ее по спине, даже не думая о том, что это она должна была успокаивать его. — Все получится, милая. У нас все получится.

Некоторое время они стояли обнявшись, потом Алек поднял голову:

— Ладно, давай вернемся к трейлеру. Мама обещала коблер* и мороженое на десерт. О компании я сказать этого не могу, но еда на высоте.

— Хорошо, — согласилась Кристин, хотя хорошего во всем этом было мало.

Глава 20

— Не могу поверить, что мы так опаздываем.

— Мы не опаздываем. — Алек попытался разрядить обстановку.

Они ехали по району, в котором жили родители Кристин. Дома здесь стояли самые разные по размеру и сти-

* Винный коктейль.

лю: от старомодных и изящных бунгало до внушительных особняков. Алек знал, что даже не самые большие дома здесь стоят довольно дорого.

— Мы же не должны войти в дом, когда часы будут бить шесть, или как?

Кристин ответила нервным смешком.

— Перестань, это же твоя семья, а не расстрельная команда, — поддразнил ее Алек, пытаясь ослабить напряжение, которое в течение дня только возрастало. К его изумлению, утром она потащила его в универмаг, где они купили ему спортивного покроя пиджак и отличный шелковый галстук, а сама она перед выходом трижды меняла наряд. — Что случится, если мы приедем на пятнадцать минут позже?

— На двадцать, — поправила Кристин, взглянув на свои часы, украшенные бриллиантами. — Но самое главное — мы уже здесь.

Алек посмотрел через стекло и испытал некоторое облегчение, увидев средних размеров дом. Но Кристин проехала мимо и завернула в небольшой парк. И тут он увидел ДОМ.

Вот это да! Алек уставился на каменный замок, увенчанный башенкой. Для ухода за клумбами, которые окружали дом, наверняка требовалась целая армия садовников. Рано он расслабился!

— Ты выросла здесь? — Голос его зазвучал на тон выше.

Кристин ехала по подъездной аллее к расположенной сбоку от центрального входа крытой стоянке.

— Нет. Родители переехали сюда, когда я заканчивала школу. До этого мы сменили несколько домов, постепенно переезжая в более крупные, а родилась я вообще в очень маленьком доме.

Он посмотрел на нее:

— Понятно.

— Черт возьми, — выругалась она, — мой брат уже здесь. Конечно. Ну почему он никогда не опаздывает?

Она остановила машину рядом с черным «БМВ», но продолжала сидеть, глядя на дом. Снова вполголоса выругавшись, Кристин открыла сумочку и начала судорожно рыться в ней.

— Крис, один вопрос, прежде чем мы войдем в дом.

— Какой?

— Ты ведь понимаешь, что я никогда не смогу обеспечить такой уровень жизни? А если бы даже и смог, то не захотел бы.

— На самом деле это не так, но по крайней мере мы пришли к единому мнению в том, что касается второй части.

— И что это должно значить?

— Алек, — в ее голосе слышалось раздражение, — как только мы поженимся, все мое станет твоим, и наоборот.

Его вдруг неожиданно осенило, что, возможно, она-то сможет себе позволить жить так. Если не сейчас, то когда-нибудь в будущем. Он знал, что она из обеспеченной семьи, но одно дело — знать, и совсем другое — увидеть своими глазами. Господи, да ведь у нее, вероятно, есть доверительные средства и паи в различных фондах и самые различные накопительные счета, которые плодятся как кролики?!

Даже если Кристин и не захочет так жить, ей захочется иметь гораздо лучший дом, чем может позволить себе парамедик.

Она достала из сумочки бутылочку с пилюлями и вытряхнула на ладонь маленькую белую капсулу.

— Что это? — спросил Алек, нахмурившись.

Кристин забросила в рот таблетку и, не запивая, проглотила ее.

— Так, кое-что, что поможет мне пережить этот вечер без гипервентиляции.

— Успокоительное? — Узелки в желудке у него затянулись сильнее. — Тебе нужен транквилизатор, чтобы представить меня своим родителям?

— Алек... — Кристин тяжело вздохнула. — Я сейчас на грани полноценного приступа паники, только, пожалуйста, не принимай это на свой счет. Это не первый вечер, когда мне нужна помощь, чтобы выдержать вечер в семейном кругу.

— Эй! — Тревога Алека возросла еще больше, когда он взял Кристин за руку. — Посмотри на меня.

Когда она повернулась к нему, он увидел, что ее глаза открыты так же широко, как и во время их первых поездок на подъемнике.

— Почему мы сидим здесь?

— Потому что мы все равно уже опоздали.

— Я знаю, но поговори со мной. — Он придвинулся к ней. — Ты боишься представлять меня своей семье?

— Нет, — ответила Кристин решительно.

— Скажи мне правду, Крис, пожалуйста.

— Я не знаю. — Она потерла лоб. — Возможно, но дело здесь не в тебе. Это трудно объяснить. Я просто...

— Что?

— Я хочу, чтобы они уважали мое решение и радовались за меня. — Она посмотрела ему прямо в глаза. — Радовались, видя, что ты делаешь меня счастливой. Что ты идеально мне подходишь, даже... — Она умолкла.

— Даже несмотря на то, что я не соответствую их требованиям.

— Я этого не сказала. — Кристин отвела взгляд. — Давай прекратим этот разговор, ладно? Потому что все, что я говорю, я говорю неправильно. Пойдем в дом и покончим с этим делом.

— Хорошо. Но сначала... — Алек обнял ее свободной рукой и поцеловал долгим, страстным поцелуем. Потом отстранился и строго посмотрел ей в глаза — Я люблю тебя. Ты это понимаешь?

Она устало опустила плечи.

— Я тоже тебя люблю.

Почему ему послышалось зловещее «но» в конце фразы? Алек слегка встряхнул девушку.

— Я женюсь на тебе, а не на них. И меня волнует только твое мнение.

— Ты действительно делаешь меня счастливой.

Еще одно молчаливое «но» повисло между ними. Алек решил не обращать на это внимания. Пока не обращать.

— Ну ладно. Тогда смело отправляемся в клетку со львами.

Он вышел из машины и подождал, пока Кристин подойдет к нему. Она одернула короткое нарядное платье серо-жемчужного цвета и пригладила волосы, которые закрутила узлом на затылке. Они прошли мимо боковой двери и направились по дорожке, окаймленной цветочным бордюром, к внушительному парадному входу. Алек нахмурился, когда Кристин позвонила в дверь, вместо того чтобы просто войти в дом.

— Ты звонишь в дверь, когда приходишь к родителям?

— Алек, это не рядовой визит.

Вот уже в третий раз за последние пять минут она начинала фразу, произнося его имя слегка раздраженным тоном. Но она нервничает, поэтому стоит сделать скидку. А может, нет, раздумывал Алек, в то время как Кристин туже затягивала ему галстук и разглаживала лацканы пиджака.

— Это обед в честь нашей помолвки, и нам нужно, чтобы он прошел хорошо.

— Ну конечно. — Алек подавил порыв ослабить узел галстука.

Невысокая темноволосая женщина в переднике горничной открыла дверь и, поздоровавшись, предложила им войти.

— Добрый вечер, Роза.

Алек осторожно оглядывал холл. От покрытой мрамором площадки размером с акр высоко вверх уходили стены. Сводчатые проемы поддерживались каменными колоннами, а на второй этаж вела изогнутая лестница с необычными перилами. У Алека было ощущение, что он вошел в какую-то старинную итальянскую виллу, в которой проводит лето какой-нибудь принц. Так говорят богачи. Они не посещают места, они проводят там лето.

— Мои родители в берлоге?

— Si. — Женщина кивнула, с любопытством глядя на Алека.

— Роза, это Алек Хантер, мой жених. Алек, это Роза.

— Рад познакомиться. — Он смущенно пошевелил рукой, не уверенный, что они должны обменяться рукопожатием. Что нужно делать в соответствии с правилами хорошего тона, когда тебя знакомят с горничной?

Женщина широко улыбнулась в ответ, ничего не сказала, но вид у нее был довольный. Ну, хоть служанка его одобрила.

— Готов? — Кристин взяла его под руку.

— Показывай дорогу.

Они прошли через парадную столовую, где в честь их помолвки был накрыт стол для праздничного обеда. Контрастируя с массивным темным столом, интерьер сверкал белым, золотым и серебряным. Когда они прошли еще один акр мрамора, до Алека донеслись гул мужских голосов и тихие звуки классической музыки. Наконец они достигли сводчатого проема, ведущего в «берлогу».

Алек остановился, а Кристин поспешила вперед, чтобы поздороваться с двумя женщинами, сидящими на обитом красным с золотом диване. Отец и брат Кристин стояли перед большим окном, из которого открывался вид на заднюю часть сада. Стоя лицом друг к другу, они выглядели словно зеркальные отражения: оба в серых костюмах, оба держали в руках стаканы с виски, в которых плавал уже порядком подтаявший лед.

— Привет, мама.

— Кристин. Наконец-то.

С остальными членами семейства Алек уже встречался, а вот мать Кристин он видел впервые. Женщина грациозно поднялась, на ней был шелковый брючный костюм, больше походивший на сверхмодную пижаму, но стоивший, вероятно, целое состояние.

Кристин поцеловала мать в щеку.

— Прости, мы опоздали.

— Ты всегда опаздываешь.

Миссис Эштон повернулась к Алеку. Она была так же красива, как Кристин: такие же серые глаза, точеные скулы и даже тот же надменный вид, который так хорошо умела принимать Кристин. Однако у матери не было лежащего в основе всего этого чувства юмора, которое смягчало этот вид и даже делало его забавным.

— А это, должно быть, Алек, тот самый молодой человек, с которым ты проводила так много времени на лыжном курорте?

— Да.

Кристин сделала ему знак подойти. Она взяла Алека за руку и представила его сначала матери, потом отцу и брату и наконец невестке.

Натали была единственным человеком в этой компании, от которого исходило искреннее тепло. Она была крошечного роста и выглядела очень хорошенькой в своем красном платье без рукавов, скорее классическом, чем модном. Она приветливо улыбнулась Алеку:

— Мы встречались на соревнованиях по сноубордингу.

— Да. — Он кивнул. — Рад снова видеть вас.

И тогда Натали держалась очень доброжелательно.

— Инструктор по лыжам? — Брат Кристин поднял бровь, потом взглянул на отца: — Ты припоминаешь, отец, не так ли?

— Смутно. — Роберт Эштон пристально смотрел на Алека холодными голубыми глазами.

— Я же говорила вам, — поправила его Кристин с натянутой улыбкой. — На самом деле Алек не инструктор. Он просто оказал услугу своему другу. Он координатор поисково-спасательной службы Силвер-Маунтин. Правда, здесь он будет работать парамедиком.

— Поисково-спасательная служба. Ну пожалуй, это... интересная работа.

Заминка Роберта была краткой, но выразительной. Его едва уловимая враждебность удивила Алека, потому что во время их первой и единственной встречи брат Кристин держался довольно приветливо.

Натали обняла мужа за талию и, как мог догадаться Алек, ущипнула за бок.

— Мы все очень рады вашей помолвке и горим желанием познакомиться с вами поближе.

— Спасибо. — Алек чувствовал, что галстук вот-вот задушит его.

— Могу я предложить вам выпить? — спросил доктор Эштон-старший. — Кристин, тебе, наверное, бокал шардонне?

— С удовольствием.

— Вам, Алек? — Доктор Эштон подошел к бару с освещенными полками, на которых стояли бутылки с самыми разнообразными напитками.

Алек смотрел на него, не имея ни малейшего представления, что попросить, поскольку совершенно не разбирался в дорогих напитках и при всем желании не смог бы должным образом оценить его вкус. Что там пил Крейгер, когда у него было желание повыпендриваться?

— У вас найдется скотч из солода?

Доктор Эштон с любопытством посмотрел на Алека:

— «Гленфиддих» вас устроит?

— Вполне. — Алек непринужденно пожал плечами. Насколько он понял, отец Кристин собирался угостить его каким-то напитком столетней выдержки и стоящим не меньше сотни баксов за глоток.

— Мы с Робби обсуждали преимущества долгосрочных займов, — сказал доктор Эштон, наливая янтарную жидкость в хрустальный стакан и подавая его Алеку. — Каково ваше мнение по этому вопросу?

Алек понюхал крепкий напиток в стакане, задаваясь вопросом: скотч это или какая-то сивуха. Доктор Эштон выжидающе смотрел на него, и Алек понял, что независимо от того, что он ответит, его дело «труба». Родители

Кристин составили о нем мнение еще до того, как он вошел в дверь. Ну что ж, если неодобрения не избежать, пусть оно будет касаться его настоящего, а не этого приодетого варианта, который пыталась представить Кристин своим родителям.

— Долгосрочных займов? — Алек посмотрел доктору Эштону прямо в глаза. — Думаю, что как минимум нужно разбираться в разведении, чтобы вырастить «призового бычка».

Брат Кристин поперхнулся, потом рассмеялся:

— Неплохо сказано. «Бык», как я понимаю, это из выражения «быки и медведи».

Алек смутно помнил, что прозвищами «быки» и «медведи» называют игроков фондовой биржи, хотя он-то имел в виду совсем другое, считая, что все это чушь и ерунда. Не успел он войти в дом, а они уже задают ему вопросы о деньгах!

Доктор Эштон окинул Алека холодным взглядом, давая ему понять, что уловил смысл его ответа и юмора не оценил.

Натали недовольно посмотрела на мужчин:

— Все эти разговоры о финансах наводят скуку. Я бы предпочла послушать о свадебных планах. Кристин, вы уже определились с датой?

— Середина апреля.

— Так скоро? — Миссис Эштон нахмурилась. — Остается меньше семи недель. Хотя в загородном клубе персонал превосходный и все смогут организовать самым лучшим образом.

— Вообще-то... — Кристин посмотрела на мать. — Мы планировали двойную свадьбу вместе с моей подругой Мэдди. Алек и Джо уже занимаются подготовкой.

— Как романтично! — воскликнула Натали.

— Ты, должно быть, шутишь! — Миссис Эштон бросила на дочь ледяной взгляд.

Кристин поежилась.

— Ну, еще ничего не решено. Окончательно. — Она посмотрела на Алека умоляющим взглядом: — Мы могли бы подумать о загородном доме.

Он пристально посмотрел на нее, пораженный, что такого сильного человека, как Кристин, можно так быстро подчинить.

— Ты этого хочешь?

Кристин опустила глаза:

— Думаю, мы обсудим это позже.

— Конечно. — Он натянул на лицо улыбку, которую так и не снимал до конца обеда.

— Ты не против сесть за руль? — спросила Кристин, когда они вышли из дома. Голова у нее просто раскалывалась.

— Конечно, нет, — ответил Алек таким же бесцветным голосом, каким говорил в течение последних трех часов.

Кристин покопалась в сумочке и протянула ему ключи, надеясь, что он не заметит, как сильно дрожат у нее руки. Сжигавшее ее волнение оказалось настолько сильным, что на нее не подействовали ни ксанакс, ни вино и Кристин оставалась абсолютно трезвой. Но несмотря на это, она не имела права садиться за руль.

Когда они проезжали через Тэрритаун, мимо элегантных домов и тщательно ухоженных газонов, Кристин молча смотрела в окно.

— Все в общем-то прошло неплохо, — сказала она, когда они выехали на шоссе. — Ты понравился Робби и Натали. Отцу всегда требуется время, чтобы человек заинтересовал его, и то, что сегодня он держался несколько сухо, на самом деле не имеет никакого значения. Что же касается мамы... Надеюсь, она свыкнется с мыслью, что это ты занимаешься подготовкой к свадьбе. Если нет, то... Алек, мы позволим ей самой заняться этим. Она живет ради вещей, подобных этим, и у нее к этому просто талант. Все будет в порядке.

Алек промолчал.

— Сама свадебная церемония не столь уж важна, — торопливо продолжила Кристин, чувствуя, что ее нервы сплелись в тугой и жесткий клубок. — Важно лишь то, что мы с тобой поженимся. Поэтому если маме захочется, чтобы церемония была роскошной и торжественной, пусть так и будет, верно?

Алек по-прежнему продолжал хранить молчание.

Кристин несколько минут смотрела на меняющийся за стеклом пейзаж, потом начала твердить молитву, до самого дома повторяя ее на разные лады. Ничего не помогало. Тошнота подступала к самому горлу. Родители ясно продемонстрировали, что они не одобряют ее выбор. Но конечно же, это изменится. Обязательно. Со временем.

Когда они вошли в квартиру, у двери их приветствовал Бадди, но тут же в замешательстве заскулил, когда Алек прошел мимо, лишь слегка потрепав его по загривку. В комнате было сумеречно, хотя Кристин оставила лампу у дивана включенной. Не зажигая других ламп, Алек подошел к раздвижной стеклянной двери и остановился, вглядываясь в очертания вечернего Остина. Кристин, оставшаяся стоять у входной двери, увидела, как Алек снял галстук.

Почему он все молчит?

— Мне очень жаль, что мама с отцом были не очень дружелюбно настроены. — Она положила сумочку на столик у двери. — Но они такие, какие есть. Все образуется.

Алек обернулся и посмотрел на нее:

— Нет, Кристин, не образуется.

— Образуется. — Она механически перебирала какую-то «макулатурную» почту, потом прижала пальцы к ладони, потому что дрожь в руках не унималась. — Им просто нужно время, чтобы познакомиться с тобой поближе.

— Нет. — Бесстрастный тон Алека заставил Кристин снова посмотреть на Алека, но в темноте она не могла видеть выражение его лица. — Не образуется, потому что за все время, пока мы ехали сюда, ты ни разу не сказала: «Черт с ними, Алек. Мне наплевать на то, что они думают».

Она вздрогнула, услышав, что он выругался.

— Они мои родители. И мне, конечно же, небезразлично, что они обо мне думают.

— Слишком небезразлично. Ты когда-нибудь говорила им: «Черт с вами. Я сделаю так, как хочу»?

— Не говори ерунду. Я не чертыхаюсь на своих родителей.

Нервозность сменилась раздражением. Кристин направилась в спальню, на ходу снимая серьги.

— Конечно, не чертыхаешься. — Алек последовал за ней, но остановился в дверном проеме. — Если ты будешь ругаться в их присутствии или вдруг станешь сама собой, ты перестанешь быть идеальной дочерью, и они никогда не полюбят тебя так, как тебе этого хочется.

— Я рассказала тебе, почему они этого не могут. Это не их вина.

— Это полная чушь! Дети не должны зарабатывать любовь своих родителей. То, чему я стал свидетелем сегодня вечером, было похоже на то, как если бы твоя мать говорила: «Выпрями спину, ешь овощи, не забывай о правилах хорошего тона, и тогда я буду терпеть твое присутствие». А отец вообще игнорировал твое присутствие и вилял хвостом перед своим паршивым сыночком.

Кристин резко повернулась к Алеку:

— Робби не паршивый!

— Да что ты? — Алек снял пиджак и швырнул его на стул у окна. — А как тебе нравится предложение Робби заскочить в клуб как-нибудь в субботу поиграть в теннис, чтобы он мог ввести меня в общество?

— Он пытался быть дружелюбным. — Кристин запульнула туфли в направлении гардероба и расстегнула молнию на платье.

— Он указал мне мое место, давая понять, что я не вписываюсь в ваше элитное общество, более того, никогда не впишусь. — Алек сел на кровать и снял туфли. — Но как раз его-то я могу извинить, ведь он пытается защитить тебя. А вот твои родители... Черт побери!

— Не смей их оскорблять.

Кристин вошла в ванную, на ней были только трусики и бюстгальтер, подойдя к зеркалу, она распустила волосы.

— Кристин, — Алек подошел и встал в дверном проеме, расстегивая рубашку, — почему для тебя так важно их мнение, когда ты им совершенно безразлична? Их волнует только то, как они будут выглядеть в глазах общества, если их дочь выйдет замуж за деревенщину.

— Ты не деревенщина! — В ее голосе звучала обида за него.

— Я именно такой и есть! — закричал Алек в ответ. — Ты видела, из какой семьи я вышел.

— Я также видела, чего ты достиг. Каким ты себя сделал. — Она взяла щетку и начала судорожно расчесывать волосы, боясь, что сейчас разревется. — Я горжусь тем, кто ты и каким ты стал.

В зеркале Кристин увидела, что Алек подошел и встал сзади.

— Для твоих родителей это не имеет значения. — Он положил руки ей на плечи и развернул к себе. — Я думал, что я смогу с этим смириться, но...

— Но что? — Ее пронзил страх. — Ты хочешь сказать, что не сможешь?

— Нет. — Он посмотрел ей прямо в глаза. — Я хочу сказать, что не уверен, что ты сможешь.

— Алек... — Кристин прошла мимо него обратно в спальню. — Почему ты так со мной разговариваешь? Это все выглядит так, словно ты думаешь, что мы должны разорвать помолвку.

Он не ответил, и Кристин повернулась к нему.

Алек долго смотрел на нее, рубашка на груди была распахнута.

— Возможно, именно так нам и следует поступить.

— Что?! — Пол покачнулся под ее ногами. — Что ты имеешь в виду? Ты сам сказал, что мы идеально подходим друг другу, а теперь ты говоришь совершенно обратное?

— До сегодняшнего вечера я не понимал, чего я от тебя требую. Я был слишком сосредоточен на том, чем мне приходится жертвовать: покидать горы, оставлять работу, которая до встречи с тобой была для меня всем, бросать собаку!

— И теперь ты меняешь свое мнение? — Кристин достала шелковый халат из шкафа, но не надела его, продолжая держать перед собой, в глазах у нее все расплылось. — Это здорово. Просто замечательно!

— Нет. — Алек подошел к ней и заговорил тише: — Теперь я задаю тебе тот же самый вопрос, который задавала мне ты. Если ты выйдешь за меня замуж, Крис, ты потеряешь одобрение своего отца и никогда не вернешь его. Как скоро ты возненавидишь меня из-за этого?

У Кристин перехватило горло, и она не могла говорить.

Алек подошел к ней, мягким жестом заправил за ухо прядь растрепавшихся волос и, словно с ребенком, заговорил с ней успокаивающим тоном.

— Понимаешь, печально то, что ты можешь отказаться от нашей любви ради чего-то, что, как ты считаешь, тебе необходимо заслужить. Но я уже говорил, ты не должна ничего заслуживать, это родители должны отдавать свою любовь без каких бы то ни было условий.

— Я не отказываюсь от нашей любви. — Кристин посмотрела ему в глаза. — Это у тебя вдруг неожиданно возникли сомнения.

— Я просто вижу реальное положение дел. Пока для тебя важнее всего произвести впечатление на отца, у наших отношений нет ни малейшего шанса.

— Ты хочешь, чтобы я разругалась с ним? Разорвала с ним все отношения? Чтобы наплевала на его мнение?

— Кристин, послушай меня. — Сомкнув руки, Алек обнял ее. — Ты растрачиваешь свою жизнь на то, чего ты никогда не получишь. И ты хочешь, чтобы я тоже посвятил этому свою жизнь? Но ради чего? Ради брака, который, как я начинаю понимать, не имеет ни малейшего шанса на успех? Я не вписываюсь в тот мир, в котором живет твоя семья, точно так же, как ты не вписываешься в мой. Но мы оба прекрасно вписываемся в мир Силвер-Маунтин. Давай вернемся туда.

— Я не могу. — Кристин закрыла глаза, эти слова разрывали ей сердце. — Если я разорву контракт с больницей, это повредит моей карьере и поставит в неловкое положение моего отца. Я не могу этого сделать! Черт возьми! Не могу!

— Ты можешь! Точно так же, как ты можешь принять правду. Кристин...

Она почувствовала, что Алек обхватил ладонями ее лицо, открыла глаза и увидела, что он пристально смотрит на нее, как будто пытаясь внушить ей принять его решение.

— Отец никогда не будет любить тебя так, как он любит твоего брата. Никогда. И что бы ты ни делала, тебе этого не изменить. Ты можешь без ракеты слетать на Луну и обратно, но твой отец будет считать это заслугой Робби. Вот чего ты боишься. Ты не боишься высоты. Ты боишься посмотреть правде в глаза.

Кристин отстранилась от Алека, и комната поплыла перед ней.

— Какое отношение к этому имеет мой страх высоты?

— На самом деле в глубине души ты давно знала, что можешь обогнать своего брата, но это не будет иметь никакого значения, поэтому ты выдумала удобную отговорку, чтобы не кататься на лыжах вообще.

— Но это же просто смешно. — Она повернулась к Алеку спиной, сбросила бюстгальтер и накинула халат. — Ты хочешь сказать, что моя фобия на самом деле не существует?

— Я видел, что сегодня вечером у тебя был приступ паники, точно такой же, как в тот день в горах, и сегодня, когда ты поняла, что то, что я говорю, — это правда, все повторилось, потому что ты знала, что произойдет, когда твои родители познакомятся со мной. И точно так же, сейчас ты понимаешь, что у нас нет ни малейшего шанса, если мы останемся здесь. Признай же это, Кристин, и поставь наши отношения на первое место. Поставь на первое место свои интересы.

— Как было бы удобно для тебя, если бы я на первое место поставила свои интересы, ведь в этом случае тебе не пришлось бы ни от чего отказываться!

Алек долгое время пристально смотрел на нее, казалось, что его охватило странное спокойствие.

— Я безгранично люблю тебя. Неужели ты думаешь, что когда-нибудь то же самое тебе скажет твой отец?

— Он гордится мной! — продолжала упорствовать Кристин, но на ее глазах выступили слезы. — Я заставила его гордиться мною.

— Это не то же самое.

— И тем не менее ты хочешь, чтобы я разрушила даже это? — Она раздраженно смахнула с ресниц слезы. — Я не могу этого сделать, Алек. Не могу!

Он отвернулся, уставившись в стену. Плечи его поникли, словно под непомерной тяжестью.

— Значит, у нас нет ни единого шанса.

— Думаю, что нет! — выпалила Кристин в ответ, ей было так больно, что она ничего не соображала. — Именно это я тебе и пыталась объяснить с самого начала. Наши отношения совершенно бесперспективны и были такими всегда.

Она отвернулась от Алека, по ее щекам текли слезы.

— Что ж, — произнес он после долгого молчания, — думаю, что сказать больше нечего. — Последовала еще одна продолжительная пауза. — Хочешь, чтобы я лег на диване?

— Нет, — с трудом выдавила Кристин. — Она повернулась и обвила его руками. — Мне очень жаль, Алек. Прости меня.

— Ш-ш-ш. — Он прижал ее к себе, его губы скользили по ее лицу. — Не плачь, девочка. Не плачь.

Они легли в постель, его руки гладили и успокаивали ее. Она в ответ касалась его, отчаянно и требовательно.

— Люби меня, Алек. — Она посмотрела ему в лицо, ее терзал страх. — Люби меня.

— Я люблю. И буду любить. Всегда.

Он раздел ее и претворил слова в действие, не только доставляя удовольствие ее телу, но и проникая ей в душу и заставляя ее чувствовать себя желанной. И это заставило обнажиться все ее чувства. Когда все кончилось, когда оба они лежали обессиленные, он обнял ее и держал в объятиях, пока Кристин плакала, а потом провалилась в неспокойный сон.

Глава 21

Иногда победить означает вовремя выбросить белый флаг.

«Как сделать свою жизнь идеальной»

Еще не рассвело, когда Алек услышал, что Кристин начала собираться на работу, тихо передвигаясь по спальне, как это было и в другие дни, когда у нее была утренняя смена. Иногда он тоже просыпался и успевал поболтать с ней, пока она одевалась. Он садился в постели, и они разговаривали о планах на день и о том, чем будут заниматься вечером.

В это утро он лежал, повернувшись спиной к гардеробу и ванной, и притворялся, что спит, борясь с болью, засевшей в его душе. Он прокручивал в голове вчерашнюю ссору. У него не было ни малейшего представления, что сказать, чтобы все исправить, и можно ли исправить вообще.

Щелкнул выключатель в ванной комнате, и он почувствовал, что Кристин стоит у двери в гостиную и смотрит на него. Может быть, она на цыпочках подойдет к кровати и поцелует его в лоб, как она это делала иногда? Прошепчет ему, чтобы он поспал еще и что они увидятся позже?

Ему хотелось, чтобы она это сделала. Еще больше ему хотелось, чтобы у него была возможность обнять ее и поцеловать, сказав только: «Я тебя люблю. Удачного дня. Буду ждать тебя».

Он перевернулся на спину, чтобы дать ей понять, что не спит, чтобы она подошла к постели и что-нибудь сказала, не важно что. Но она уже отвернулась. Он увидел лишь, как мелькнула ее спина, и услышал, как закрылась входная дверь.

Лежа в темноте, Алек уставился в потолок, кожей ощутив воцарившуюся в квартире пустоту.

— Да, я знаю. — Алек рывком поднялся, свесил ноги с кровати и с силой потер лицо. — Жизнь не останавливается оттого, что тебя только что ударили в сердце. Пора на свидание с природой, да, парень?

Собака запрыгала от радости, когда Алек стал натягивать джинсы и футболку. Когда утренний ритуал был исполнен, Алек поплелся на кухню. Кристин оставила кофе в термосе на кухонной стойке, как она это делала и раньше. Но в это утро не было никакой записки. Никаких ничего не значащих или сентиментальных слов, чтобы заставить его улыбнуться. Только кофе.

Алек налил чашку и сел на диван, подтянув колени к самому подбородку. Бадди подошел и сел рядом, поскуливая, — он чувствовал, что что-то не в порядке. Алек потрепал собаку по голове, и ему стало еще больнее, когда он вспомнил о своем намерении отказаться от друга. В течение трех лет Бадди был неотъемлемой частью его жизни. Как он теперь объяснит псу, что у него будет другой хозяин? А ведь ему придется это сделать, если он останется в Остине, бросит свою работу и женится на Кристин.

Если он останется.

Вчера в этом не было никаких сомнений. Возможно, где-то в подсознании что-то грызло его слегка, но Алек старался не обращать на это внимания.

Прошлой ночью он спросил Кристин, когда она перестанет стремиться к невозможному. Может быть, тот же вопрос стоит задать самому себе? Он охотно пожертвует ради нее чем угодно, но есть ли у него право заставлять ее жертвовать тем единственным, что для нее важнее всего: гордостью и одобрением отца? Алек хотел, чтобы она была счастлива, но если она выйдет за него замуж, она не будет счастлива, а если и будет, то недолго. Он мог представить их всего через несколько лет: вот они на каком-нибудь вечере в загородном клубе, Кристин знакомит его с друзьями семьи, и те думают: «Так вот этот провинциал, который живет на деньги жены». И кстати, где они будут жить? В доме в Тэрритауне, где у него с прислугой будет общего больше, чем с соседями?

Почему же он раньше не понял, насколько все это нереально?

Потому что в Силвер-Маунтин они подходили друг другу. Его друзьям было абсолютно безразлично, сколько у нее денег. Они могли бы быть счастливы в Силвер-Маунтин. Но не здесь.

Мучительная боль, вырвавшись из груди, обосновалась в желудке.

Алск посмотрел в карие глаза Бадди, и ему пришлось сглотнуть комок, прежде чем он смог произнести:

— Так, что ты об этом думаешь, парень? Не пора ли нам отправляться домой?

Услышав слово «домой», Бадди бросился к двери, извиваясь и лая от радости.

Алек перестал бороться с собой и позволил себе заплакать.

— Ты хотел меня видеть?

Кристин стояла в дверях ординаторской. В комнате почти не было мебели, только узкая кровать, маленький столик и один-единственный стул. Ее отец в хирургическом костюме наливал себе кофе.

— Да, заходи. — Отец сел на стул и, скрестив ноги, хлебнул почти черную жидкость из пластикового стаканчика. — Прикрой дверь.

Знакомый страх начал подниматься к горлу, когда Кристин, закрыв дверь, присела на краешек кровати, напряженно и прямо держа спину. После вчерашней ссоры она чувствовала себя эмоционально опустошенной, а после двенадцатичасового дежурства сил у нее и вовсе не осталось. Единственное, чего ей сейчас хотелось, — это вернуться домой и помириться с Алеком.

Отец долго и пристально смотрел на нее.

— Значит, вы с Алеком познакомились во время нашей последней поездки в горы?

— Да. — Вспотевшими ладонями она разгладила на коленях брюки своего медицинского костюма. — Я понимаю, что ты думаешь, что у нас с ним было не слишком много времени, но я его очень люблю. Он порядочный, трудолюбивый, надежный. И я с ним счастлива.

— Понятно. — Отец подхватил пальцами авторучку и задумчиво начал постукивать по лежащей на столе истории болезни. — Что тебе известно о его семье?

— Я... — Кристин замялась, почувствовав ловушку и не зная, как обойти ее. — Они простые, я бы даже сказала, очень приземленные люди.

Отец отбил какой-то незамысловатый ритм, потом повертел в руках ручку.

— А тебе известно, что его брата задерживали за вождение в нетрезвом виде? Что его сестра сидит на детском пособии, а родители за последние двадцать лет несколько раз обращались за пособием по безработице и за пособием по потере трудоспособности?

От изумления Кристин даже задохнулась.

— Ты наводил о них справки?

— Ты ожидала чего-то другого?

— Еще до того, как ты познакомился с Алеком? — Она повысила голос, пытаясь осмыслить услышанное. — Боже мой! У него ведь не было ни единого шанса вчера вечером, не так ли? Ты решил, что Алек не подходит, еще до того, как он переступил порог дома.

Отец отложил ручку в сторону.

— Буду с тобой откровенен, Кристин. Он совсем не тот мужчина, которого я бы хотел видеть твоим мужем. Но ты всегда была своевольным ребенком.

— Своевольным ребенком? — Она оглядывалась вокруг, как слепая. — В чем проявлялось мое своеволие?

Отец посмотрел на нее и нахмурился:

— Ты никогда не вела себя, как положено девочке. Всегда следовала по пятам за братом и его приятелями, путалась у них под ногами.

— Робби никогда не был против, чтобы я была рядом.

«В отличие от тебя Робби понимал, как мне не хватает любви, и был готов дать мне ее», — подумала Кристин. Подступили слезы, но она сдержала их.

— Даже твой выбор специальности был, мягко говоря, странным, — продолжал отец. — Я рад, что ты решила пойти в медицину, но я ожидал, что ты выберешь что-нибудь более подходящее, например, станешь врачом-гинекологом и будешь заниматься частной практикой.

— Более подходящее? Почему это было бы более подходящим? Потому что я женщина? — Какая-то пружина, которая была взведена всю ее жизнь, выстрелила. — К этому все сводится? К отсутствию у меня члена?

— Кристин! — Отец выпрямился, шокированный ее словами.

Плотину прорвало, и боль, сдерживаемая годами, выплеснулась.

— Алек прав. Ты никогда не будешь любить меня, так как ты любишь Робби, потому что у меня нет пениса. Что же мне делать — отрастить? Сделать операцию по смене пола? Одеваться как мужчина, чтобы твои друзья не знали, что твоя сперма произвела девочку?

— Не смей говорить со мной в таком тоне!

— Или причина в том, что его рождение вы планировали, а я появилась случайно? Если мама была против, чтобы завести еще одного ребенка, почему же ты не держал свои штаны застегнутыми?

— Хватит! — Отец с такой силой поставил стакан, что содержимое выплеснулось наружу.

— Нет, не хватит! — Ее трясло. — Я имею право знать. Почему вы не можете меня любить?

— Ты говоришь ерунду. Конечно же, мы тебя любим.

— Вы терпите меня. Но только если я делаю то, что мне говорят. Только если я веду себя надлежащим образом. — Кристин вспомнила все, что Алек говорил накануне. — Я чертовски устала быть приличной. Да, да, верно, я сказала «чертовски». Я чертовски устала переживать из-за того, что сделаю что-нибудь не так, вызову ваше неудовольствие, буду неидеальной и вы окончательно отдалитесь от меня.

Последние слова ошарашили ее — страх, который раньше она никогда не озвучивала. Ее затрясло еще сильнее, слезы потоком полились по ее лицу.

— Я думала, что если я не буду идеальной, вы отдалитесь от меня. Так вот, представьте себе, доктор Эштон, ваша дочь неидеальна. Она пьет пиво, сквернословит и спит с «неподходящими» мужчинами. У нее даже есть татуировка на заднице. И знаешь что? Алек Хантер меня любит, несмотря на мои изъяны, а может, и за них тоже. Он вовсе не ждет, что я буду совершенной. Он ждет, что я буду собой. И если ты хочешь сказать мне, что вы откажетесь от меня, если я выйду за него замуж, прекрасно. Может быть, пришло время, чтобы вы действительно от меня отказались, поскольку я не оправдала ваших с матерью ожиданий.

— Ты не права. И если ты успокоишься и выслушаешь меня, я объясню тебе, с какой целью я позвал тебя сюда.

— Сказать мне, чтобы я не выходила замуж за Алека. Да я это уже поняла.

— Нет. Я бы предпочел, чтобы ты не совершала такой ужасной ошибки. Но поскольку ты твердо решила выйти замуж за человека, который настолько ниже тебя по социальному положению, мы с твоей мамой считаем, что ты должна поговорить с адвокатом о брачном контракте.

Кристин горько рассмеялась, и ее охватило странное спокойствие. Она поднялась и направилась к двери.

— Понимаешь, папа, есть кое-что, что мне всегда хотелось тебе сказать, но духу не хватало.

— И что же?

— Пошел ты...

Она вышла из комнаты, так сильно хлопнув дверью, что стена затряслась. Под пристальными взглядами медсестер она прошла мимо дежурки, вошла в лифт и нажала кнопку этажа, на котором находилась подземная стоянка.

Слава Богу, ее смена закончилась, и она могла отправляться домой.

Ее все еще немного трясло, в желудке жгло, но она чувствовала себя... победившей.

Завтра она поговорит с Кеном Хатченсом о том, чтобы прервать контракт. Она позвонит своему агенту и попросит его найти место недалеко от Силвер-Маунтин. А сейчас ей хотелось только поскорее добраться домой и сказать Алеку, что она его любит, и поблагодарить его за то, что он дал ей смелость освободиться.

Когда она доехала до парковки, то не увидела машины Алека, и это ее удивило. Может быть, он поехал в магазин купить что-нибудь к обеду? Довольная, что у нее есть время привести себя в порядок, она быстро поднялась в квартиру. Когда Бадди с приветственным лаем не бросился ей навстречу, Кристин охватило недоброе предчувствие. Неужели Алек так поздно пошел выгуливать Бадди?

Войдя в комнату, она сразу же увидела конверт на кухонной стойке. На конверте было написано ее имя. Эмоции переполняли ее, и, не испытывая ничего, кроме любопытства, Кристин открыла конверт и, увидев написанное рукой Алека письмо, развернула листок.

С каждой прочитанной строчкой в ее душе росло оцепенение, и когда она прочитала письмо до конца, то даже не чувствовала пальцев, которые держали листок. Она не чувствовала ничего.

Алек оставил ее.

Кристин снова скользнула взглядом по строчкам, отказываясь верить своим глазам, но взгляд снова и снова вырывал терзавшие душу строчки и фразы.

«...решил больше не гнаться за недостижимым... никакого права просить тебя жертвовать... только твое счастье имеет для меня значение... всегда буду любить тебя... желаю тебе добра... окончательный разрыв... слишком мучительно... не стоит... звонить...»

Не звонить? Постепенно оцепенение начало сменяться злостью. После всего, что им пришлось пережить, после мучительного дня, после их ссоры, после того, как она все высказала своему отцу, чтобы иметь возможность жить с Алеком, она приходит домой и находит письмо с сообщением о разрыве, которое заканчивается словами: «Думаю, что нам не стоит больше звонить друг другу»!

— Ну погоди, Алек Хантер!

Она достала мобильный телефон и нажала кнопку скоростного набора с его номером. Ответил голос автоответчика. Она хотела было оставить едкое, переполненное слезами сообщение, но вместо этого отсоединилась.

Не стоило спешить и бросаться необдуманными словами. В таком состоянии она могла наговорить бог знает чего. Немного успокоившись, она начала продумывать план.

«Значит, ты не хочешь, чтобы я звонила? Ладно, я и не стану!»

Глава 22

Единственный способ сделать жизнь совершенной — это жить совершенной для тебя жизнью.

«Как сделать свою жизнь идеальной»

Когда Алек осознал, что совершает огромную ошибку, он уже был на полпути к Колорадо. Он сам говорил Кристин, что если любишь человека, ты должен бороться за то, чтобы быть вместе. Должен найти способ, чтобы это получилось. Так почему же он сбегает, все бросив?

Мысль о том, что надо развернуть джип и вернуться обратно в Остин, буквально сверлила его мозг. Нужно поговорить с Кристин еще раз, нужно заставить ее осознать, что то, что их связывает, гораздо важнее, чем зависящая от выполнения определенных условий любовь отца, которой Кристин пыталась добиться всю свою жизнь.

Но разве это возможно? Сможет ли она когда-нибудь принять правду и найти в себе силы оставить эти бесполезные попытки?

Возможно, и нет. Но хочет ли Алек оставить попытки?

Продолжая борьбу и надеясь, что Кристин в конце концов согласится с ним, он рискует потерять все. Если ему не удастся переубедить ее, их брак скорее всего закончится разводом, потому что Алек не был уверен, что ему будет достаточно половины ее любви и что он сможет спокойно наблюдать, как она ходит на задних лапках, чтобы произвести впечатление на отца.

Хочет ли он вступить в столь рискованную игру? Да, решил Алек и почувствовал, как его заполняет эта убежденность. Он вернется в Силвер-Маунтин и оттуда начнет свою кампанию. Он приложит все силы, чтобы убедить Кристин переехать к нему, потому что, как он понимал, это единственный способ сохранить их отношения.

Однако шансы на успех были ничтожны, и холодная пустота резкой болью отозвалась в желудке.

Алек свернул к парковке на Сентрал-Виллидж. «Господи, как же я соскучился по горам!» — подумал Алек, вылезая из джипа. Он глубоко вдохнул холодный воздух, вбирая запах снега, сосен и каминного дыма. Белый снег блестел под яркими солнечными лучами, и городок выглядел как красочная почтовая открытка.

— Вперед, Бадди, — позвал Алек, хватая чемоданы. — Вот мы и дома.

Бадди выскочил из машины и со щенячьим восторгом зарылся носом в пушистый снег.

Бросив взгляд на часы, Алек увидел, что уже полдень. Кристин сейчас еще в больнице. Раньше он несколько раз звонил ей во время дежурства, но сейчас это был разговор не для звонка по рабочему телефону. Нужно подождать, пока она вернется домой. Решив не сидеть в квартире, тупо отсчитывая минуты, он бросил вещи и отправился в паб.

Все его мысли были о том, что он скажет, когда Кристин возьмет трубку. Он не представлял, как она повела себя, когда, вернувшись домой, увидела оставленную им записку. Теперь он понимал, что это был малодушный и неразумный способ прекратить отношения. Даже если бы сейчас он решил не бороться за свою любовь, он должен был позвонить, извиниться и попрощаться должным образом.

Войдя в паб, Алек обнаружил, что Трент, Стив и Крейгер, согревая ноги, сидят у камина, наслаждаясь полуденной передышкой. Алек подошел к ним.

— Вот так сюрприз! — Трент улыбнулся, когда Алек опустился в свободное кресло. — Только посмотрите, кто к нам вернулся, да еще на день раньше.

— Вы же меня знаете. — Алек вытянул ноги и поставил их на каменную плиту под очагом. Бадди устроился рядом. — Не мог дождаться, когда вернусь на работу.

— Так это из-за работы ты вернулся из Остина на целые сутки раньше? — Стив вопросительно изогнул бровь.

Алек, озадаченный его тоном, хмуро взглянул на шерифа. По тону Стива можно было предположить, что ему уже известно о разрыве с Кристин. Когда к ним подошла официантка, Алек заказал чашку кофе.

Крейгер кивнул ему.

— Кстати, прими поздравления по случаю твоей помолвки.

— Вообще-то... — Алек поежился, чувствуя неловкость. — Возможно, с поздравлениями не следует спешить.

— Правда? — Стив бросил на него еще один взгляд, в котором читалось какое-то странное понимание. На самом деле у них у всех был какой-то заговорщический вид.

Алек с плохо скрываемым раздражением опять взглянул на Стива.

— Надеюсь, что ты не начал подыскивать мне замену, поскольку я решил остаться здесь. Надеюсь, что вместе с Кристин, но на данный момент дела обстоят не слишком хорошо.

— Что ж, новость неплохая, — сказал Стив.

Недоумение Алека усилилось.

— То, что моя помолвка может пойти прахом?

— Нет, я имею в виду то, что ты остаешься в Силвер-Маунтин. Я надеялся, что ты уговоришь Кристин переехать сюда.

— Не уверен, что мне это удастся после той глупости, которую я совершил, но я все же попробую.

— О какой глупости ты говоришь? — спросил Стив, доставая свой мобильный и клочок бумаги. Он взглянул на бумагу и набрал номер. Очевидно, человек, которому он звонил, тотчас взял трубку, потому что Стив предупреждающим жестом поднял руку, чтобы Алек подождал с ответом. — Привет, это Стив. Я подумал, что стоит сообщить тебе, что Алек с нами в пабе. Да, он приехал и выглядит так, словно его десять миль волокли по плохой дороге. Отлично. Ждем.

— С кем это ты говорил? — спросил Алек, когда Стив закончил разговор.

Шериф широко улыбнулся:

— С тем, кто хотел бы присоединиться к нам.

— Замечательно. — Алек округлил глаза. — Именно то, что мне сейчас нужно. Пусть весь городок узнает о моих проблемах.

— Для этого и существуют друзья, — улыбнулся Трент.

— Что происходит? — Алек сердито посмотрел на троицу.

— Ничего, — невозмутимо произнес Стив. — Кстати, о твоих проблемах, ты хотел рассказать, какую глупость ты совершил, чтобы вывести Кристин из себя.

Алек тяжело вздохнул.

— На самом деле я не знаю, злится она на меня или чувствует облегчение.

— Что значит, ты не знаешь? — нахмурившись, спросил Стив.

Алек потер лоб.

— Я... ну, я оставил записку, написал, что хочу положить конец нашим отношениям. И теперь мне нужно позвонить ей и объяснить, что я передумал.

— Ты разорвал отношения, просто оставив записку? — засмеялся Трент.

— Я знаю. — Алек тяжело вздохнул. — Я поступил как последний трус, но я ничего не соображал.

— Да, приятель. — Стив тихонько присвистнул. — Неудивительно, что она на тебя так разозлилась.

— Я же сказал, что не знаю, разозлилась она или нет. Мы крепко поссорились накануне, поэтому, когда она вернулась домой и увидела, что я уехал, скорее всего даже обрадовалась.

— Что ж, сынок, — сказал Крейгер, поднимаясь, — так или иначе, но ты сам сейчас это узнаешь.

— Что?! — Алек недоуменно уставился на приятеля. Увидев, что Крейгер, улыбаясь, смотрит на входную дверь, он развернулся, и его сердце подпрыгнуло от радости.

Кристин стояла у стойки бара, капюшон ее парки был откинут, в глазах сверкал огонь.

— Алек Хантер, — громко сказала она. Посетители обернулись в ее сторону, и шум в баре стих. — Как ты посмел бросить меня?!

— Я не большой знаток женской психологии, — пробормотал Стив, вставая, — но мне кажется, она здорово разозлилась.

— Безумно разозлилась, — уточнил Трент, и троица поспешила к бару, чтобы оттуда следить за представлением.

Кристин направилась к Алеку, а у него в голове была только одна мысль: Кристин приехала к нему. В течение последних двух дней он с ужасом думал о том, что она не станет с ним даже разговаривать, а она приехала к нему!

Но его радость немного померкла, когда он увидел, что Кристин по-настоящему разгневана.

— Так не поступают, когда любят, — возвестила она в полный голос, направляясь к ошарашенному Алеку. — Не сбегают, когда в тебе так нуждаются.

Алек воровато оглянулся и с ужасом убедился, что весь паб заинтересованно наблюдает за ними.

— Привет, Крис. Может, нам лучше подняться наверх?

— Отчего же? — требовательно спросила она, решительно подходя к Алеку и глядя ему прямо в глаза. — Потому что ссориться на публике не соответствует правилам хорошего тона? Потому что такое поведение могло бы шокировать мою маму? Потому что оно могло бы вызвать осуждение моего папочки? Разве не ты мне говорил, что мне не следует так переживать из-за того, что они могут подумать... что могут подумать другие? Что я должна быть сама собой и делать то, что мне хочется? Так вот сейчас мне хочется кое-что сказать тебе, и мне наплевать, что нас слышат, к черту приличия!

— Хорошо, — осторожно уступил Алек.

Кристин сжала кулаки. Одна ее часть была в такой ярости, что ей хотелось поколотить Алека. Другая ее часть, увидев его, хотела расплакаться от радости.

— Ты хоть на секунду можешь представить, что я почувствовала, когда, вернувшись домой и горя желанием выложить тебе массу новостей, обнаружила, что ты трусливо сбежал?

— Прости меня. — Краска залила щеки Алека. — Но могу поклясться, что я хотел сделать как лучше.

— Да, я прочитала твою записку, — гневно продолжала Кристин. — Ты самостоятельно решил, что мне не нужно ничем жертвовать, чтобы быть с тобой. Что я заслуживаю иметь то, чего я хочу.

— Точно.

— Но ты отнял у меня то, что нужно мне больше всего. — От слез все кругом расплывалось. — Ты не оставил мне выбора. Разве это не жертва, причем вынужденная жертва?

— Кристин, — Алек выставил перед собой ладонь, словно боясь, что она действительно может его ударить, — я...

— Нет, позволь мне закончить! — Она вытерла залитые слезами щеки. — Ты сказал, что если для меня так важно уважение моего отца, я не должна им жертвовать, чтобы быть с тобой. Но я не могу пожертвовать тем, чего никогда не имела. А то, что ты отнял у меня, значит для меня гораздо больше, чем то, чего я унизительно выпрашивала всю жизнь.

— О чем ты говоришь? Я ничего не понимаю.

— Все ты прекрасно понимаешь! Ты делаешь меня счастливой. Ты — это то, чего я хочу. Ты мне нужен. И я от тебя не откажусь.

— Правда? — Неподдельное счастье осветило лицо Алека.

— Да, черт возьми! Как ты посмел бросить меня?!

— Я не...

— Я не закончила! — закричала Кристин.

— Хорошо. — На его губах затаилась улыбка, как будто все это начало казаться ему забавным, в то время как все внутри ее бушевало. — Продолжай.

— Я помню, что я сказала после этого ужина. Я была расстроена. И я была не права. После того как я все обдумала, я поняла, что ты прав. Мы никогда не сможем быть счастливы, живя в мире моих родителей, и у меня нет права просить тебя бросить все это. — Она обвела рукой помещение. — Просить только потому, что мне так хочется. Я пыталась не замечать этого, но когда мой отец попросил меня заключить с тобой брачный контракт, все встало на свои места.

Улыбка Алека исчезла.

— Твой отец предложил заключить брачный контракт?

— Предложил. Да.

— Хорошо. Я подпишу его, если ты этого хочешь.

— Ни черта ты не подпишешь!

Алек нахмурился:

— Я не понимаю. Ты отказалась?

Теперь наступил ее черед улыбаться.

— На самом деле вот что я ему сказала: «Пошел ты...»

— Правда? — Брови Алека поползли вверх.

— Правда.

— Молодец! — Алек рассмеялся. — Неплохо для начала.

— Что ты хочешь сказать — «для начала»?

Он взял ее кулаки в свои руки.

— Помнишь, ты сказала, что никогда не могла простить своему отцу, что он не любит тебя, как должен любить?

— Да.

Подняв ее кулачки, он поцеловал их.

— Мне пришло в голову, что ты должна это сделать — простить.

Она нахмурилась:

— Не уверена, что могу это сделать.

— Тебе придется, милая. — Алек ласково разжал ей пальцы, и теперь они держались за руки. — Ради себя самой. Иначе ты всегда будешь страдать из-за этого, а я не могу смотреть, как ты страдаешь.

Кристин подумала некоторое время.

— Если я пообещаю поработать над этим, ты простишь меня за то, что так долго я была слепой идиоткой?

— Крис, я могу простить тебе все, кроме одного — твоего ухода от меня.

— Хорошо, потому что мне не нравится то, как мы попытались переписать конец истории Питера Пэна.

— Да?

— Не нравится. Мне не нравится, что Питер и Венди выросли и живут в реальном мире. Разве это счастливый конец? Думаю, они должны остаться в стране Гдетотам навсегда. Что ты на это скажешь?

— Скажу «и слава Богу». — Алек притянул Кристин к себе и крепко обнял. — Добро пожаловать домой, Венди!

Потерянные мальчики, тихо сидевшие у стойки бара, приветствовали эти слова громкими одобрительными возгласами.

Кристин запрокинула голову и счастливо засмеялась. Она дома, наконец-то дома с любимым человеком. И это самый счастливый конец, который только можно вообразить.

Эпилог

На следующее утро Кристин проснулась одна в залитой солнечным светом комнате. Она смутно помнила, как Алек поцеловал ее на прощание перед уходом на работу, потом напряжение последних дней вновь утянуло ее в сон.

Кристин села на кровати, потянулась, закинув руки за голову, и улыбнулась. Бросив взгляд за окно спальни, она увидела, что разгорается замечательный день. Весь вечер накануне они занимались любовью и говорили о будущем. Сегодня Кристин собиралась перевезти одежду из апартаментов родителей в квартиру Алека.

Но это не означало, что она не поедет кататься на лыжах, где, может быть, даже встретит Алека.

Кристин быстро оделась, закутавшись потеплее, и вышла на улицу. Она шла по городку, и ей с трудом верилось, что это чудесное место отныне будет ее домом. В Остине у нее еще осталось много незаконченных дел, но Кен Хатченс с удивительным пониманием отнесся к ее просьбе и дал несколько дней отпуска. Кристин недовольно поморщилась при мысли о том, что о принятом решении ей нужно поставить в известность семью, но этим она займется позже. Это серьезная проблема, и она с помощью Алека будет решать ее постепенно. А вот ее друзья будут искренне рады за нее.

Кристин вошла в квартиру родителей, включила свой портативный компьютер и отправила электронное письмо Мэдди и Эйми.

Тема: Важное сообщение.

Сообщение: Свадьба состоится! Алек наконец добрался сюда, и я сказала ему, как сильно я его люблю и что хочу жить здесь, в Силвер-Маунтин. Думаю, могу с уверенностью утверждать, что эта новость его «очень обрадовала». Но на самом деле он просто в восторге. Большой ребенок, которого я очень люблю.

А самая хорошая новость заключается в том, что, насколько нам стало известно, в поселке планируется расширение медицинского центра. Думаю, что у меня отличный шанс найти работу прямо здесь, в Силвер-Маунтин.

Итак, Мэдди, надеюсь, что мужчины успешно справятся с подготовкой к свадьбе. Я готова предстать перед алтарем. А как ты?

Мэдди: Поздравляю! Я так рада, что все получилось. Конечно, я с нетерпением жду свадьбы. Единственное, что на данный момент меня беспокоит, — это то, что со вчерашнего дня от Эйми не было никаких сообщений. Не могу поверить, чтобы корабль был вне зоны действия спутниковой связи. Ты не думаешь, что с ней могло что-нибудь случиться?

Кристин: Ох, черт возьми! Я была так занята своими проблемами, что даже не обратила на это внимания. Что она сообщила в последнем письме?

Мэдди: Что она на острове Святого Варфоломея и отправляется с детьми на пляж. Больше сообщений не было.

Кристин: Это определенно не похоже на Эйми. Думаешь, ее забыли на острове?

Мэдди: В голову начинают лезть такие мысли. Но Господи, это ведь невозможно представить! Оказаться на тропическом острове — это ведь мечта большинства женщин. Но для Эйми это самый ужасный кошмар.

*Рецепт «Кайлуа»**

Поскольку Кристин и Алек очень любят кофе, я решила поделиться рецептом моего любимого домашнего

* Популярный мексиканский кофейный ликер.

кофейного ликера. Мы с мужем любим делать этот ликер в начале осени, потом он настаивается, и мы дарим его знакомым на Рождество. Очень хорош в составе горячих и холодных напитков. В качестве согревающего средства попробуйте добавить глоток ликера в кофе, украсив взбитыми сливками. Очень вкусно!

Ингредиенты:

4 чашки сахара

2 чашки воды

$^{2}/_{3}$ чашки растворимого кофе

1 ванильный орех, разрезанный на $^{1}/_{2}$ кусочка (2 чайные ложки ванильного экстракта можно использовать в качестве более дешевого варианта)

750 миллилитров водки

Способ приготовления:

Смешайте в кастрюле воду, сахар, кофе и ванильный орех и доведите до кипения. (При использовании ванильного экстракта добавляйте его позже, вместе с водкой.) Снимите с огня и удалите пену. Остудите, процедите, удалив кусочки ванильного ореха, и добавьте водку. Перелейте все в стеклянный сосуд — он не должен иметь слишком широкое горлышко, иначе улетучится ванильный аромат. Настаивайте три недели в темном месте. Можно разлить по маленьким бутылочкам и использовать в качестве подарков.

Литературно-художественное издание

Ортолон Джулия
Просто совершенство

Редактор А.В. Мякушко
Художественный редактор О.Н. Адаскина
Компьютерная верстка: Е.В. Аксенова
Технический редактор Н.К. Белова

Общероссийский классификатор продукции
ОК-005-93, том 2; 953000 — книги, брошюры

Санитарно-эпидемиологическое заключение
№ 77.99.02.953.Д.003857.05.06 от 05.05.06 г.

ООО «Издательство АСТ»
170002, Россия, г. Тверь, пр. Чайковского, 27/32
Наши электронные адреса:
WWW.AST.RU E-mail: astpub@aha.ru

ООО Издательство «АСТ МОСКВА»
129085, г. Москва, Звездный б-р, д. 21, стр. 1

ООО «ХРАНИТЕЛЬ»
129085, г. Москва, пр. Ольминского, д. 3а, стр. 3

ОАО «Владимирская книжная типография»
600000, г. Владимир, Октябрьский проспект, д. 7.
Качество печати соответствует качеству предоставленных диапозитивов